民国笔记小说粹编编委会

民国笔记小说粹编

一士谭荟

徐一士 著

山西出版传媒集团
三晋出版社

图书在版编目(CIP)数据

一士谭荟 / 徐一士著. —太原:三晋出版社,2022.4

(民国笔记小说粹编)

ISBN 978-7-5457-2478-3

Ⅰ. ①一… Ⅱ. ①徐… Ⅲ. ①笔记小说—小说集—中国—现代 Ⅳ. ①I246.1

中国版本图书馆CIP数据核字(2022)第058884号

一士谭荟

著　　者:徐一士
责任编辑:解　瑞
责任印制:李佳音
封面设计:段宇杰

出 版 者:山西出版传媒集团·三晋出版社
地　　址:太原市建设南路21号
电　　话:0351-4956036(总编室)
　　　　　0351-4922203(印制部)
网　　址:http://www.sjcbs.cn

经 销 者:新华书店
承 印 者:山西人民印刷有限责任公司

开　　本:850mm×1168mm　1/32
印　　张:11
字　　数:220千字
版　　次:2022年5月　第1版
印　　次:2022年5月　第1次印刷
书　　号:ISBN 978-7-5457-2478-3
定　　价:49.00元

如有印装质量问题,请与本社发行部联系　电话:0351-4922268

总　序

黄　霖

承蒙三晋出版社的错爱，我遵嘱为他们在《民国笔记小说大观》的基础上再做的选粹本作了这个序。说实话，当时我一听这个书名就感到有点头疼，因为自从1912年王文濡推出《笔记小说大观》以来，究竟如何认识“笔记小说”这个名目可以说是众说纷纭，非三言两语能够说清，再加上手头的事情实在太多，不想去算这笔糊涂账了。但后来一想，近年来我正从研究近代文论的圈子里跨出来，在关注现代的“旧体”文学与文论，“笔记小说”这个名目作为一种文类或文体亮相并引发了争议，也正是从近现代开始的，因此也不妨乘此机会来梳理一下吧。

显然，要辨说“笔记小说”，首先要将“笔记”与“小说”这两个概念简要地说一说。好在古代对这两个概念，大家的认识本来就大致相近。

假如从《庄子·外物》《论语·子张》《荀子·正名》分别所说的“小说”“小道”“小家珍说”算起，“小说”之名是出现得比较早的。到汉代桓谭《新论》所提的“小说”就与20世纪前一般学者所认识的“小说”比较一致了。它指出其特点是“丛残小语，近取譬论，以作短书”。尽管“小说”于“治身理家，有可观之辞”，但据《论衡·谢短篇》等篇的解释，这类“短书”，写的都是“小道”，“非儒者之贵也”。到《汉书·艺文志》就明确在史志目录中将“小说”归为一类，并列出了具体的书名，从中可见，“小说”中既有“史官记事”之作，也有“迂诞依托”之书，另有阐发哲理的议论、风俗逸闻的记载，等等，内容庞杂，范围广泛。以此可见，“小说”这个概念的出现，先是从内容着眼，强调它写的是有别于经传“大道”之外的杂七杂八的“小道”，与此相适应的是在形式上都是“丛残小语”。简言之，所谓“小说”，就是并非正面、集中阐述“大道”的杂、碎文字。

至于“笔记”之名，当后起于文笔相分的六朝。刘勰《文心雕龙·总术》云：“今之常言，有文有笔，以为无韵者笔也，有韵者文也。”笔记，当属用无韵之笔随记而成的、有别于经年累月、深思熟虑写就的杂、碎文字。当时之所以起用“笔记”之名，主要是从写作的方式与形式的角度上来考虑的。一时使用这个概念者也较多，如刘勰在《文心雕龙·才略》中明确地提出了有“笔记”之作：“路粹、杨修，颇怀笔记之工”，“温太真之笔记，循理而清通，亦笔端之良工也”。差不多同时的萧子显在《南齐书》卷五十二《文学·丘巨源传》中也提到了“笔记”之名。到宋代就有了以“笔记”为名的书籍，如宋祁的《宋景文公笔记》、苏轼的《仇池笔记》等等，久盛不衰。假如也用一语而言之，则所谓“笔记”，就是随笔而记的无韵杂、碎文字。

于此可见，“小说”与“笔记”之别，主要是在起用这两个概念时的着眼点、出发点不同，一是从内容出发，一是从写作的方式出发，在20世纪以前的文献学意义上，它们的实际内涵与外延应该是大致相同的，所谓“笔记”或“小说”，都是指经（正）史之外的，包括各类内容与多种形式的零简短章。它们一般都用的是文言，所以到现代，有人在“小说”之前加了“笔记”，用来与“白话小说”相区别；它们一般成集，但也有单篇或零星几章的，特别是在报刊兴起之后，单篇之作也很多。正因为“小说”与“笔记”两个名目，有异有同，古人又似未见对此有所辨析，只是在各自的著作中自做不同的分类或赋予不同的名目，于是就分分合合，弄得缠夹不清了。

不过，据我粗略的检视，在20世纪以前的漫长历史中，文人墨客或用“小说”之名，或称“笔记”之作，绝大多数并没有将这两个名称合在一起，没有把“笔记小说”或“小说笔记”作为一个文体或文类的名称来使用的。偶尔有之，也是为了文气的连贯而将两者作为相近文体或文类而并列在一起而已。假如当时有标点符号的话，应该是写成“笔记、小说”更为确切，只是当时没有标点符号，就将两者并写在一起了，如宋代史绳祖在《学斋占毕》卷二“蔆蔆二物”条中说：“前辈笔记小说固有字误，或刊本之误，因而后生末学不稽考本出处，承袭谬误甚多。”[①]再如清代王杰所编的《钦定重刻淳化阁帖释文》中有一文写道，“各有专书以纠其失，其他见于古今诗、文及说部、笔记者指摘不胜枚举”。[②] 这里的诗与文、说部与笔记之间都是应该加顿号的，它们都是并称的。再如江藩在说钱大昕治元史时说：“搜罗元人诗文集、小说笔记、金石碑版，重修元史，后恐有违功令，改为《元诗纪事》。”[③]其“小说笔记”也只能看作是性质相近的两类文字并写在一起，也并没有将“小说笔记”四字合在一起看作是一个文体或文类。

时代跨进了20世纪，在新的文学思潮影响下，1902年梁启超在正式发行中国第一本小说杂志《新小说》之前两个月，在《新民丛报》第十四号上发了一篇《中国惟一之文学报〈新小说〉》，对将要发行的《新小说》的宗旨、形式、内容、发行等问题做了介绍，特别详细地对将要发表的各类小说做了分类说明，指出有历史小说、政治小说、哲理科学小说、军事小说、冒险小说、探侦小说、写情小说、语怪小说等不同，这些显然都是从内容上分类的。接下来就从形式上、或者说从文体上指出还有“札记体小说”与“传奇体小说”。在这里，“札记”与“笔记”义同。他特别在“札记”与“小说”之间加了一个“体”字，意义非

---

① 史绳祖《学斋占毕》卷二，文渊阁四库全书本。

② 王杰等辑《钦定石渠宝笈续编》卷二十三，清乾隆末年内府朱丝栏抄嘉庆增补本。

③ 江藩《国朝汉学师承记》卷三，清嘉庆十七年刻本。

凡。这表明在新潮的西方文学观念影响下，他所认识的“小说”已不再是传统的不论在内容上还是形式上都是包罗万象、混沌模糊的一个概念，而是开始将“小说”看作“文学”中的一种自具特色的文体，而“笔记”也只是一种特殊的表现形式与手段。正是在转变了小说观念之后，他在“笔记”与“小说”之间加了一个“体”字，以示这类小说是“笔记”类文体或形式的小说。后在《新小说》正式发行时，他又将“札记体小说”略称为“札记小说”。这种“札记小说”的代表作就是“随意杂录”的“《聊斋》《阅微草堂》之类”。这也就是说，“札记小说”乃是一种用随意笔记的形式写就的如《聊斋志异》《阅微草堂笔记》一类的有故事、有人物，乃至有虚构的文字，也就是“札记体小说”。现在看来，梁启超在新潮的纯文学观念影响下，他心中的“小说”已不同于桓谭、班固到刘知几、胡应麟及四库馆臣笔下的“小说”了。他已将“小说”作为“文学”中的一种独立的文体，不再与“笔记”混同一体，而认为古代作品中“笔记”与“小说”这两者的关系，只能是“笔记体小说”或“小说体笔记”，因而在他主编的《新小说》中发表诸如《啸天庐拾异》《反聊斋》《知新室新译丛》等作品时所标的“札记小说”四个字的含义，实际上已经与古人所用的“笔记小说”之义大相径庭，赋予了“笔记体（类）小说”的新意。这是一次历史性的跨越。自此之后，“札记小说”或“笔记小说”四字的含义，就不再只是“笔记与小说”或者是“笔记加小说”一解，而是另有了一种新义了。而且在这里也清楚地告诉了人们，“笔记”与“小说”两者是不能相混的：在“笔记”中有一类是“小说”，还有许多并不是小说；在小说中有一类是“笔记体”，还有很多是非笔记体的；所谓“札记体小说”或“札记小说”，就是用笔记的手法写成的小说，或者说是归于“笔记”类中的“小说”。

梁启超的看法立即产生了影响。继《新小说》之后，不久发行的一些小说杂志，如《竞立社小说月报》《月月小说》，乃至如以学术为主的《东方杂志》之类也都在这样理解“札记小说”四字的基础上安排了这一专栏，发表了一系列的“笔记体(类)小说”。同时，商务印书馆出版的规模宏大的“说部丛书”，也据梁氏的分类标准，在每一部的封面上大都醒目地标明了是属于某类小说，如政治小说、军事小说等等，其中也有《海外拾遗》《罗刹因果录》等标明是“笔记小说”。此二书，都是分八则，写了各色人等的故事。这里的“笔记”与“小说”之间虽无一个“体”字，但实际就是“笔记体(类)小说”的意思，都是用随笔的形式写成的有故事、有人物、有虚构的作品。乃至在1929年4月2日的《新闻报》的广告栏中刊载大华书店发售的小说，也标明了不同的分类，除了从内容上区别“武侠小说类”“香艳小说类”及新与旧的不同外，另就形式而言也有“笔记小说类”。显然，这个“笔记小说类”也就是“笔记中的小说”或“小说类的笔记”，与梁启超的认识是一脉相承的。

但到民国年间出现了新问题，好编丛书的王文濡，接连编印了《古今说部丛书》《笔记小说大观》《说库》等将传统笔记与小说混在一起的丛书。其用“说部丛书”“说库”之名当无问题，而其于1912年用进步书局之名出版的《笔记小说大观》一书，共分八辑，收220余种作品，体量极大，尽管其书的《凡例》称“所选趋重小说”，但同时又说，“然关于讨论经史异义，阐发诗文要旨”等“古人笔记中往往有之”之作品也不忍“割爱”。且开宗明义第一条就说：“本编纂辑历代笔记，起六朝，迄民国，巨人伟作，收罗殆遍。”其书在报纸上刊载的“预约广告”也说：“《笔记小说大观》，系集汉魏以来笔记二百余种之汇刊，都五百余册。”[①]都是将“笔记”覆盖了“小说”。可见王文濡心目中还是将“小说”与“笔记”混在一起的。这样一来，同样“笔记小说”四字，自古至今出现了三种理解：一种是古代个别学者将“笔记”与“小说”并称而合在一起；另一种是如梁启超们将“笔记”中可称“小说”的一类称之为“札记体小说”或略称为“札记小说”；再者就是王文濡将“笔记”与“小说”混为一类的“笔记小说”。

由于当时的小说界普遍接受了新潮的小说观，而对古人曾经有过的零星将“笔记”与“小说”并称的情况没有注意，所以一见王文濡将“笔记”与“小说”混为一类就多有不满，如在当时文坛上比较活跃的姚赓夔就撰文说：

---

① 《新闻报》《民国日报》1928年6月19日同载。

“笔记小说”四字，最不可解。笔记自笔记，小说自小说，岂可相混？笔记而名之以小说，是何异画蛇而添足乎？①

署名玉衡者也发文说：

笔记与短篇小说，体裁既异，结构亦不自同。而今之作者，往往互相混淆，是无异于孙周之兄不能辨菽麦。②

《海上繁华梦》作者潄石生也说：

笔记有笔记体裁，小说有小说绳墨，二者绝不相混也。③

与此同时，小说界开始注意辨析“笔记”与“小说”的异同。如《申报》1921年3月20日载《笔记与小说之区别》，列举了九条，如云：“笔记须有记载之价值，次之趣味；小说须有百读不厌之精神，次之勿使阅者意懈，目不终篇。”“笔记重实叙，故曰记；小说可虚绘，故曰说。”“笔

① 《小说杂谈》，《星期》1922年第29期。
② 《小说管窥》，《星期》1923年7月29日。
③ 《余之古今小说观》，《新月》1925年11月1日。

记叙人物、地址皆有名，示翔实焉；小说多以‘某’代之，或并某字而无之，如‘生’‘女’皆成名称，不妨虚衬也。”为了避免将“笔记”与“小说”混淆，一些学者重拾梁启超的旧话，用“笔记体的小说”[①]“笔记式的小说”[②]或“笔记的小说”[③]等提法来取代容易混淆的“笔记小说”。应该说，假如大家都遵循这样的提法的话，后世就不会产生歧义了。

但问题比较麻烦的是，实际上从梁启超始，既创用“札记体小说”之名，又将之略称为“札记小说”，自乱了阵脚。现经《笔记小说大观》热炒畅销之后，特别经过一些“笔记+小说”类的“笔记小说”选本与丛书的不断亮相（选本与丛书中也有一些是只收“小说”的或只称“笔记”的），还是有相当一部分人将“笔记小说”看成是“笔记+小说”的。“笔记小说”一个名目、两种理解状况就始终存在着。

更使人缠夹不清的是，尽管自20世纪二三十年代后，大多数小说史家与文学史家笔下的“笔记小说”的实际含义已是“笔记类小说”，但他们还是乐此不疲地沿用“笔记小说”来论文与著史。最典型的如郑振铎先生，他在1930年写的专论小说分类的《中国小说的分类及其演化的趋

① 叶楚伧《中国小说谈》，《民国日报》1923年7月24日。
② 赵芝岩《小说闲话》，《半月》第3卷第14号。
③ 周群玉《白话文学史大纲》，上海群学社1928年版，第123页。

势》长文中，一方面指责《笔记小说大观》收之太滥，强调“笔记小说”丛书应当编成“故事集”，另一方面还是沿用“笔记小说”之名。他说：

> 第一类是所谓“笔记小说”。这个笔记小说的名称，系指《搜神记》(干宝)、《续齐谐记》(吴均)、《博异志》(谷神子)以至《阅微草堂笔记》(纪昀)一类比较具有多量的琐杂的或神异的“故事”总集而言；范围固不能过于狭小，内容的审查，固不能过于严格，然也不能如前之滥，将一切“杂事”“异闻”“琐语”都包括了进去，有如近日出版的通俗本的“笔记小说大观”。我们应该将他们限于“故事集”的一个标准之下，或至少须是具有大多数的故事的。所谓“琐语”之类的东西，像《计然万物录》(编者注：托名计然著，东汉时成书，原书佚，清茆泮林辑)、《博物记》(汉唐蒙)、《博物志》(晋张华)、《清异录》(宋陶谷)、《杂纂》(唐李商隐)、《幽梦影》(清张潮)、《板桥杂记》(清余怀)；所谓“异闻”之类中的《山海经》《海内十洲记》《神异经》；所谓“杂事”之类中的《摭言》(唐王定保)、《云溪友议》(唐范摅)、《北梦琐言》(宋孙光宪)、《归田录》(宋欧阳修)、《侯鲭录》(宋赵德麟)等

等，都是不能算作“笔记小说”的。[1]

在民国时期另作专论“笔记小说”的是王季思先生。他写的《中国的笔记小说》《中国笔记小说略述》两文内容大致相同。其基本意思也同郑振铎。他说：“就笔记说，凡是纯属学术的讨论与考订的，如《困学纪闻》《日知录》《廿二史札记》《十驾斋养新录》，虽是笔记，却非小说。”除此之外，笔记的“轶事、怪异、诙谐”三类中，不论所写“幻想幻觉”还是“所见所闻”，凡有故事，有人物，“最可见作者及所记人物个性”的，就是“笔记小说”。[2]

民国时期两篇有关“笔记小说”的专论，都是认同用四个字来表达笔记中的小说是一种独立的文体。这样的认知与表达实际上也反映了民国以来绝大多数的文学史、小说史作者的看法。不但如此，以后的文学史、小说史作者大都也是如此，一直到20世纪90年代所出的几本具有代表意义的“笔记小说史”，乃至目前最流行的袁行霈先生主编的《中国文学史》与袁世硕先生主编的《中国文学史》，都是将“笔记小说”理解为“笔记体小说”而不是“笔记与小说”的。苗壮先生的《笔记小说史》定义“笔记小说”时说：“以笔记形式所写的小说，它以简洁的文言、短

---

① 郑振铎《中国小说的分类及其演化的趋势》，《学生杂志》1930年第17卷第1期。

② 王季思《中国的笔记小说》，《战时中学生》1939年第9期；《中国笔记小说略述》，《新学生》1947年第4卷第2期。

小的篇幅记叙人物的故事。”[1]而袁行霈先生主编的《中国文学史》说“笔记小说”是“采用文言，篇幅短小，记叙社会上流传的奇异故事、人物的逸闻轶事或其片言只语”。[2]显然，他们都将“小说”之外的“笔记”排斥在“笔记小说”之外。但是，时至今日，人们在沿用这个歧义的“笔记小说”的名目时，已经很少有人再想起历史上曾经用过的“笔记体小说”“笔记式小说”“笔记类小说”这类比较确切的提法了。

从梁启超到郑振铎、王季思，到当代的文学史、小说史作者们，为什么明明心里想要表达的是“札记体小说”，要将“笔记”与“小说”区别开来，认为混入了不少笔记的《笔记小说大观》收得过滥，而最后还是没有鲜明地表示“笔记自笔记，小说自小说”，还是用了一个容易混淆视听的“笔记小说”呢？我想可能主要是汉字构词的特点所造成的。我们的汉字富有弹性，构词时常常留下了活络的空间。“笔记小说”四字，的确可以包容“笔记与小说”“笔记体小说”“笔记小说这一类小说”这三种不同的理解。谁都可以用这四个字来表达，谁都不能算错。再加上传统写诗作文，用四字构词比较上口，特别如梁启超，在为未出的《新小说》做广告时拈出了“札记体小说”，而当《新

---

① 苗壮《笔记小说史》，浙江古籍出版社 1998 年版，第 4 页。

② 袁行霈主编《中国文学史》第三版，第二卷，高等教育出版社 2014 年版，第 153 页。

小说》正式付印时，考虑与“历史小说”“政治小说”“科学小说”等并称，就略称为“札记小说”。当时在他心目中，肯定觉得这“札记小说”就等于“札记体小说”，殊不知“札记小说”也可理解成不是“札记体小说”的呢！

再看，从《笔记小说大观》问世以来，陆陆续续用“笔记小说”之名出版的一些选本或丛书，其总体数量虽不能与一些史著与研究著作相比，但其混乱的程度却非常突出。当然，其中也有一些选本或丛书用“笔记小说”或“小说笔记”之名来编选作品时，基本上都是选录了一些有小说意味的作品，如1934年江畬经编选的规模不小的《历代小说笔记选》就是一例。1949年后，如2004年天津古籍出版社出版的《唐宋笔记小说释译》就明确说，“所选篇目以故事性、趣味性的轶事为主”。对于“笔记小说”概念的辨析最为清楚的，要数严杰先生在他编选几种“笔记选”时所写的前言中说的：“笔记小说只是笔记中的一大类”；“笔记大致可以分为三类”，“第一类以记载短小故事为主”，“第二类以历史琐闻为主”，“第三类以考据辩证为主”；“把笔记划分为三大类，并确定笔记小说的范围，需要注意的是，其间界限并不是非常清楚的，只能划出大略的轮廓而已。在确认第一类笔记为笔记小说的同时，也应该承认第二、第三类中也存在着相当数量的小说。笔记小说毕竟不能算是有意识创作的产物，其中的文学成分不是很纯净的”；“我们就不便再把唐传奇当作笔记小说看待了，尽管它同笔记小说有着渊源关系”。[①] 但是，毋庸讳言，还有编选者对于“笔记小说”的概念是缠夹不清的。比如，自《笔记小说大观》之后，1978—1987 年台北新兴书局出版的《笔记小说大观丛刊》，1990 年、1994 年先后由周光培编辑出版的《历代笔记小说汇编》（辽沈书社）、《历代笔记小说集成》（河北教育出版社），1999—2007 年上海古籍出版社出版的《历代笔记小说大观》，规模都很庞大，然其所收的没有小说意味的笔记触处可见，显然它们都是受王文濡的影响，将笔记与小说混为一类的。还有的，甚至将传奇、通俗长篇小说都纳入“笔记小说”之内，如有《清代笔记小说类编》一书，其《总序》说：“全书以传奇体小说为入选重点，从清人所作的约一百五十部笔记中选取二百余位作家创作的约一千九百篇作品，按类分编成十卷。”[②]我真不知道他选的究竟是传奇还是笔记。还有的竟然将《岭南逸史》《儒林外史》这样的长篇通俗小说也归入“笔记小说类”。[③] 此外，还有不少人将“笔记小说”与从语言上分类的“文言小说”混为一谈。如江西人民出版社 1984 年出版的《历代笔记小说选》称：“我国古代短篇小说，可分为两种：一是笔记小说，一是话本小说。前

① 严杰《唐五代笔记小说选译前言》，《唐五代笔记小说选译》，巴蜀书社 1990 年版，第 1—6 页。

② 陆林《〈清代笔记小说类编〉总序》，《清代笔记小说类编》，黄山书社 1994 年版，第 3 页。

③ 《新闻报》1929 年 4 月 2 日载大华书局广告。

者是用文言写的，后者是用白话写的。”诸如此类，可见对于“笔记小说”的理解真是五花八门，难怪程毅中、陶敏等先生站在不同的角度上大呼“笔记小说”的提法“于古于今都缺乏科学依据”，[①]“造成了许多混乱”。[②] 的确，这种混乱的局面再也不能继续下去了。

如今，我们要厘清“笔记小说”这个概念，就应该既要尊重历史演变的实际，又要解开一个结。这个结，就是要在正确认识传统的“大文学观”与目录学的基础上，去顺应近现代中西文学交流下的文学观念的通变，接受新的“小说”观，从而重新审视传统的“笔记”与“小说”。我们不能简单地认为接受新的小说观就是“以西律中”，抛弃传统。事实上，中国传统的包括叙事文学观在内的文学观本身也是在不断地发展变化，对于“文学”不同于学术乃至其他所有“文字著于竹帛”者而自具特性的认识也在不断发展与深化。就“小说”而言，对于这一文体的叙事、写人、虚构等特质的认知也是在一步一步地从混沌走向明晰，所以当西方的小说观传入后就能一拍即合，相互融合，形成了一种新的“小说”文体观。20 世纪以来逐步形成的所谓“小说”，乃至“笔记小说”“传奇小说”“话本小说”“章回小说”等名目，都是在立足本土、借镜西方、反复

---

① 程毅中《略谈笔记小说的含义及范围》，《古籍整理研究学刊》1991 年第 2 期。

② 陶敏、刘再华《“笔记小说”与笔记研究》，《文学遗产》2003 年第 2 期。

讨论的过程中形成的具有中国特色的新概念。这种新的小说文体观的确立与分类的细化，正标志着中华民族文化的进步，也显示了我们民族具有包容与消化世界先进文化的胸怀与能力。实际上，我们对于古代与西方的文化，都应该以一种辩证的、发展的、现实的眼光来看待，站在当代的、中国的、科学的立场上来接受与扬弃。承传中华民族文化的优秀精神，不是要倒退，而是要向前。假如今天不接受百年来形成的新的小说观，再将古今两种小说观搅在一起的话，"笔记"与"小说"的糊涂账将是永远算不清楚的了。

当我们辨明"笔记小说"四字的前世今生，再面对现实的发展态势，我相信将来的发展可能不用学者们过多辩说，事实上会"约定俗成"地形成这样的情况："笔记小说"四字即表达了"笔记体小说"或"笔记类小说""笔记式小说"的意思。这已为自梁启超以来的百余年历史所证明，绝大多数小说家及文学史、小说史专家，以及多数"笔记小说"的选本、丛书等出版物，都是将"笔记小说"理解为用笔记体写成的、大致符合现代文体分类中具有"小说"意味的作品。它是"笔记"的，也就是不同于有完整故事的传奇，更不是通俗长篇之作，而是一些随意编录的零简短章；它是含有现代所理解的"小说"意味的，其核心是记事的，或实或虚，或真或幻均可，而不同于传统习用的内容没有边界、相互纠缠不清的"小说""笔记""说部""杂说"等名目了。

至于将“笔记”与“小说”混成一体的、甚至再羼杂“笔记”“小说”之外作品的“笔记小说”观，虽然在一些选本与丛书中偶然还看到，但实际数量是并不多的。而且我们还应该注意到，不少选本与丛书的选家，为了避免混淆“笔记”与“小说”，就干脆只用“笔记”之名而摒弃了因古今理解不同而容易引起歧义的“小说”两字，在《笔记小说大观》之后，就出现了为数不少的唯名“笔记”的选本，如姜亮夫编的《笔记选》（北新书局1934年版）、陈幼璞编的《古今名人笔记选》（商务印书馆1938年版）、叶楚伧主编的《历代名家笔记类选》（正中书局1943年版）、吕叔湘编的《笔记文选读》（文光书店1946年版）、刘耀林编的《明清笔记故事选译》（中华书局1962年版）、《历代史料笔记丛刊》（中华书局于1979年起编刊）、周续赓等编的《历代笔记选注》（北京出版社1983年版）、福建师范大学历史系华侨史资料选辑组编的《晚清海外笔记选》（海洋出版社1983年版）、卉子编的《中国古代笔记文选读》（四川少年儿童出版社1986年版）、偬仕编的《魏晋笔记选》（中国文学出版社1999年版）、黄飙编的《历代笔记选析》（海峡文艺出版社2015版）、倪进编的《唐宋笔记选注》（上海教育出版社2016年版）和《元明笔记选注》（上海教育出版社2018年版）等等，其中有的甚至主要或全部收的是“笔记体小说”，也宁可用“笔记”之名而不带“小说”两字了。这与1983年江苏广陵古籍刻印社重刊《笔记小说大观》的序言提到的一种看法完全相同：“笔记就是笔记，联带上'小说'有点不伦不类，不如叫《笔记大观》为好。"[1]这的确既遵循了传统，又避开了混乱，可谓是明智之举。以后欲将"笔记"与"小说"混为一类的选家，不妨都照此办理，只用"笔记"或"说部"之类中国传统的概念来标名，恐怕不失为一条坚守传统的老路吧！

至于有时要将"笔记"与"小说"放在一起并称的，那就比较简单，只要中间加个顿号就解决了。

这样，用三种方法来表示三类本来纠缠不清的"笔记小说"，就不会相混了。我相信，历史的发展必然会继续沿着百余年来已被多数学者所认同和走过的这条道路继续前进。

行文至此，话归正传。我们打开山西古籍出版社1995年始出版的《民国笔记小说大观》，共有四辑52种，其中除《曾胡治兵语录》一编外，大致都有现代意义上的"小说"味。如今又出《民国笔记小说萃编》凡24种，已无《曾胡治兵语录》一类的笔记了，但其中有三部书也可能会产生一些不同的看法。第一部是刘成禺的《洪宪纪事诗本事簿注》。假如从传统文献分类来看，它的基本性质是一部诗注。但它是用"笔记小说"类的文字来注的，其注98篇文字编撰了丰富而生动的故事，说它是笔记体小说也应该是可以的。第二部是《寒云日记》。"日记"本身

---

① 高斯《重刊〈笔记小说大观〉序》，《笔记小说大观》，江苏广陵古籍刻印社1983年版，第2页。

就是一体。这本日记又夹杂了不少有关诗词的著录、名物的考辨等，然“日记”作为按日所记之笔记，作者又以自己作为中心，用其简约、隽永的文字，逐日记事写情，还是具有一点“小说”因素的。第三部就是缪荃孙之《云自在龛随笔》。从此书的主要成分看，实是一部学术随笔，所记多为金石书画、版本目录之学，但中间亦可见多篇记事写人、饶有文趣之作。所以这三部书，虽然显得各有一点另类的味道，但就其实，用比较宽松的眼光来看，不妨也可列于“笔记小说”之中吧。

至于其他著作，几乎都是记述一些社会生活中的大小事件、人物轶事之类，作者当时往往将它们视为“掌故”“杂史”“稗史”之类的史著，未必认同这也是“小说”。本来，在古代笔记中有小说味的作品主要是两类，一类是记鬼怪，另一类是记人事。记人事的也有虚、实之别，当然是写实的居多。凡所谓稗史、掌故、野史、琐记、轶闻等等，名目繁多，都是以记人叙事为主。在晚清民国时期，倡导科学，因而多视记鬼怪者为迷信，不少作者有意回避。与之相应，此时做笔记者大都自命其作是为了补翼正史。作者又多生于高官世家，或本身就是名流学者，熟稔朝廷内外及学界文场的种种故实，所记多自亲睹亲闻，有的还到图书馆里翻阅书刊查证。笔下虽有一些是梳理了历史上的陈迹，但最可宝贵的是触及了晚清民国时期诸如宫廷斗争、外交风波、官场倾轧、吏治腐败、名臣功过、史事曲折、遗老姿态、名士趣闻等方方面面，且多标榜信实，自诩为良史。固然，这些笔记，从作者的写作意图来看，他们主要是想写“史”，而不是要创作小说。后来的历史研究者们，引用这些民国笔记中的片段时，也往往将它们作为故实来证史。它们“史”的本质毋庸讳言。

强调信实的历史著作，与可以虚构的文学创作，从现代学科分类来看，当然是两个门道。但是，它们最重要的一个内核，即记事，是相同的。古代朝中史官之记事，当然是一件十分严肃的事情，所谓“圣人之记事也，虑之以大，爱之以敬，行之以礼，修之以孝养，纪之以义，终之以仁”(《礼记·文王世子第八》)。但后来到民间记事，就未必如此郑重其事了，所记未必都是国家大事，也有的来自道听途说，再有的加些油盐酱醋，甚至有的还故意幻设了一些故事，于是就出现了所谓“稗史”“野史”“外史”，乃至“谐史”“趣史”之类，虽也称之为“史”，但此史已不同于彼史了。更何况，就是一些纪传体、纪事本末体之类的所谓“正史”之作，所记之事，所写之人，也有的富有文学意味，人们也常将它们当作文学作品来欣赏。一部《史记》，不是在“中国文学史”著作中也有着崇高的地位吗？与此同理，民国间那些用笔记的形式，所记的大大小小的故事、形形色色的人物，不也可以当作文学中的一类“小说”来欣赏吗？

事实正是如此。我们就以颇有代表性的瞿兑之来说吧。他在民国期间大力提倡“掌故学”，其主要精神是为了在“正史”之外用“杂史”来保存与发掘真实而完整的史料。有人称他是继王国维、梁启超之后，可与陈寅恪相颉颃的“史学大师”。[①] 他认为，自宋以后，在“正史”中已找不着“政治社会制度之实际情况”了，这是因为“自来成功者之纪载必流于文饰，而失败者之纪载又每至于湮没无传。凡一种势力之失败，其文献必为胜利者所摧毁压抑”。所以治史者“为救济史裁之拘束，以帮助读史者对于史事之了解”，必须“对于许多重复参错之琐屑”加以综合审核之后，“存真去伪，由伪得真”，所以“杂史之不可废”。更何况到了清末，“文字之禁骤然失效，从前闷着不敢说的一切历史上疑案”，人们都敢说敢写了，再加上私家印书方便，报章杂志风行，笔记杂事轶闻之作就纷然而起，以求在“史学上”做出贡献。同时，从文字表达的角度来看，他认为先前的《史记》《汉书》，“叙述一个重要人物每从一二节上描写，使其人之性情好尚，甚至于声音笑貌跃然纸上，即一代兴亡大事，亦往往从一件事故的发生前后经过著意叙述，使当时参加者之心理，与夫事态之变化都能曲折传出，而其所产生之果自然使读者领会于心。”但“后来史家每办不到而渐趋于官样文章之形式。所以然者，秉笔之人多少有一点公务的史职在身，而后代的文网较为苛密，加之私家的传说太多，不是公认的话不敢说，不是官式的史料不敢依据，因此虽然极好的史裁也受

① 周劭《瞿兑之与陈寅恪》，《闲话皇帝》，上海书店 1994 年版，第 113 页。

了限制，不能像《史记》那样活泼泼地了。”[1]所以现在他要从“杂史”中找回“正史”中早就不存在的那种“活泼泼”的文字，这也就使他们的“笔记”“掌故”等杂史之作带有了文学味、小说味。他们写的既是史著，但又可视之为“小说”了。且看其《杶庐所闻录》中有一则记张之洞曰：

> 张文襄虽主新政，而思想陈旧，亦出人意表。其在鄂督任时，公文不用新语，必苦思所以代之者。及入管学部，一日稿中偶有新名词。公批曰：“新名词不可用。”部员某年少好事，戏夹签于内曰：“新名词亦新名词，亦不可用。”次日更定上之，而忘去此签。公见而惭怒，竟日不语，遍翻古书，欲有以折之，卒不可得，乃霁颜谢焉。[2]

此短短数语，将虽主新政、思想仍旧的张之洞，围绕着“新名词”一词，对于属下批评后的神情变化，表现得惟妙惟肖。另见其《辛丑和约余闻》一则，就李鸿章签订和约事，写张之洞与李鸿章因两人所处的地位、经历不同而各持己见，各有意气，只用了一二语，即神情毕现：

---

① 瞿兑之《〈一士类稿〉序》，《一士类稿》，《民国笔记小说大观》第二辑，山西古籍出版社 1996 年版，第 17—27 页。

② 瞿兑之《杶庐所闻录》，《民国笔记小说大观》第一辑，山西古籍出版社 1995 年版，第 27 页。

辛丑议和之役，李鸿章一手主持，不免有徇外人之意太过者。当时急于求成，亦无人起而抗争。惟与俄国单独订密约一事，众议哗然，中外皆不以为然，卒未画押。张之洞、刘坤一争之尤力。相传刘、张联衔电李争持，实出张之手。李愤甚，电致军机处，谓："不意张督任封疆二十年，仍是书生意见。"张闻之亦惭怒，谓人曰："李相办和议事二三次，便为交涉老手耶？"①

与瞿兑之同道的有徐一士，写的笔记小说也多，他们两人一吹一唱，所持的观点完全一致。徐一士也认为笔记首先当写得"不违乎事实，而有益于知闻"，同时要有文采，"或为工丽之章，或具闲逸之致"。但在"专制之朝，王者为防反侧"，迭兴文狱，"故以当时之人而为私家之著作，处境綦难，有时饰为颂扬，良非得已。至清之既亡，则野史如林，群言庞杂，秽闻秘记，累牍连篇，又过于诞肆，楚则失矣，齐亦未为得也。"至于民初设清史馆，所编《清史稿》之类，"取材循官书文件之旧，评赞多夷犹肤饰之词"，根本无当于"史笔"。因此，他要将"有清一代，专三百年中华之政，结五千年专制之局，为世界交通新陈代谢之窔键"中的"是非得失"，"爬梳搜辑"，通过"随笔之体"

① 瞿兑之《杶庐所闻录》，《民国笔记小说大观》第一辑，山西古籍出版社1995年版，第194页。

来“贡一得之愚”。[1] 他自幼就好读《三国演义》《水浒传》《西游记》《封神演义》《聊斋志异》《儒林外史》《隋唐演义》《儿女英雄传》《三侠五义》等“闲书”，以听故事为乐，这种熏陶，就使他的笔记更有小说味了。其他收入此编的诸作，虽然文风有异，繁简有别，但大都如这样的一些文史兼备之作，读来皆有兴味。所以此编名之为《民国笔记小说粹编》，也可谓是名副其实，不知读者以为然否？

2022 年 1 月 2 日

---

① 徐凌霄、徐一士《〈凌霄一士随笔〉自序》，《凌霄一士随笔》，《民国笔记小说大观》第三辑，山西古籍出版社，1997 年版，第 8、9 页。

编纂凡例

《民国笔记小说粹编》，选编民国时期笔记小说名家名作，呈现民国笔记小说主要面目，以利阅读和研究。

一、命名。笔记小说是对文史掌故笔记著作的传统称谓。《四库全书总目提要》将掌故著作归于杂家及小说家等类，20世纪20年代有集古代掌故笔记著作之大型丛书《笔记小说大观》出版。至90年代，本社出版《民国笔记小说大观》凡四辑52种49册。本次整理选其精要，亦收新品，精编精校，名之曰“民国笔记小说粹编”。

二、收录范围。本丛书主要收录民国时期（1912—1949）撰写或出版过的文史掌故著作。兼收个别清末出版的重要掌故笔记，因这些清末著作实质上是民国笔记的先声，对民国笔记的繁荣发展起过巨大的推动作用；但只限于其作者为入民国后仍从事创作活动并有相当影响者。丛书所收民国笔记均在万字以上，个别有特殊价值的不受字数限制。

三、排版、文字。简体横排。

四、点校、加注。凡有多种版本的，择一善本为底本，他本作参校，需要时出校记；手稿或单一版本的采取自校。整理时原则上保持底本文字原貌，异体字一般统一为规范字（涉及古地名、人名、译名等的字不在此限），凡明显错讹缺衍之字、词，均做改正并加以标示，符号为：原稿残缺或无法辨识的字用“□”标示；错别字后跟改正字外加“（ ）”标示（以下情形不做标示：人名前后不一致的，径改为正确人名；词形不一致，原文即混用的，直接统一改为现代汉语规范字，如“看作”“看做”统一改为“看作”）；缺脱字直接补充字外加“〔 〕”，衍文外加“〈 〉”。丛书正文不加注释，需特殊说明之处，做脚注，或于导言中予以说明。

原书未分段、标点者，均分段并以新式标点标点。如有整段引文或整首诗词等，亦分段。

特别说明：书稿中用语、用字、用法具有时代特征，与现行规范不合的，保留原貌，如“的、地、得”的使用；“右述”“如左”等原有格式标指文字，保留原貌；特殊的公文（如法律条文等），原文未标点，保留原貌；音译外国人名、地名等，保留原貌。

五、撰写导言，拟小标题。本丛书每部书前均由编者撰以导言，对作者生平、版本流变及内容特点等予以简介。对未予随事标题之笔记，凡有条件者，均酌情拟小标题（此种情况须在导言中说明），以便索引及阅读。

六、原书中有“胡清”“发逆”“拳匪”“蛮”“夷”等歧视性称谓，以及某些不当观点，为保存原著全貌，保存原著作者观点，均未予删节或更改，特此申明。

由于时隔久远、资料不足，加之其他种种原因，本丛书虽纠正了原著诸多误载，但绝难尽善尽美，敬希读者予以指正。

民国笔记小说粹编编委会

2022 年 2 月

目　录

导　言

二十世纪三四十年代，上海有两种鼎鼎大名的文史期刊，一名《古今》，一名《逸经》，当时文坛名流如瞿兑之、谢刚主、冯自由、刘成禺，乃至政坛要人冯玉祥等，无不在这两种期刊上发表作品，故而吸引了一大批文人学士。其最常见的文章要数文史掌故，文采焕然，趣味横生，既针砭时事，又具有很高的史料价值。长篇连载的如冯自由的《革命逸史》，刘成禺的《洪宪纪事诗本事簿注》，分别记述辛亥革命及洪宪复辟，竭尽寻幽探秘之能事，既风靡一时，又为传世之作。但是，《古今》《逸经》最为人看好、长期连载的，要数徐一士的文史掌故。他的掌故文章涵盖有清一代，下延至民国初年，善于以名人为主线记事述人，而其综理材料，探秘寻幽的绝顶功夫更胜于冯、刘诸人，征服了无数读者。读者从徐先生的掌故文章里不仅看到了几十年前熟悉的人、熟悉的事，还对这些人与事有了更深入、更全面的了解。有鉴于此，《古今》杂志社请徐先生将其著作整理汇辑，收为《古今》丛书之三，时在民国三十三年（1944年）。

徐一士先生是民国年间专治清代掌故的大家，当时此方面只有其挚友瞿兑之先生可与匹敌。他在清史研究方面用功之勤、功力之深、见解之精、贡献之大，不必赘述。在此谨就本书内容及特点作一简介。

《一士谭荟》共三十篇，以记人为主线历述清代掌故，所述人物集中为清代末年民国初年政坛要人，如“张之洞与彭玉麟”“荣禄与袁世凯”“瞿鸿禨与张百熙”“陈宝琛”“岑春煊”“吴佩孚与郭绪栋”，单以其名头之大，足以引起读者兴趣。其记人述事，则有三大特点：一是记事必有所征引，资料翔实。其中率多他人未易见到的杂书，如孙静庵《栖霞阁野乘》、胡思敬《国闻备乘》、费行简《慈禧传信录》《近代名人小传》、章士钊《孤桐杂记》等，仅保存资料之功，也至伟矣。二是极善综合资料，理出头绪，发他人所未见。如述胡林翼释彭玉麟与杨岳斌之怨；述陈宝琛卓识机敏超越张之洞一等，促使慈禧改变初衷，惩处阉人；述岑春煊发迹缘由及宦途沉浮，均可动人。三是人物多并列书之，揭示其中亲仇恩怨、纵横捭阖、错综复杂的关系，如述荣禄与袁世凯互为援引、瞿兑之与张百熙一荣俱荣、吴佩孚与郭绪栋引为知己，读来又不能不感慨系之。此三点并列，足使本书超越一般掌故的分量，堪称独步近代史林的名著，不可不知之，不可不读之，不可不重之。

徐一士先生撰野史掌故之功甚为卓著，他是江苏宜兴人，字相甫，属阳羡望族，其伯父徐子静（致靖）、从兄徐仁铸均是戊戌变法的风云人物，其家学渊源及氛围也极好，兼之本人博闻强记，雅好杂书，故而具备了专治晚清和民国初年野史的主要条件。至于其经历，只知他少年时久居济南，山东客籍高等学堂肄业。之后，长期在北京，曾供职中南海。无意于宦途，钟情于著述，与瞿兑之、谢刚主等相善，曾与瞿合办《中和杂志》，依为阵地。其为人不修边幅，善于诙谐，常来往于文人墨客会集的琉璃厂，谈古论今。抗战后，大约便不见他的文章，也无从觅其踪迹。其去世时间，约在二十世纪六十年代。

《一士谭荟》中华人民共和国成立前有上海太平书局1945年6月本及一家社1948年11月本。20世纪80年代初书目文献出版社出版有与《一士类稿》的合刊本，后又多次单独或合刊出版。本次整理，以台北文海出版社影印本为底本，参校太平书局本，并酌情参考已出版的其他版本。由于历史的局限，原书中有一些不尽正确的观点，希望读者明鉴。

张继红

序

东涂西抹，遂已多年，各稿散见历岁刊物，为数颇多。知交每劝出单行本，庶易保存，盖旧稿之遗失者已不少矣。

民国二十四五年间，曾有辑印单行本之议，乃因人事牵率，卒卒少暇，逡巡有待，竟归下止，亦以自揆学识拘墟，文辞弇陋，且多成于匆促，未能博考审思，难可遽以传世，故弗亟亟于此也。

近岁以来，日趋老惫，友好尤时以此事不宜过延为言。于是承古今出版社之约，出《一士类稿》一部。印行之后，未为读者所唾弃，良用愧幸。兹复承太平书局愿为印行，因检理丛残，更为《一士谭荟》之出版。

此编略犹前出《一士类稿》之例，所收凡三十篇，以谈述人物者为多。如谈靖港之役，述曾国藩治军初期一大事，着其情状，俾资研讨国藩为人之一助。左宗棠等，亦附及焉。他如骆秉章、杨岳斌、彭玉麟、王鑫、朱洪章等，均咸同间立功将帅。崇实非长于武略，而与秉章同官雅故，并列于篇。咸丰军事史料一稿，述洪、杨起事后一重要阶段之当时见闻，采自黎吉云所录。吉云则道咸间名御史，其人其诗，可供扬搉。至若倭仁、荣禄、张之洞、许景澄、陈宝琛、瞿鸿禨、张百熙、袁世凯、岑春煊、林开謩、陆徵祥、吴佩孚等，或声著于同光，或名昭于民国，事迹有异，各有可传，均略事叙述，以备览观。宝琛、鸿禨、开謩，卒于民国，而其人清末遗老也，因并收入清初之明末遗老万寿祺一篇。李汝谦善诙谐，述其事藉助兴趣。对外趣谈，则述清代关乎外交有趣味之故事。

光绪初年，有所谓清流党，之洞、宝琛，均与其列。庚辰午门一案，可见謇谔之风。民国庚辰述此作，作六十年之回忆也。彼年又有神机营事，并附述之。

后于此案三十年之宣统庚戌炸弹案，为清、民递嬗时期之重要史迹，关系之巨，尤异恒泛。拙稿述其概略，治史者或亦有取焉。

督抚同城、首县、裁缝与官，各为一篇，关乎旧时政制及宦途之情态，同资考镜。

李详夙负文誉，拙稿录其论文之书及遗文，均言之有物。又录邵长蘅等书札，藉见清初胜流之风致。

柳雨生先生函属兼收关于梨园掌故之作。余于戏剧为门外汉，然亦尝漫谈及之，特不敢涉及腔调之类耳。人物方面，收入同光名伶梅巧玲一篇。说书与演剧，理可相通。明末清初之柳敬亭，以说书享名，且与巧玲均以豪侠见称，因亦收入。又西人之中剧观，亦有关掌故。并收入戏剧琐话二十余则，或属考证之性质，或供助谈之资料。此编理辑之余，粗举其概。当代通人，幸予匡益！

民国三十四年一月，一士识

一　督抚同城

督抚同城，势分略等，体制平行，权限之区分复相沿不甚清晰，其能和衷共济者不多见。胡林翼善处官文，俾委诚输心，资以集事，所以传为美谈也。总督官秩较尊，敕书中又有节制巡抚之文，往往气凌巡抚，把持政务。巡抚之强鲠或有奥援者，间能相抗，其余率受钤制，隐忍自安，而意气未平，龃龉仍时有之。同治五年郭嵩焘《督抚同城急宜酌量变通疏》有云："大致以兵事归总督，以民事归巡抚，此国家定制也，而巡抚例归总督节制，督抚同城，巡抚无敢自专者。于是一切大政悉听主持，又各开幕府，行文书，不能如六部尚书侍郎同治一事也，而参差杌陧之意常多"。盖自道抚粤二三年之经历。薛福成《叙督抚同城之损》一文（光绪十六年作），征引事实以言其弊，云：

> 国朝例设总督八阙，巡抚十五阙，近又添设新疆巡抚一阙，而移福建巡抚于台湾。当未移以前，凡督抚同城者四：闽浙总督与福建巡抚同驻福州，湖广总督与湖北巡抚同驻武昌，两广总督与广东巡抚同驻广州，云贵总督与云南巡抚同驻云南。厥初总督不常设，值其时其地用兵者设之，军事既平，遂不复罢，亦俾与巡抚互相稽察，所以示维制、防恣横也。然一

城之中，主大政者二人。志不齐，权不一，其势不得不出于争。若督抚二人皆不肖，则互相容隐，以便私图，仍难收牵制之益。如乾隆间伍拉纳、浦霖之事可睹矣。若一贤一不肖，则以小人惎君子，力常有余，以君子抗小人，势常不足。即久而是非自明，赏罚不爽，而国计民生之受病已深。如康熙间噶礼、张伯行之事可睹矣。又有君子与小人共事，不免稍事瞻徇者，如乾隆间孙嘉淦、许容之事可睹矣。若督抚皆贤，则本无所用其制，然或意见不同，性情不同，因而不相安者，虽贤者不免。曾文正公与沈文肃公葆桢，本不同城，且有推荐之谊，尚难始终浃洽，其他可知矣。郭侍郎嵩焘于去广东巡抚任时，疏陈督抚同城之弊，谓宜酌量变通，言甚切至。兹余姑就见闻所逮者述之。

吴文节公文镕总督湖广时，粤贼势方张，为巡抚崇纶所龋龁，迫令出省而隐掣其肘，军械粮饷皆缺，文节由此死绥，武昌旋陷。厥后惟胡文忠公与总督文恭公官文相处最善，为天下所称诵。文忠既没，文恭劾巡抚严树森去之，威毅伯曾公国荃为巡抚，又劾去文恭，曾公亦不安其位以去。迨伯相合肥李公总督湖广，为巡抚者本其属吏，诸事拱手受成。李尚书瀚章继之，一循旧辙，又在位日久，自此巡抚几以闲散自居，而督抚无龃龉，政权无纷挠矣。郭侍郎之巡抚广东也，适故相瑞麟以将军迁总督，颇黩货卖官，治军尤畏葸。侍郎心弗善也，上疏微纠其失，以无奥援罢去。蒋果敏公益澧为巡抚，英锐喜任事，瑞麟心惮之，严劾蒋公去职，因愈专横无顾忌。其后英翰为总督，以允闱姓缴捐事为巡抚张兆栋所劾罢。近今张尚书之洞总督两广，与历任巡抚皆不相能，朝廷至令兼摄巡抚以专其任。则督抚同城之无益，亦可概见矣。咸丰、同治间徐之铭巡抚云南，为回所制，复倚以自固，杀升任陕西巡抚邓尔恒于境上。张尚书亮基为总督，至引疾求退，以速出滇境为幸。潘忠毅公铎为总督，方图以回攻回，之铭泄其谋，忠毅遂遇害。光绪初年，总督刘岳昭与巡抚岑襄勤公毓英不相能，舆论皆不直总督，浸至罢黜。潘鼎新巡抚云南，盛气陵总督刘武慎公长佑，颇蔑视之。刘公郁郁上疏求去，朝廷罢鼎新，慰留刘公。此皆督抚不能相容之明证也。福建督抚之外，又有将军及船政大臣，政令歧出，尤不能画一。自巡抚移台湾，复裁船政大臣，而总督兼理船政及巡抚事，未始无裨于政体。余谓湖北、广东、云南三行省，皆可废巡抚而以总督兼理，如福建之例。……

述督抚同城事颇详。后湖北、广东、云南三巡抚均裁撤，如所主张。文中引噶礼、张伯行事，列诸同城，则噶礼为两江总督，驻江宁，伯行为江苏巡抚，驻苏州，虽同省而与同城之官有间也。胡思敬《国闻备乘》（作于光绪季年及宣统间）卷一及卷二有云：

督抚同城，权位不相下，各以意见缘隙成龃龉，虽君子不免。两广总督那彦成与巡抚百龄相攻讦，百龄寻以失察家丁议遣戍。继百龄者为孙玉庭，劾彦成滥赏盗魁，彦成亦被逮。及百龄再至两广，以玉庭葸懦，复劾罢之。此君子攻君子也。吴文镕初至湖广，与巡抚崇纶不协，崇纶百计倾陷，以孤军无援死黄州（按：死于堵城），则小人攻君子矣。郭嵩焘权粤抚，不一年，见事权尽被总督侵夺，戚然不安，疏请罢抚院，不报。云贵总督魏光焘与法人议路矿，约已定矣，巡抚李经羲监临入闱未知也，出则尽反前议，总督大恚。经羲力求去，朝廷恶其奏辞不逊，遂削职。张之洞在粤与倪文蔚争，在楚与谭继洵又争，但未露章相诋耳。戊戌诏罢云南、湖北、广东三巡抚，旋复设如故。谕旨言总督主兵事，巡抚主吏事，然总督位望较崇，之洞任两广时自言有节制巡抚之权，不能限其专治兵不问吏事也。至光绪三十年，复用前诏罢三巡抚，留总督，事权始一，然总督名实不称，载之国史，徒滋后世之疑。云贵总督驻云南，未尝问贵州事，两湖总督驻武昌，未尝问湖南事，推之两广、闽、浙、陕、甘，莫不皆然。江苏幅员不及四川四分之一，总督驻江宁，巡抚驻苏州，提督驻清江浦，兼兵部侍郎，专制淮南，同于督抚，江督名节制三省，

> 其实号令不出一城，遑问皖、赣。宜将六总督各正其名，如直隶、四川，斯得之矣。
>
> 张之洞督两广时，潮州府出缺，私拟一人授藩司游百川，而百川已许巡抚，遂压置勿用。之洞大怒，即日传见百川，厉声责曰："尔藐视我而媚抚院，亦有所恃乎！"百川曰："职司何恃之有！旧制兵事归总督，吏事归巡抚，职司居两姑之间，难乎为妇，不得不按制办理。"之洞益怒曰："巡抚归总督节制，天下莫不知之，汝安从得此言，其速示我，我当据汝言入告，以便脱却吏事不问也！"百川惧，归检《会典》，仓卒无所得，忧之至呕血。之洞持之急，遂谢病归。自是广东政权尽归督署而巡抚成虚设矣。后戊戌变政，凡巡抚与总督同城者悉裁罢之。不数月，孝钦再出垂廉（帘），下诏复设如故。诏言督、抚分管兵政、吏治，虽同居一城，各有所司，毋庸裁汰，如百川前所云云。乃知总督兼辖两省以资策应，盖国初专为用兵而设，遇兵事则有节制巡抚之权，吏治非所问也。之洞非懵于掌故也，平时恃才傲物，狭小汉家制度，故事事把持如此。

所述可与薛文合看。张之洞之为总督，自负才望，最喜任事，良为事实，惟言广东藩司是游百川，则甚误。百川于光绪八年正月已由顺天府尹擢仓场侍郎（时之洞以阁学简山西巡抚未久，光绪十年始督两广）并无出任粤藩之事。

游姓而当张之洞任两广总督时为广东藩司寻乞休者，盖游智开也。智开湖南新化人，以举人州县起，百川山东滨州人，由翰林台谏起，未可误为一人耳。（智开乞休，在之洞调任湖广总督之后。之洞离粤时，智开方署粤抚也。）

总督对兼辖之省分，虽非完全不能顾问其事，而视所驻省分得以就近统辖者自属迥殊，故通常对云贵总督简称曰滇督，两湖（即湖广）总督曰鄂督，两广曰粤督，（广东、广西虽有两粤之称，而通常以粤指广东，桂指广西。）闽浙曰闽督，陕甘曰甘督，均就所驻省分称之，偏重可见也。两江总督情形又为特异，驻地为江苏境内，却与江苏巡抚不同城，且自有江宁布政使受其直接指挥。（清初安徽布政使驻宁，后移安庆，另设江宁布政使，与驻苏州之江苏布政使分理各属。）一省地方隐分督治、抚治，故谑者谓两江总督乃半省总督，特江督辖三省四布政司，当长江繁富之区，复兼南洋大臣，负对外之责，其地位及权力犹甚足重视耳。光绪三十年十二月改驻清江浦之漕运总督为江淮巡抚，督治地方归其管理，两江总督仅亦兼辖。翌年三月即复裁撤而设江北提督，加侍郎衔，淮扬海及徐州两道，兼承节制，体制略侔开府，与旧有驻松江之江南提督不同，思敬所谓提督驻清江浦云云，指江北提督也。惟江北提督虽加侍郎衔，却并无兵部字样。刘永庆首任是职，刊关防，文有“钦加兵部侍郎衔”字样。曾任淮扬海道护理江北提督之奭良，所撰《野棠轩摭言》中，讥其误。至总督主兵事，巡抚主吏事，虽向有此说，而界限实不易划分，既均膺兵部都察院头衔，又同有“提督军务”字样，似整军察吏，二者咸有责任。（康熙时曾谕巡抚之不管军务者改加工部侍郎衔，后仍悉加兵部。）又如乾隆间所修《会典》有云：“直省设总督，统辖文武，诘治军民。巡抚综理教养刑政，承宣布政使司掌财赋，提刑按察使司主刑名、粮储、驿传、盐法、兵备、河库、茶马、屯田及守巡各道核官吏，课农桑，兴贤能，砺风俗，简军实，固封守。督抚挈其纲领，司道布其教令，以倡各府。”光绪间《续修会典》有云：“总督、巡抚分其治于布政司，于按察司，于分守分巡道。”总督何尝不主吏事乎？有明设置总督之初制，至清而渐异，难一概而论。思敬之责之洞，盖未足以服之。光绪三十年裁鄂、滇二抚，三十一年裁粤抚，督抚遂无同城者。而三十三年设东三省总督及奉、吉、黑三省巡抚，奉天巡抚又与总督同城。新制东督权大，奉抚仅居佐贰地位，（其后时由东督兼署，不简专员。）聊为督抚同城更作一尾声而已。

——民国二十四年

二　首县

昔日知县与知府同城者，号为首县，府属他州县尊称之曰首台，以其居诸州县领袖之地位也。而附郭知县，每疲于肆应，实不易为。若首县而在省会者，其地位俨为全省州县之领袖，即长官层累，趋跄倥偬，供亿纷纭，尤有疲于奔命之苦，而于民事不暇尽心致力矣。清梁章钜《归田琐记》云：

> 小住衢州府城，西安令某极言冲途附郭县之不可为，因举俗谚“前生不善，今生知县。前生作恶，知县附郭。恶贯满盈，附郭省城”云云。按：此语熟在人口。宋漫堂《筠廊随笔》已载之。云其先文康公起家阳曲令，常述此语，则其来亦远矣。近时有作《首县十字令》者：一曰红，二曰圆融，三曰路路通，四曰认识古董，五曰不怕大亏空，六曰围棋马钓中中，七曰梨园子弟殷勤奉，八曰衣服齐整言语从容，九曰主恩宪德满口常称颂，十曰座上客常满樽中酒不空。语语传神酷肖。或疑“认识古董”四字为空泛，不知南中各省州县交代，凭首县核算，有不能不以重物交抵者。余在江南，尝于万廉山郡丞承纪处见英德石山一座，备皱瘦透之美，中有赵瓯北先生镌题款字，云系在丹徒任内交代抵四百金者。又于袁小野郡丞培处见一范宽大幅山水，来（云）系交代抵五百金者。使非认识古董，设遇此等物，何从判断乎？若第十字所云，则亦惟南中冲途各缺有之，偏远苦瘠之区尚攀跻不上也。

首县状态之谈柄也。袁枚《答陶观察问乞病书》，痛论冲繁省会首县之不可为，语尤警动。其说云：

凡人有能有不能，而官有可久与不可久。即以汉循吏论，桐乡渤海专城而居，此官之可久者也，龚遂、朱邑能之，至于久道化行，生荣而死哀。京兆三辅多豪强，兼供张储偫，此官之不可久者也，赵广汉、韩延寿能之，久果不善其终。江宁类古京兆，民事少，供张储偫多，民事仆所能也，供张储偫仆所不能也，今强以为能，抑而行之已四年矣，譬如渥洼之马，滇南之象，虽舞于床，蹲于朝，而约束勉强，常有踶弛泛驾之虞。性好晏起，于百事无误。自来会城，俾夜作昼，每起得闻鸡鸣，以为大祥。每自念曰：苦吾身以为吾民，吾心甘焉尔。今之昧宵昏而犯霜露者，不过台参耳，迎送耳，为大官作奴耳，彼数百万待治之民犹齁齁熟睡而不知也，于是身往而心不随，且行且愠，而孰知西迎者又东误矣，全具者又缺供矣，怵人之先者落人之后矣，不跪膝奔窜，便瞪目受嗔。及至日昳始归，而环辕号者老弱万计，争来牵衣，忍不秉烛坐判使宁家耶！判毕入内，簿领山积，又敢不加朱墨围略一过吾目耶！甫脱衣息，而驿券报某官至某所，则又蘧然觉，凿然行，一月中失膳饮节违高堂定省者旦旦然矣，而还暇课农巡乡如古循吏之云乎哉！且一邑之所入有限，而一官之所供无穷，供而善则报最在是，供而不善则下考在是。仆平生以智自全，得不小小俯仰同异？然而久之情见势绌，非逼取其不肖之心而丧所守，必大招夫违俗之异累而祸厥身，及今故宜早为计也。若得十室之邑，肆心广意，弦歌先王之道以治民，则虽为游徼啬夫，必泰而安之终身焉。

又《覆两江制府策公问兴革事宜书》有云：

左氏有之曰："非德莫如勤。"《尚书》曰："六府三事惟勤。"勤之益于政也如是。今公亦知州县中有求勤而不得者乎！赤紧之地，四冲之衢，严上官之威以及其妻孥子姓，以及其傔人别奏，若行辕，若水驿，若厨传酒浆，若阍录杂赐，琐屑繁重，其能得上意者称贤，其不得上意者称不贤。其得不得又非上下之情相通也。为大吏者率皆盱衡厉色，矜矜自持，馈刍禾不受，馈牲牢不受，然而不受之费往往更甚于受者，何哉？在大府以为吾既不饮若一勺水矣，其应备之馆舍夫马当无误也，而不知扈从之人所需不遂，则毁精舍而污之，鞭人夫而逸之，诡程途而误之；入山县则索鱼，入水县则取雉；临行或并其供应之屋幕、几帘、银杯、象箸而满载之。诉之长官而听，未敢必也；诉之长官而不听，是徒结怨于宵小拂上意也。虽忠直之士，亦多畜缩隐忍，为不与较之说以自宽，而不知为政之精神已消磨于无益之地矣。其在会城者，地大民杂，事务尤多。不知每日参谒之例，是何条教，天明而往，日昳而归，坐军门外听鼓吹者几何时，投手版者几何时，待音旨之下者几何时，忍渴饥，冒寒暑，而卒不知其何所为。以为尊督抚耶？至尊莫如天子，而未闻在京百官终日往宫门请安者。以为待训诲耶？一面不侔，何训诲之有！而父之教子，亦无终朝嚾嚾者。及至命下许归，而传呼者又至，不曰堂庑瓦漏则曰射堂须圬，不曰大府宴客则曰行香何所，略一停候一筹画，则漏冬冬下矣。虽兼人之勇，其尚能课农桑而理狱讼哉！不知当其杂坐、戏谑、欠申、假寐之时，则乡城老幼毁肢折体而待诉之时也；当其修垣辕、治供具之时，即胥吏舞文匿案而逞权之时也。朝廷设州县，果为督抚作奴耶？抑为民作父母耶？清夜自思，既自愧又自笑也。

则分论冲衢州县办差之弊习及省会首县之难为，亦甚条畅，可参阅。明人之论此者，如唐顺之《赠宜兴令冯少虚序》有云：

丽省之邑，上承监司部使，而监司部使一省率数十人。此数十人者，满其意，皆若欲得一令而为之役，而令以一身而役于数十人，拜跪唯诺之所承应，米盐琐屑之所责办，率常以星出，以星入，然炬而后视邑事，中夜而治文书，鸡鸣而寝，睫未及交，耳闻钟声，而心已纷驰于数十人之庭矣。驿道之令，蚤夜饬厨传，戒廪饩，走而候于水陆之冲，宾旅之往来者如织，迎于东而惧其或失于西，〔丰〕于眼（南）而惧其或俭于北，以为得罪。幸其无呵望，欢然而出境，则骤马而归，未及脱鞅，而疆候又以宾至告矣。此两者，烦文缛礼之疲其形，惕逸畏谴之斗其心，虽有强干之资，剸割之才，且耗然而眊矣，何暇清管库，察狱讼，注意于刀笔筐箧之间，而为俗吏之所必为者乎！而又何暇蓄其力，精其思，罣罣然为百姓根本计虑，而出于俗吏之所不能为者乎！非其人之所不能，势使之然也。

与袁氏所论，殆若出一辙。省会首县及冲衢州县虽甚足厌苦，而巧宦任此之藉供张趋奉见好于上，因得速化者，亦不乏。

——民国二十四年

三　裁缝与官

梁章钜《归田琐记》云：

缝人通称裁缝，以能裁又能缝也。而吾乡之学操官音者，因“缝”与“房”音近，讹而为“房”，众口同音。余家妇女多随宦者，自负为善说官话，亦复呼“裁房”不绝声，牢不可破。余尝笑之，则群辩曰：“司茶者为茶房，司厨者为厨房，则裁房亦同此例耳。”然则剃头者亦当称剃房，裱褙者亦当称裱房，木匠亦当称木房，泥水匠亦当称泥水房乎？缝人之拙者，莫过浦城；其倨傲无礼，亦莫过于浦城。浦人风尚节俭，士大夫率不屑丰食美衣，即素封家亦然，惟长年制衣不倦。余常往来一二知好家，厅事无不有裁衣棚架者。缝人见客过，皆坚坐不起。余偶以语门徒詹捧之，捧之曰某尝呼此间缝匠为大王，盖亦嫉其倨傲，且言家中妇女辈每奉之如上宾，惟所指挥，此风殆不可化也。余归为儿女辈述之，无不匿笑，因合家亦呼缝人为大王，而裁房之称终不肯改。其偷窃衣料及皮絮之属，又极巧而实拙，迥不在意计之中。余宅中偶制新衣，使仆辈督之，辄至喧呶不止。适余换制一皮马褂，用月色绸为里，甫制成，即掷出令换钮扣，且斥之曰：“一钮扣尚且钉错，似此本领，何煊(喧)呶为！”渠狠目熟视再四，大作京腔曰：“并无钉错，何以冤我！”余指身上一翻穿马褂斥之曰：“若尔所钉不错，则我之旧衣俱错矣？此系以月色绸为里，非以为面也，自应照常左扣右绊，何得右扣左绊？”因使仆辈尽出翻穿之长褂及马褂示之，并厉声色痛斥一番，渠乃嗒然不敢辩。自是之后，凡缝人之气少衰，至余家者始稍谨默。夫一技虽细，而既专司其事，即未可掉以粗心。忆蒋伊《臣鉴录》中有一条云：“嘉靖中京师缝人某姓者，擅名一时，所制长短宽窄，无不合度。尝有御史令裁公服，跪请入台年资。御史曰：‘尔裁衣何用知此？’曰：‘公辈初任雄职，意高气盛，其体微仰，衣当后短前长；任事将半，意气微平，衣当前后如一；及任久欲迁，内存冲挹，其容微俯，衣当前短后长。不知年资，不能相称也。’”

此虽谰言，却有至理，又岂此间大王所与知乎！

谈裁缝，甚衩缕，亦颇有趣。所引蒋氏之记缝人，则嘲御史之寓言，虽实际上不必真为缝人应具之知识，而谈言微中，自是隽永可喜。独逸窝退士《笑笑录》引《敝帚斋余谈》云：

嘉靖季年，政以贿成，入赀即补美官，又告讦每得上赏，而大臣幸进者一失意立见诛夷。时人嘲之云：近日星士出京，逢旧知，问以何故南归，曰：“术不验，无计觅食耳。向者官印相生者方贵，今则财旺生官矣。向者正官正印方贵，今则偏官偏印俱处要地矣。向者身居禄命方贵，今则杀重身轻，即为大官，至死不顾矣。此所以弃业耳。”虽寓言，亦善谑矣。近年科道各为上腾计，建白殊鲜。又有作裁缝问答者：一言官呼制袍服，辄问仆曰：“汝主为新进衙门耶？抑居位有年耶？抑将候升者耶？”呼者曰：“汝但往役，何用如此絮聒！”缝匠曰：“不然。若初进者，志高气扬，凌轹前辈，其胸必挺而高，袍宜前长后短；既居要途稍久，世态熟谙，骄气渐平，则前后亦如恒式；倘及三考，则京堂在望，惟恐后生搜抉疵秽，遏其大用，惟俯首鞠躬，连揖深拱，又得前短后长方称体。”

此虽尖刻，而实酷肖。借星士缝人以讥宦途，缝人一节，犹之梁氏所引蒋说。又钱泳《履园丛话》云：

> 成衣匠各省俱有，而宁波尤多，今京城内外成衣者皆宁波人也。昔有人持匹帛命成衣者裁剪，遂询主人之性情，年纪状貌，并何年得科举，而独不言尺寸。其人怪之，成衣者曰：“少年科第者，其性傲，胸必挺，需前长而后短；老年科第者，其心慵，背必伛，需前短而后长；肥者其腰宽，瘦者其身仄；性之急者宜衣短，性之缓者宜衣长。至于尺寸，成法也，何必问耶？”余谓斯匠可与言成衣矣。今之成衣者，辄依旧衣定尺寸，以新样为时尚，不知短长之理，先蓄觊觎之心，不论男女衣裳，要如杜少陵诗所谓稳称身者，实难其人焉。

亦记缝人，所指不专在言官，语亦颇有异同，大旨要为一类。至谓京城内外成衣者皆宁波人云云，盖清中叶情事。而明末清初宁波人周容（籍鄞县）《春酒堂文集》中，有《裁衣者说》，尤有致。其文如下：

崇祯初，帝京尚恬熙也，共矜体貌。有厉成者，以裁衣著名，非赫然右职不能得其一日暇，然指未尝拈针紃云。每旦，携剪以出，群工随之，至一家，必请见主人而后下剪，剪如风生，剪已，指一工曰：“若完之。”出又至一家亦如是，以次毕，晚乃收群工之值。群工安焉，曰：“非若剪不适主人体。”若此十余年，资以裕，乃借例参选，得司库。冠带将就道，群工醵钱是饯。酒酣，合座起曰：“衣非翁剪莫当意，是必有道，向固不敢请也；今翁已就仕版矣，敢以请。”于是成乃曰：“予固未尝为冗员外僚治衣也，治必右职。右职各有体，体不止修短肥瘠间也，须审其资。”众曰：“何资？”曰：“官资。”众愕然。成曰：“凡人初登右职，其气盛，盛则体仰，衣须前赢于后，久之渐平矣，又久之，必营迁擢，思下人，前乃反杀于后，故衣之适体，在审官资之浅深，即观其人之俯仰，予能一见而知之也。”众皆悦服，独一少年者起曰：“近日人情多意外者，吾乡有初登右职，未习也，意自下；已而得势，遂生骄。是与翁言反矣，且人不自为体矣，以所接之人之体为体，今日而接当途，衣宜前杀后赢；明日而接冷曹，衣宜前赢后杀。或一日而当途与冷曹参伍接焉，衣又将奈何？翁虽神于剪，亦将穷矣。”厉成大笑曰：“若言是也，予犹是行古之道也。予行矣，不可以宜于时矣。”周子闻之曰：厉成善用剪，而年少善用尺，不特以度衣也，能以度人。厉成司库，彼可司铨。思二人言，则知当日京师右职，求端其躬，正其体，使裁衣者守其剪尺而无所短长其间者，不一二见也。世事安得不有今日哉！于是述之为《裁衣者说》。

亦当作寓言观。其言厉成为少年所折，自谓不宜于时，与《余谈》星士弃业一节，机杼略同。

——民国二十四年

四　靖港之役与《感旧图》

曾国藩咸丰四年四月靖港之败，几以身殉，而部曲将塔齐布等适有湘潭之捷，国藩虽获革职处分，塔齐布则超署提督，曾军威名日隆焉。王闿运《湘军志·曾军篇》所记云：

三月，寇先由蒲圻犯岳州，……王鑫缒城走。……甲子，寇陷湘潭。是日，国藩下檄塔齐布改援湘潭。……四月己巳朔……遂大破之，追至城乃还立营。其日长沙惴惴居贼中，人自以为必败。国藩集谋攻守，皆曰："入城坐困，宜亲督战。"或议先靖港，夺寇屯；或曰靖港败，还城下，死地矣。宜悉兵攻湘潭，不利，保衡州，即省城陷，可再振也。水师十营官皆至，推彭玉麟决所乡，定乡湘潭。五营先发，约明日国藩帅五营继之。夜半，长沙乡团来请师，曰：“靖港寇屯中数百人，不虞我，可驱而走也。团丁特欲藉旗鼓以威贼，已作浮桥济师，机不可失。”闻者皆踊跃。国藩亦忧湘潭久踞，思牵之，改令攻靖港。庚午平旦至，水急风利，炮船径逼寇屯。寇炮发，船退不得上，缆而行，寇出小队斫缆者，水师遂大乱。陆军至者，合团丁攻寇。寇出，团遽返奔，官军亦退，争浮桥。桥以门扉床板，人多桥坏，死者百余人。国藩亲仗剑督退者，立令旗岸上，曰：“过旗者斩！”士皆绕从旗旁过，遂大奔。国藩愤，自投水中，章寿麟负之还船。日午还至城下，而湘潭大捷报至。先所遣水师，距湘潭十里，闻陆军战胜，鸣角发炮直上。塔齐布军三日三胜，壬申寇散走，水师尽烧所掠船。寇大败，走靖港，遂俱走还岳州。湘潭既复，国藩以军不精练，悉汰所部，留五千余人。因留长沙造船，增调罗泽南、李孟群、陈辉龙将水陆军，图再举，上奏自劾，而骆秉章及提督鲍起豹自上其功。文宗诘责提督，即日夺官，诏塔齐布以副将署湖南提督。方事之急也，布政使徐有壬绕室走达旦，明日与按察使会详巡抚，请罢遣曾军，语倨妄甚。巡抚语有壬且待之。及克湘潭，国藩犹待罪，俄而得温诏，且超用塔齐布，文武官大惭沮，有壬诣国藩顿首谢。城中防兵，闻代大将，皆惊服，以为天子明见万里。……平寇功由此起。

又《湖南防守篇》云：

三月丁未，寇大上，围岳州。国藩军亦至，屯南津。戊申岳州军溃退，寇从而上，军还省城。寇踞靖港，再陷宁乡，败湘军三营。甲子，陷湘潭。省城上下皆寇屯。巡抚、提督委战守于曾军。四月庚午，国藩自攻靖港不利，布政使徐有壬、按察使陶恩培会详巡抚，请奏劾侍郎曾国藩，且先罢遣其军。巡抚不可，城中亦不复设备。（按：郭嵩焘云："徐有壬、陶恩培会详上。骆文忠公言：'曾公已自请议处，何烦再劾？君等咎其败，不顾寇势之盛。非曾公一军，谁与任城守者？'是时城守事宜，一委之曾文正公，未宜以不'不复设备'为巡抚咎也。"见嵩焘侄孙振墉所辑《湘军志评议》）。辛未，塔齐布大破寇于湘潭。丙子，湘潭、靖港俱退走，踞岳州。巡抚、提督上功，而曾国藩请罪。有诏诘责提督鲍起豹，以专阃大员，不闻出战，惟会锐（衔）奏报，即日免官，以塔齐布署提督。塔齐布以都司署守备，仅二年超擢大帅。新从湘潭立功归，受印之日，文武民士聚观相叹诧，虽起豹傔从亦惊喜，以为皇上知人能任使，军气始振焉。……徐有壬皆诣国藩贺，且谢罪。诏令国藩择司道大员随营主饷，有壬等惴惴恐在选中。国藩笑谢之，谓所亲曰："此辈怯愞，徒败吾事，虽请同行，吾固当止之，况不欲乎？"

叙次颇有致，可与当时奏报等参看。靖港之败，国藩危甚，使无湘潭之捷，纵不身殉，必获重咎而不能立足矣。（时虽革职，未解兵符，仍许单衔专折奏事，塔齐布已贵，而承指挥如故，故国藩自靖港败后，而其势反振。）至章寿麟事，自是关系匪轻，闿运于此仅著“章寿麟负之还船”一语，略而不详。（王定安《湘军记·湖南防御篇》记此，只云“左右负之出”，并寿麟之名未著。）其所撰《清故资政大夫江苏补用知府章君墓志铭》云：

君讳寿麟，字价人，长沙人也。……少孤贫，从舅氏彭嘉玉学。……彭舅奇壮其志，荐于侍郎曾公，俾从幕府，众论讶之，君恂恂而已。时长沙孤危，寇屯上下，曾军初集，自岳州败退，还城自保。巡抚骆公不听入城，曾公亦耻于依人，独率水军十营，散屯湘岸，与寇共水，皆半日可接。于是议率全军并力湘潭，彭君独议寇酋踞靖港，宜先攻坚。长沙乡人亦来请军。五营已上，其五营帅留自将，定翊午亦发，即夜改计下攻。君知仓卒无陆军相辅，宾寮不从，未敢沮师，则潜身从往。师船乘流直逼寇屯，寇指笑坐待。众不敢进，或从东岸浮桥济师，则瓮竿高低，桥坏板浮，于是退舟逆风恃缆而上。寇从岸斫缆者，舟众溃奔。曾公立旗以收溃卒，众皆绕旗旁走，五营败绩。曾公愤投水，众无知者。君独从舟出，赴水负公登岸。公怒问：“汝何为至！”徐曰：“方从城外来报湘潭捷音耳！”乃收众还城南。其夜捷书至，遂不暇言死。闻者以此推君功，曾太公尤念之，手书慰劳焉。君遂从军出征，叙劳，累官至直隶州知州，留安徽补用知府。初试署江西新建令，安庆既复，曾公以江督开府镇焉，奏牧滁州。既克江宁，调绾营务。君起军中，娴于戎事，竭其髦髦，期有设施。会曾公卒，亦即引去。……以光绪丁亥八月己巳卒于泰州官署，年五十有五，……是用勒石铭幽。……其词曰：……幕府初开，终童典谒。蠢彼凶徒，敢涉重湖。巴陵左次，沩水尸舆。我为鱼肉，坐陷狼貙。在困思飞，询谋并协。岂曰必胜，要以无怯。十营减灶，中宵由揖。知死非勇，胡再不谋？掀公出淖，义激如虓。诚同赴火，信过逾沟。昔鲍拯胡，功超五等。孰谓斯人，浮沉簿领！功不上闻，嘉斯雅静。……

亦有关史料，足供考镜也。闿运诗集中有《铜官行寄章寿麟题感旧图》云：

桂平盗起东南卷，唯有长沙能累卯（卵）。
三年坐井仰恃天，城堞微风动矛穳。
凶徒无赖往复来，潘张迁去骆受灾。
闭门待死谥忠节，未死从容居宪台。
曾家岭枷偏在颈，三家村儒怒生瘿。

劝捐截饷百计生，欲倚江吴效驰骋。
庐黄军败如覆铛，盗舟一夜满洞庭。
抚标大将缒楼走，徐公绕室趾不停。
省兵无人无守御，举付曾家一瓦注。
空船坐守木关防，直置当锋寻死处。
军谋兵机不暇讲，盗屯湘潭下靖港。
两头张手探釜鱼，十日淘河得枯蚌。
刘郭苍黄各顾家，左生狂笑骂猪耶。
彭陈李生岂愿死，四周密密张罗罝。
此时觕筒求上计，陈谋李断相符契。
彭公建策攻下游，捣坚禽王在肯綮。
弱冠齐年我与君，君如李广默无言。
日中定计夜中变，我归君去难相闻。
平明丁叟踏门入，报败方知一军泣。
督师只拟从湘累，主簿匆匆救杜袭。
十营并发事全虚，从此舍舟山上居。
七门昼闭春欲尽，独教陈李删遗疏。
版桥漂破帅旗折，铜官渚畔烽明灭。
岂料湘潭大捷来，千里盗屯汤沃雪。
一胜申威百胜从，塔罗如虎彭杨龙。
时人攀附三十载，争道当年赞画功。
骆相成名徐陶死，曾弟重歌脊令起。
惟余湘岸柳子条，犹恨前时呜咽水。
信陵客散十年多，旧逻频迎节镇过。

时平始觉军功贱，官冗闲从资格磨。
凭君莫话艰难事，佹得佹失皆天意。
渔浦萧萧废垒秋，游人且觅从军记。

此诗见于《铜官感旧图题咏》者，字句颇有异同，并录于次：

桂平盗起东南卷，唯有长沙能累卵。
三年坐井仰恃天，仡仡孤城见矛攒。
群凶无赖往复来，潘张迁去骆受灾。
闭门待死谥忠节，未死从容居宪台。
曾家岭枷偏在颈[①]，三家村儒怒生瘿。
劝捐截饷百计生，欲与吴江[②]效驰骋。
江湖军败如覆铛，盗舟一夜满洞庭。
抚标大将[③]缒城走，徐公绕室趾不停。
省城无兵无守御，却付曾家作孤注。
空船坐拥木关防，直犯头刀报知遇。
兵谋军势盗不讲，上屯湘潭下靖港。
两头探手擒釜鱼，十日淘河得枯蚌。
刘郭苍黄各顾家，左生狂笑骂猪耶。
彭陈李生岂愿死，四周密密张罗罝。
此时鲊筒求上计[④]，陈谋李断相符契。
彭兄建策攻下游，捣坚擒王在肯綮。
弱冠齐年君与余，我狂君谨偶同居。

日中定计夜中变，我方高枕城东庐。
平明丁叟踏门入，报败遥闻一军泣。
督师只欲泛湘累，主簿匆匆救杜袭。
十营并发计全虚，从此舍舟山上居。
七门不启春欲尽，强教陈李删遗疏。
版桥漂破帅旗折，铜官渚畔烽明灭。
谁料湘潭大捷来，盗屯奔迸如崩雪。
一胜申威百胜从，陆军如虎舟如龙。
时人攀附三十载，争道当时赞画功。
骆相成名徐陶死，曾弟重歌脊令起。
只余湘岸柳千条，曾对当时呜咽水。
信陵客散十年多，旧逻频迎节镇过。
时平始觉军功贱，官冗闲从资格磨。
凭君莫话艰难事，佹得佹失皆天意。
何况当时幕谋府，至今枉屈何无忌⑤。

原注：

①曾涤公起义师，时论以为好事，且曰："一枷在岭，肩来在颈。"以嗤其不干己也。

②吴江，指吴文镕、江忠源。

③指王壮武。

④涤公设匦求谋策，或役纸书三十六"走"字。

⑤君舅彭笛翁犹以攻靖港为上策。

斯盖其原稿，集中所载则后经修改者耳。胡适《五十年来中国之文学》引闿运此诗，录自集中，谓：“此诗无注，多不可通。”观此可知原稿注虽不多，却实有自注，入集时乃删去之。（其《圆明园词》原亦有注，后始删却。）至诗中本事，多可由《湘军志》等印证。又闿运《和易藩台感事诗因成长歌示谋国诸公》有句云：“忧勤不救靖港败，唯向空滩摇帅旗。”

《铜官感旧图》，寿麟于国藩已卒追忆旧事所绘而征题者。殁后其家刊诸作为《铜官感旧图题咏》。其所撰《铜官感旧图自记》云：

> 湘乡曾文正公以乡兵平贼，抵触凶锋，危然后济，其所履大危凡三，盖湖口也，祁门也，与初事之靖港也。而予于文正惟靖港之役实从。……咸丰四年，贼由武昌上犯岳州，官军御之羊楼峒失利，遂乘胜进逼长沙。四月，贼踞靖港，而别贼陷宁乡、湘潭。湘潭荆南都会，军实所资，时公方被命治军于湘，乃命水陆诸将复湘潭，而自率留守军击靖港贼，战于铜官渚。师败，公投水。先是，予与今方伯陈公、廉访李公策公败必死，因潜随公出，居公舟尾，而公不知。至是掖公登小舟，逸而免。公怒予曰：“子何来！”予曰：“师无然，湘潭捷矣，来所以报也！”已而湘潭果大捷，靖港贼亦遁去。公收余众，师复振。盖尝思之，兵者阴事，惟忍乃能济，非利所在，敌诟于前，民疑于后，勿动也。公既尽锐以剿湘

潭，若需之以俟其捷，而会师击靖港之惰归。贼虽众可以立尽，惟不忍于靖港之逼，故知其不利而不能不出。又予辈三五书生，亦知其不利而出，而无术以止公，盖非公之疏于计画，实忍之心守久于军者不能，尤非仁义之徒之所素有也。犹忆败归时，公惟籍甲兵储待之属以遗湘抚，尚壹意以死谢国，及闻捷乃不死。然当日即不捷，公固可以死乎！公死是役，固不与丧师失地穷蹙而死者同，且足使丧师失地穷蹙而不死者恧焉而有以自励。然由今以观，其多寡得失之数为何如也！光绪丙子秋，予归长沙，道靖港，舟中望铜官山，山川无恙，而公已功成事赍，返马帝乡。惟时秋风乍鸣，水波林壑尚隐隐作战斗声，仿佛公之灵爽呼叱其际，因不禁俯仰畴昔，怆然动泰山梁木之感，故为兹图而记之，以见公非偶然而生，即不能忽然而死，且以见兵事之艰，即仁智义勇如公者，始事亦不能无挫，而挫而不挠，困焉而益励，垂翅奋翼，则固非事之定力不及此。至于大臣临敌，援桴忘身，其为临淮之靴刀，与蕲王之泅水，均各有其义之至当焉。并以谂后之君子。长沙章寿麟自记。

记述当时情事，并抒其感想，足资浏览，而李元度、左宗堂两序，于此役更各有叙纪论列，均为有关系之文，录俾参阅。

李序：

……咸丰四年，曾文正公治水陆军讨贼，余与今浙抚陈公士杰暨价人入其幕，时价人年甫冠也。二月，贼自郢上犯，隐岳州、湘阴及宁乡。文正檄储君玫躬败贼于宁乡，贼遁。三月，水陆军抵岳州，会王壮武进剿羊楼峒失利，贼追蹑至岳州，围其城，文正所部陆军迎击亦失利，文正乃退守长沙。贼仍道湘阴、宁乡踞靖港，分党陷湘潭。时会城昼闭，饷道断，人情匈匈。文正檄忠武公塔齐布师（帅）陆军千二百人攻湘潭，檄储公汝航、夏公銮、杨公岳斌、彭公玉麟帅水师夹击之，所向并获胜，而文正独以谓贼势盛，官军必不支，惧旦莫不得死所，盖久置死生于度外矣。靖港者，资水入湘之口，距会城六十里，为一都会，地有铜官山，六朝置铜官于此，因称铜官渚者也。时贼帆遍布，游弋逼会城，文正愤甚，亲帅留守之水陆营进剿，余亟止之曰："兵之精者已调剿湘潭，早晚捷音必至，此间但宜坚守，勿轻动。"文正不许。余与陈公及价人并请从行，亦不许。濒行，以遗疏稿暨遗属二千余言密授余曰："我死，子以遗疏上巡抚，乞代陈；遗属以授弟辈；营中军械辎重，船百余艘，子善护之。"四月朔，舟发，陈公固请从，峻拒之。余与陈公谋，令价人潜往匿后舱，储缓急，文正不知也。明日战，乡团勇先溃，营军随之，所结浮梁断，溺毙二百有奇。水师中贼伏亦溃，贼艘直犯帅舟，矢可及也。文正愤极投水，将没顶矣，材官傔仆力挽，文正大骂，须髯翕张，众不敢违，将释手矣，价人自后舱突出，力援以上。文正瞠视曰："尔胡在此！"价人曰："湘潭大捷，某来走告！"盖权辞以慰公也。乃挟登鱼艇。南风作，逆流不得上，赖刘君国斌力挽以免。明午抵长沙。文正衣湿衣，蓬首跌足，劝之食不食。乃移居城南妙高峰，再草遗属，处分后事，将以翼日自裁。迟明捷报至，官军拔湘潭，燔贼艅数千，殄灭无遗种；靖港贼亦遁。文正笑曰："死生盖有命哉！"乃重整水陆军，未十年卒蒇大勋，固由国家威福所致，然当是时文正生死在呼吸间，间不容发，脱竟从巫咸之遗，则天下事将谁属哉！江宁既拔，湘军自将领以至厮养卒，并置身通显，独价人浮沉牧令间垂二十年，傥所谓不言禄禄亦弗及邪？抑曲突徙薪固不得为上客邪？先是，曾太封翁曾书示文正曰："章某国士，宜善视之。"且令冯公卓怀传其语。戊午、己未间，余数从容言及价人，文正怃然曰："此吾患难友，岂忘之哉！"窃窥文正意，使遽显擢君，是深德君以援己，而死国之为伪也；然亦决不慭置以负君，盖将有待耳。光绪丙子，余客金陵，文正薨四年矣，晤价人，握手话旧。价人出《铜官感旧图》属题，余诺之而未及焉。越五年，价人宅忧归，乃得补书其简首。呜呼！援一人以援天下，功在大局不浅，价人虽不自以为功，天下后世必有知价人者，遇不遇乌足为价人加损哉！……光绪辛巳长至后三日，平江李元度撰。

左序：

……湘乡曾文正公时以礼部侍郎忧居在籍，诏起讨贼，集乡兵水陆东下。公在朝以清直闻，及率师讨贼，规画具有条理，卒克复江东枝郡，会师金陵，歼除巨憝。顾初起之军，水陆将才未集，阅历又少，往往为猾寇所乘，时形困踬。公不变平生所守，用能集厥大勋，中兴事功，彪炳世宙，天下之士皆能言之。推事功之所由成，必有立乎其先者，而后以志帅气，历艰危险阻之境而不渝。是故明夫生死之故者，祸福之说不足以动之，明夫祸福之理者，毁誉之见忘，吉凶荣辱举非所计，斯志壹动气，为其事必有其功矣。志士仁人成其仁，儒者正其谊，功且在天下万世，奚一时一事之足云乎！而即一时一事言之，则固有堪以共喻者。咸丰四年三月，金陵贼分党复犯长沙，先踞长沙城北七十里之靖港，凭水结寨，步贼循岸而南，潜袭上游湘潭县城。县城繁富，市廛鳞比，贾舶环集，贼速至据之。文正闻贼趋湘潭，令署长沙协副将忠武塔齐布公等率陆军，杨千总岳斌、彭令玉麟等率水军往援。侦贼悉锐攻湘潭，靖港守虚寨之贼非多，遂亲率存营水陆各营击之。战事失利，公麾从者他往，投湘自溺。随行标兵三人，公叱其去。章君瞰公在舟时书遗属寄其家，已知公决以身殉也，匿舟后跃出援公起。公曾戒章君勿随行，至是诘其何自来，答以适闻湘潭大捷，故轻舸走报耳。公徐诘战状，章君权词以告。公意稍释，回舟南湖港。其夜得军报，水陆均大捷，歼悍贼甚多，毁余之败船断桨，蔽流而下。湘潭人始信贼不足畏而气一振。其晨余缒城出，省公舟中，则气息仅属，所着单襦沾染泥沙，痕迹犹在，责公事尚可为，速死非义。公瞋目不语，但索纸书所存炮械火药丸弹军械之数，属余代为点检而已。时太公在家寓书长沙饬公，有云："儿此出以杀贼报国，非直为桑梓也。兵事时有利钝，出湖南境而战死是皆死所；若死于湖南吾不尔哭！"闻者肃然起敬，而亦见公平素自处之诚。后此沿江而下，破贼所据坚城巨垒，克复金陵，大捷不喜，偶挫不忧，皆此志也。夫神明内也，形躯外也，公不死于铜官，幸也，即死于铜官，而谓荡平东南，诛巢（剿）馘让，遂无望于继起者乎？殆不然矣！事有成败，命有修短，气运所由废兴也，岂由人力哉！惟能尊神明而外形躯，则能一死生，而齐得丧，求夫理之至是，行其心之所安，如是焉已矣。且即事理言之，人无不以生为乐、死为哀者，然当夫百感交集，怫郁忧烦之余，亦有以生为忧为苦而速死为乐者。观公于克复金陵后，每遇人事乖忤，郁抑无聊，不禁感慨系之，辄谓生不如死，闻者颇怪其不情。余比由陕甘、新疆移节两江，亦觉案牍之劳形，酬接之纷扰，人心之不同，时局之变易，辄有愿得一当以毕余生之说，匪惟喻诸同志，且预以白诸朝廷，盖凛乎晚节末路之难，谣诼之足损吾素节，实则神明重于形躯，诚不欲以外而移其内，理固如是也。而论者不察，辄以公于章君不录其功，疑公之矫，不知公之一生死齐得丧，盖有明乎其先者，而事功非所计也。论者乃以章君手援之功为最大，不言禄而禄弗及，亦奚当焉？余与公交有年，晚以议论时事，两不相合。及莅两江，距公之亡十有余年，于公所为多所更定，天下之相谅与否，非所敢知，而求夫理之是，即夫心之安，则可告之己，亦可告之公也。章君寿麟出此卷索题，识之如此。光绪九年癸未秋七月左宗棠书。时年七十有二。

李序写寿麟赴援暨国藩其时情态特详，就事论事，为寿麟鸣不平，而隐咎国藩之寡恩，盖兼寓自伤之意焉。左序则述往之外，更藉以发抒胸臆，意态轩昂，所谓高踞题颠也。［彭玉麟以湘潭之捷，始以附生奏保知县，杨岳斌（时名载福）则以千总保守备。率师赴援时，玉麟尚非“令”，左序中称“杨千总”“彭令”稍未谛。李序中称国藩之父曰“曾太封翁”，“太”字或“封”字可省。又谓湘潭之役，“燔贼艅数千”。按：国藩奏报，此役所烧敌船，计千余只，无数千之多。］

吴汝纶《铜官感旧图序》，作于章寿麟既殁之后，所论别有见地。文云：

曾文正公靖港之败，发愤自投湘水。幕下士长沙章君，既出公于湘之渊，已而浮沉牧令间余二十年，乃追写靖港之事为图。名流争纪述之。或曰：“章君一举手，功在天下，而身不食其报，兹所为不能嘿已于是图也。”或曰：“不然，凡所云报功者，跻之通显而已。自军兴以来，起徒步，解草衣，从文正公取功名通显者，不可选纪也。其处功名之地，退然若无与于己者，一二人而已耳；人奈何不贵一二不可多得之人，而贵其不可选纪者哉！”夫有功于人而望人之报我，不得则郁郁焉，悄悄焉，寓于物以舒吾忧，非知道君子所宜出也。且章君固不自以为功也。夫见人之趋死地，岂预计其人之能成功名于天下而后救之哉？虽一恒人无不救矣。见人之趋死地而救之，岂必有胆智大勇而后能哉？虽一恒人能之矣，事机之适相值而不能自已焉云尔，夫何功之足云？闻有功而不求报者矣，未闻不自以为功而犹望人之报者也。然则是图何为而作也？曰：文正公之为人，非一世之人，千载不常遇之人也。吾生乎千载之后，而远望千载之前，有若人焉，吾不能与之周旋也，吾心戚焉。吾生乎百载数十载之后，而近在百载数十载之前，有若人焉，吾亦不能与之周旋也，犹之戚焉。并吾世而生而有若人焉，而或限乎形势，或间阻乎千里百里之远，吾仍不能与之周旋也，吾心滋戚焉。若乃并吾世而生，无千载百载数十载之相望，而又不限于形势，不间阻乎千里百里之远，而获亲其人，朝夕其左右而与之周旋，则其为幸也至矣。虽其平居燕闲游娱乐登览之迹，壶觞谈笑偶涉之乐，一与其间，而皆将邈然有千载之思也，而况相从于忧虞患难之场，而亲振之于阽危之地者乎？此章君所以作是图以示后之旨也。妄者至谓使文正公显擢章君，是深德君援己，而死国为伪，此则韩公所谓儿童之见者矣。章君既殁，其孤同，以汝纶与其先人皆文正公客也，走书属记是图，为发其意如此。图曰铜官感旧者，靖港故铜官渚也。光绪辛卯八月桐城吴汝纶拜序。

竭力推尊国藩，主旨在为之释不录寿麟功之疑。论自阔大，然亦稍近肤廓，未尽切于事情也。所斥“妄者”，即指李元度。（此文亦曰《铜官感旧图序》，从《铜官感旧图题咏》所载也。汝纶集中则称《铜官感旧图记》，并改定数字：“且章君固不自为功也”句作“且章君安得自以为功也”，末句作“光绪辛卯八月汝纶记”。）

汝纶并有《答章观瀛书》论此，于左、李之序，均加评骘。其文云：

前接惠书，奖饰过当，而意思肫恳，使读者不知所以为报。某老荒寡学，辱命以文事见推，非所敢任也。至述及贤尊靖港之役，又有不可以不文辞谢者。承示左文襄公、李方伯元度二文，以二公皆亲见其事，所言必翔实，某读之，亦尚有未尽当者。文襄时时欲与文正争名；李方伯之于文正，盖不能无稍宿憾。文襄之言曰："靖港守虚寨之贼非多。"此妄也，意殆谓文正短于将兵耳。当是时，贼大举源湖南，以靖港为巢穴，支党分窜宁乡、湘潭，谋夹攻长沙，使靖港为虚寨，无多人，则贼为无谋，主帅亲帅师出全力以争贼虚寨，则文正为无谋，此皆必不然之势也。且是役也，水军败于风，固不论贼众寡也。文襄又曰："公即死，谓荡平东南无望于继起乎?"是则然矣。凡功名之成否存乎时，规模之广狭存乎量，流风渐被之远近则存乎学。天祚盛清，贼虽剧必灭，遇当其会，功固必成，乃若兼包群才，遐迩慕赖，简拔贻饷，逮及后世，量足容之，学足师之，寥乎邈乎，微文正吾谁适归乎！此殆难概望之继起矣。凡此皆文襄之言之未当者也。

李方伯之言曰："文正既免，犹不食，移居妙高峰，再草遗令，将自裁，会湘潭之捷，乃笑曰：'生死盖有命哉!'"此决非事实。文正公生平趣舍一不以利钝顺逆撄心，其治军一不以胜负为忧喜。靖港之役，至愤焉取决于一瞑，固烈丈夫所为不欺其意者，业以遇救不死，又闻湘潭捷书，则固将审己度世，不欲为匹夫之小谅矣，然亦安有方决志自裁，骤闻一捷，遽粲然发笑，自庆更生者哉？吾决知是言妄也。文正草遗疏遗令，文襄谓是既败后在舟时事，李方伯则谓出师濒行以遗疏遗令相授，是未败时作，二公皆言一事，而杈枒不合如此，以理测之，似文襄是而方伯小失也。此皆于文正事未合者。其于尊公，则李方伯似为之发愤，亦传所谓浅之乎为丈夫矣。某之事文正也后，不及亲靖港之战，不能深知当时军中曲折，承命撰一文，题跋是图，且告之以不能久待，谨依尊旨草草报命，未识有当万一否，伏望财幸。

谓宗棠时时欲与国藩争名，良然，盖自负高出国藩一头，而世咸极推国藩，意不能平，故论及国藩，每有意著贬抑之语，以示纵无国藩，有己在，自可奏平乱之绩耳。谓元度之于国藩，不能无稍宿憾，亦颇在情理之中。元度早从国藩于患难，关系最深，自徽州之役，屡被国藩严劾，遂至乖离，后虽重归于好，为师弟如初，自终不免自伤蹭蹬，因之介介之怀，未能悉泯，其为寿麟鸣不平，固不无隐咎国藩寡恩之意焉。（元度《哭太傅曾文正师》诗有云："记入元戎幕，吴西又皖东。追随忧患日，生死笑谈中。末路时多故，前期我负公。雷霆与雨露，一例是春风。"又曾祠落成，作诗有云："嗟我昔从公，中蹶良自怍。未逐鲲溟化，甘同鲋辙涸。何幸拜崇祠，屠门过而嚼。樗材愧蔓苓，怕说笼中药。"均自摅斯人憔悴之感。）汝纶以为宗棠、元度叙遗疏遗令一事"杈枒不合"，细按之，似两人所叙本非一事也。元度叙国藩闻捷音而笑谓死生有命，汝纶斥为“决非事实”，未免太执。国藩虽善镇定自持，然不能大远乎人情，湘潭大捷，关系特巨，喜极而笑，作快心语，或流露于不自觉，盖未宜遽断为必无。若必过执“文正公生平趣舍，一不以利钝顺逆撄心，其治军一不以胜负为忧喜”，则充类至尽，并其因靖港之败发愤投水，亦可云“决非事实”矣！忆尝阅施愚所撰笔记，述鲍超轶事，有云：当曾国藩困于祁门也，敌盛势孤，危甚，一时幕中僚佐，帐下健儿，咸惴惴不宁，而国藩不改常度，神色自若。会报至，大队敌军由某处来攻，将至矣。此众益惶骇万状，而顾视大帅，则神色仍自若，毫无惊戚之容。既而续据谍报，来者非敌军，乃鲍超统帅来援也。超著威名，号虎将，为敌所惮，众狂喜相庆，欢声若雷。而国藩无喜色，依然常度。超自率前驱数十骑来大营谒帅，众迓之于营门，国藩亦从容而出。超下马，将行礼，国藩遽趋前抱持之，曰：“不想仍能与老弟见面！”言已下泪，盖喜慰之极，不复能自持矣。（原文不能尽忆，大致如此。）斯时国藩在军阅历较久，镇定自持之工夫益进，而人情所不能已者，固仍有流露于不觉之时也。汝纶对此“千载不常遇之人”，过向不同常人处求之，致失之迂执。

《铜官感旧图题咏》印成后，续为诗文者尚不少。（未知曾刊印续编否。）章士钊为寿麟族弟，民国十五年三月所撰《铜官感旧图记》，亦颇可观。文云：

吾宗曩有贤士，名寿麟，字价人，于愚为兄弟行，而年较愚父且长，又两人者相处甚得也。……愚年十六七，习为八股文于家，愚父喜夜谈，每津津为示价人君家事，尽漏不息，以此知君尝从曾文正出征，文正兵败靖港，愤投于江，君潜曳之起。文正殊自执，不肯归，君固多力，则强负之以奔于营，知者众，文正因无法自轻其生矣。其后师出克捷，文正以一身系天下安危，人以此多君功，君绝无自伐意，文正亦弟畜君，意气逾笃，名位则别为一事，终文正之世，君沉浮牧令而已。可见老辈相与之际，别有真处，非世俗耰锄间报施之道所得妄度，两贤相忘无形，其神交尤不可及云云。铜官者，文正自沉地也，《感旧图》为君返乡重经时所造，冀留余迹以励方来。乡贤自左文襄以下，均有题记。……因索所题诗文数十篇读之，反复尽卷，惟江西胡瘦唐所言，用思与愚父前训差合。文襄意直悻悻，颇若以当时救死为多事。呜乎！君一援手间，六十年兴亡大局，于是乎定，而其中文章隆替，思想通局，亦几于是图尽得验之，诚不禁𧄍然心伤，而叹瘦唐所称妇姬箪豆之见，深植于人心，兴哀垂德，扶危救难，无所为而为之者，事例太少，不足以开发恒人之思理，一旦有之，因相与震其迹而全昧其义，号为大人，言亦尔尔，然则世德之不进，人道市道之辨，宜哉！

以悻悻斥宗棠，略同吴汝纶所讥欲与国藩争名；而于名位一层，持论处较汝纶为圆适。

汝纶为曾国藩门人，兼师事李鸿章，忠且谨，鸿章亦雅重之，而自以内阁中书经国藩奏改直隶州知州，需次直隶，鸿章继国藩督直，俾历知深、冀二州，（其间曾一署天津知府。）久于一牧，以迄引退，未得迁擢。其《郑筠似八十寿序》有云："畿辅自曾文正公，今相国合肥李公，相继为政，劝厉吏治，州县贤有名者，大抵简拔荐擢以去，有起而秉节开府，得重名于京朝者。……往余在官时，尝戏语人曰：事贵能持久，吾人官二十许年，不迁一阶，不加一秩，出视同列，如立衢街观行路，来者辄过，无肩随者，不可谓能久矣乎！"似不无牢骚之意，然对鸿章倾服推崇，始终无间，风义之笃，世所共知，殆亦如士钊记中所云："相与之际，别有真处""意气逾笃，名位别为一事"欤。（汝纶《祭李文忠公文》有云："不佞在门，或仕或止，疏疏意亲，谓公知己。"）

宗棠虽不免"悻悻""争名"，而所论亦有中肯处。如谓国藩初起之军，阅历少，往往为敌所乘，时形困踬，以国藩不变平生所守，用能成功，固道实也。后幅生死之论，感慨激楚，想见此老晚年孤愤之态。国藩晚境怫抑，（办理天津教案，见摒清议，精神上所受苦痛最深。）致损天年，衷怀盖实有不能喻诸人人者。若宗棠，似差胜矣，而既扬威万里以归朝，在军机为同列所挤，督两江亦不尽如志，对外侮则尤忿恚难忘。癸未二月（作序之前五月）

初十日家书（与子孝宽等），述以江督赴沪视察海防情形，有云：“值此时水师将领弁丁之气可用，悬以重赏，示以严罚，一其心志，齐其气力，我与彭宫保乘舢板，督阵誓死，正古所谓并力一向千里杀将之时也。……彭亦欢惬，并称：‘如此布置，但虑外人不来耳！’诸将校亦云：‘我辈忝居一二品武职，各有应尽之分。两老不临前敌，我辈亦可拼命报国！’答云：‘此在各人自尽其心，义在则然，何分彼此！但能破彼船坚炮利诡谋，老命固无惜！或者四十余年之恶气，藉此一吐，自此凶威顿挫，不敢动辄挟制要求，乃所愿也！’宫保亦云：‘如此断送老命，亦可值得！’”写其与彭玉麟敌忾之情，凛然可睹，序中“愿得一当以毕余生”，谓此也。（时中法之役已将作矣。）未几以中法之役，宗棠督师福建，玉麟督师广东，迄中法和议之成，均未获躬亲战事，王闿运为玉麟撰墓志铭，所谓“晚遘海氛，起防南越，自谓得其死所”，乃复动见“扳缠”也。吴光耀（湖北人）《纪左恪靖侯轶事》云：

> 清泉左全孝言：左文襄晚年，法兰西入寇，诏督师闽海，出天津，与直隶总督李鸿章争协饷，弗谐，中道谓所亲曰：“老矣，不能复如往年抬杠！到天津与李二抬杠不中用，到江南不得与曾九抬杠。”通俗称强梁争事曰抬杠。是时曾国荃总督两江，既见，执手欷歔，相顾须鬓，曰：“老九认得我邪？我乃认不得老九！老九哥哥死矣，我便是老九哥哥！”曾喻意

曰："此行闽海，协兵协饷是小弟事。"退而燕谈，问："老九一生得力何处？"曰："挥金如土，杀人如麻！"左大笑曰："我固谓老九气胜乃兄！"到防，忧愤时事，有如心疾，日在营中呼："娃子们快造饭，料理裹脚草鞋，今日要打洋人！"谆谆不绝口。左右请看戏，演忠义战事，如《岳飞大胜金兀术》等出，乃欣然不言。会元日，问是何日，曰过年。曰："娃子们都在福建省城过年邪？"曰："然"。曰："今日不准过年，要出队！洋人乘过年好打厦门，娃子们出队，我当前敌！"总督杨昌濬贺年，谓："洋人怕中堂，自然不来，中堂可不去。"左曰："此言那可靠？我以四品京堂打浙江长毛，非他们怕我！打陕甘回子，打新疆回子，都非他们怕我！还是要打，怕是打出来的！"杨沮之不已，左哭曰："杨石泉竟不是罗罗山门人！"将军穆图善亦贺年来。左右报将军来，曰："穆将军他来何事！他在陕甘害死我刘松山，我还有好多人与他害！"且詈且泪流沾襟。将军曰："中堂在此一军为元戎，宜坐镇；便去，当将军、总督去！"左曰："你两人已是大官矣！你两人去得，我去得，还是我去！"将军言："我们固大官，要不如中堂关系大局。"左无声，徐言："如此，便你两人亦不必去，令诸统领去；诸统领不得一人不去！"先是，洋人诇厦门距福建省城极西无重兵，乘元日以大队兵船扰厦门。未至厦门五十里，用〔望〕

远镜见厦门沿海诸山皆红旗恪靖军，知有备而遁，曰："中国左宗棠，利害，不可犯也！"……和约定，左右不敢言和约。忽咄咄自语："今日大喜事，娃子们何不镫彩？"既镫彩，则又曰："何无人贺？"将军、总督以为真有喜事，相率入贺。问曰："今日贺中堂，中堂是何喜事？"曰："许大喜事都不知，未免时局太不在心！我昨日灭洋人，露布入告矣！许大喜事都不知，未免时局太不在心！"将军、总督退，使人出视和约，气急而战，不能成读，太息曰："阎中堂天下清议所归，奈何亦傅会和约！"然犹不时连声呼："诃诃，出队！我还要打！这个天下，他们久不要，我从南边打到北边。我要打，皇帝没奈何！"颠而呕血，遂至于薨。呜呼！如左文襄之办夷务，则信乎古之人所谓忠也。初奉命，从亲兵二十人出都，曾无告示，而各国商船不敢入海口。英人噪总理衙门除海禁，左置信箱中军帐侧，令总理衙门公私文书尽投其中，不得启锁。邵阳姚炳奎言：左初入关见李，言关外办事之艰苦。李曰："君在西方，尚得道好；我在畿辅，言官骂得不成人。"左曰："关外办事，同是不免言官掊击；此是朝廷纪纲要如此。"其意谓督抚当如胡文忠言，包揽把持，不得因人言避事，盖谚语"打拢说话"，思以用李，而不知其道不同也。

写得栩栩欲活。虽有过度之渲染，类小说家言，未可概据为典要，而宗棠烈士暮年“愿得一当以毕余生”之情绪，似亦颇能表见其略，故录供谈助。

若就一时名位论，宗棠自属甚为得意。长沙陈锐《裦碧斋杂记》有云：“文襄治军二十年，自陕还朝，授军机大臣，出督两江，乞假一月回湘省墓。出将入相，衣锦荣归，观者塞途。一日，就婿家宴饮，婿为安化陶文毅公子，谓之曰：‘两江名总督，湖南得三人，一为汝家文毅公，一为曾文正公，其一则我也。然渠二人皆不及我，文毅时未大拜，文正虽大拜而未尝生还。但我亦有一事不及二人，则无其长须耳。’合座輾然。”良趣。盖在国固孤愤之难伸，在家亦昼锦之足夸耀乡闾也。

士钊《铜官感旧图记》，于题图诗文数十篇中，独称“江西胡瘦唐所言”。胡思敬（字漱唐，亦作瘦唐，清末名御史）之作，亦《铜官感旧图题咏》刊本未及载入者。顷于其《退庐文集》检得所撰《铜官感旧图记》，移录如下：

> 资湘交汇之区，有山曰铜官，故相湘乡曾文正驻师地也。靖港之败，章价人太守脱文正于厄。越十余年，文正薨，疆事大定，太守刺舟过此，追忆曩时患难，作为此图，遍征名流题咏。当时李次青、吴挚甫二先生皆未达其意，疑太守浮沉牧令间二十余年，戚戚不安于怀，聊假寓于物以写其蹉跎失意之悲。左文襄稍知言矣，又牵及老氏一死生齐得丧之旨，几中而复失之。予与太守子曼仙枢部交，获见此图，感念事

物艰难之会，贤人君子崎岖补救之心，盖有不能已于言者。当发逆初起，楚南先被其患，众推文正练乡兵，保境杀贼，苟以自救，非有经营天下之志也。其后率师东下，困于彭蠡，阨于祁门，岌岌如落陷井，即金陵合围之初，犹日夜忧惧，恐诸将幸进徼功，致蹈和张故辙，亦非有奇谋胜算，自信必能挈东南数千里已失之地还之朝廷也。夫兵者阴事，不济则以死继之，君子所自尽者只此而已。同时与文正并起相颉颃者，无若胡文忠。爹山之衄，文忠索马赴敌死，围人救之，马返驰，临江遇鲍忠武，乃同归。其幸而不死，亦犹铜官山之志也。余尝私叹，军兴以来，陆建瀛畏死而江宁陷，何桂清畏死而苏常又陷。文正、文忠，欲死而不获死，奔走支柱其间，坚俟灭贼之机，未尝一日忘殉国之志。迨左文襄出，上游根本渐固，兵事稍稍顺矣。文襄谓文正即死，诛剿或援，不患无继起之人，亦安知始事之艰，非积诚不能挽天下之极弊，虽才智无所措手乎？文正尝自言之矣：躬履《艰》诸艰而不责人以同患，浩然捐生，如远游之还乡而无所顾悸，由是众人效其所为，亦皆以苟活为羞，以避事为耻。呜呼！湘军之所以兴，洪杨之所以灭，此数语尽之矣。浅见者不知，顾谓中兴人才，萃于湘楚，衡嶷镇峙之灵，郁数百年，閟极而一泄。此不特堕四方志士奋发有为之气，又使一二老成扶持世教之苦心，不见白于后世，何其言之诞也！发逆既平，湘中士习渐骄。文正再出剿捻，尝太息咨嗟，谓楚军暮气不可用。太守从文正久，习知兵间利害，观其自记之词，颇惜文正畏逼轻发，不能如异日之坚忍，聊追述仓卒遇难之状，以励乡人敢死赴敌之气，俾知士大夫出任军国大事，唯一死足恃，余皆付诸天命气数，而不敢自堕其修，此作图之本旨也。夫文正以道德郁为文章，播为功业，即不幸下从咸彭，其可诵可传者自在。大块劳我以生，逸我以死，文正骤获死所，方幸息肩以趋于逸，而太守必欲力任其劳。太守于天下信有功矣，论者并欲以此责报于文正，是妇妪箪豆之见，非太守所以自待，亦非文正相待以国士之意也。

文有内心，饶意致，宜为士钊引重也。所述胡林翼欲赴敌死一节，为咸丰五年事。《湘军志·湖北篇》记此云：

咸丰五年三月乙丑，诏胡林翼署胡北巡抚。……林翼念相持无已时，八月壬辰自将四千人渡江，思合水师取涨（汉）阳，不能进，屯奓山。戊戌寇至，林翼督军出，士卒要饷，出怨言，强之战，未交绥，噪而大奔。林翼愤甚，索马欲赴敌死。圉人见巡抚意色恶，反旋马四五转向空野，乃鞭之。马驰不能止，临江乃遇鲍超船。诸营官闻巡抚在，集溃卒，调王国才，合屯大军山。辛丑荆州运饷银三万至，乃严汰疲赢，奏调罗泽南军，令更增二千人，还攻武汉。

取与曾国藩靖港之事并论，是绝好陪衬，似即本之王闿运。闿运为章寿麟撰墓志铭，有“昔鲍拯胡，功超五等”之句，以鲍超后来膺子爵之封也。超谥忠壮，思敬曰鲍忠武，误。（薛福成《书霆军铭军尹隆河之役》，称超曰鲍武襄公，亦误。）

郑孝胥有《题章价人太守铜官感旧图》，见《海藏楼诗》，为丙申（光绪二十二年）所作，诗云：

曾公靖港败，章侯救以免。功名震一世，云泥隔岁晚。
归舟近长沙，父老话兵燹。山丘易零落，铜官长在眼。
作图名感旧，自记极微婉。文襄耄年序，奋笔亦殊健。
未知王翁歌[①]，放浪情无隐。曾章今往矣，意气固同尽。
时髦论纷腾，何事挟余愠？道高迹可卑，子贤身不泯。
报恩贱者事，岂以律贵显？彼哉李子言，徒示丈夫浅[②]。

原注：

①王壬秋。

②李元度序，有“不言禄，禄亦弗及”之语。

推闿运之诗，而于国藩似亦有微词。

宗堂序中，引国藩父麟书之语，甚壮迈。麟书以老诸生为封翁，当国藩督师时，自撰一联，命国藩书之，文云：“有诗书，有田园，家风半读半耕，但以箕裘承祖泽；无官守，无言责，时事不闻不问，只将艰巨付儿曹。”（麟书应童试十七次，始于道光十二年以府考案首入湘乡县学，年四十三矣。国藩是年随父应试，获以佾生注册，年二十二，明年相继入学，又明年乡试中式，遂于道光十八年成进士，入词林，而麟书则入学之后，未克再进一步也。）

国藩《会奏湘潭靖港水陆胜负情形折》（咸丰四年四月十二日）叙靖港之败云：

> 臣曾国藩以潭城逆贼被官军水陆痛剿，专盼靖港之贼救援，亟应乘机攻剿，俾逆贼首尾不能相顾。明知水师可恃者均已调赴湘潭，陆路各营，除塔齐布、周凤山两营正在潭城剿贼，升用同知林源恩一营驻防平江，此外岳州、宁乡两次失利，阵亡乡勇约七八百名，又淘汰遣散湘勇已千余名，现存营者仅及千名，难期得力，而事机所在，又不敢不急切图之。是日卯刻，亲率大小战船四十只，陆勇八百，驰赴靖港上二十里之白沙洲，相机进剿。午刻西南风陡发，水流迅急，战船顺风驶至靖港，不能停留，更番迭击，逆贼在炮台开炮，适中哨船头桅，各水勇急落帆收泊靖港对岸之铜官渚，贼众用小划船二百余只，顺风驶逼水营，水勇开炮轰击，炮高船低，不能命中，战船被焚十余只，随风漂散。各水勇见势不支，纷纷弃船上岸，或自将战船焚毁，恐以资贼，或竟被逆贼掠取。

臣曾国藩在白沙洲闻信，急饬陆勇分三路连扑靖港贼营，冀分贼势。陆勇见水路失利，心怀疑怯，虽小有斩获，旋即却退。臣曾国藩见水陆气馁，万难得手，传令撤队回营。

此又初二日靖港剿贼失利之实在情形也。

又《靖港败溃自请治罪折》（同日），自陈调度乖方之失谬，继谓：

臣整军东下，本思疾趋出境，乃该逆大举南犯，臣师屡挫，鄂省危急不能速援，江面贼氛不能迅扫，大负圣主盼望殷切之意，清夜以思，负罪甚大，愧愤之余，但思以一死塞责，然使臣效匹夫之小谅，置大局于不顾，又恐此军立归乌有，我皇上所倚以为肃清江面之具者，一旦绝望，则臣虽死，臣罪更大，是以忍耻偷生，一面俯首待罪，一面急图补救。……一两月间，水师尚有起色，但微臣自憾虚有讨贼之志，毫无用兵之才，孤愤有余，智略不足，仰累圣主知人之明，请旨将臣交部从重治罪，以示大公，并吁恳皇上天恩，特派大臣总统此军。臣非敢因时事万难，遂推诿而不复自任；未经赴部之先，仍当竭尽血诚，一力经理。如船只已修，水勇可恃，臣亦必迅速驰赴下游，不敢株守片刻。

前折为与湘抚骆秉章会衔所上，后折为单衔所上，摘录用资并览。

——民国廿五年

附志：《铜官感旧图题咏》诸作，闻另有石印本，曰《铜官感旧集》，系就原迹影印，与刊本或有异同，容俟觅阅比勘。

五　王鑫

咸同间，湘军崛起乡里，震耀一时，诸将中，王鑫虽以早亡未获大显，而所部最号节制之师，声誉甚著，其轶事流传，为人所乐道焉。如欧阳昱（江西宜黄人）《见闻琐录》记其军令之严肃云："王壮武下令军中，一人积银十两者斩。所有月饷及赏赉资，交粮台，每月遣人分送其家，取书回。将士得书无不感服。左侯号令最肃，独不禁饮酒，无事则听其尽欢极醉。壮武军中，严绝樗蒲，并谓酒足误事，禁之，有提壶挈榼者斩。暇则习超跃拳击之技，立格赏罚，无日不然，故兵少而精，使竟其讨贼之志，勋名当在左、彭诸公上，惜积劳成疾，自林头战后，未几即薨。弟贞介方伯统其军，勇智遂稍杀矣。壮武之行军也，微功必录，微罪必罚，不避嫌，不避亲。剿贼广东时，姊子某犯令，诸将争救，不应，挥泪斩之。其号令之严，予亲见二事。时予避乱石灰唫山中，地界宜乐，山下十里为乐安走宜黄孔道。偶步至此，见所遣侦探九人入店中，呼主人具饭。食毕，每人给钱二十枚。主人不敢受。九人曰：‘主将令：沿途强啗人饭不给钱，及取民一物值百文以下者，斩。’主人遂受之。予闻林头贼败，晓登岭远望。日未午，见官军二十余人，自山下追贼二百余上山，至予所居门首，尽毙之，但次第割其耳。贼所遗财物，无一拾取者。予归，见二十余人汗湿重衣，觉疲甚，急呼予备饭。山中米粟无多，蒸薯蓣进之。食毕，每人给钱二十枚即行。予曰：‘天将晚，人已倦，离城又五十余里，盍止此一宿？’曰：‘军令复命逾酉刻者斩。我辈善走，尚可及。’予听而太息曰：‘兵遵将令，乃若是乎？非平日恩威足以畏服之，曷克至此？’”其治军之严，斯亦可备参考。左宗棠夙重鑫，而颇谓其待部将过刻。如光绪戊寅致刘典书有云：“大咨加给蓴农薪水，兼司三营账目，鄙见颇不谓然。营账由营官自行经理，本是旧章，亦使其稍沾余润。若改归营务经理，则营官未免觖望。当时王壮武虽曾如此办理，所部亦勉从之，却不可为训。弟犹记易普照曾向弟亲说：‘大人待我辈恩谊最重，惟总不准我们得钱。’其词亦颇令人心恻。易普照乃璞山所称如手如足者，厥后先璞山阵亡，其家固贫乏如故也。……璞山治军，为吾湘一时巨擘，独于此等处全不理会。”宗棠器局恢宏，有非鑫所及处，而鑫治军之严，益可见也。蓴农者王诗正，鑫嗣子。

关于鑫战略者，《琐录》记林头战事云：“王壮武败贼吉安，追至乐安。伪目盖天侯杨国忠，最桀黠，号统贼二十万，实六万，盘踞吾邑南境，宁都小田一路，谋犯赣州。壮武遣九人至吾邑侦探。贼中素震王名，有“斑虎”之目，闻其兵至，不暇辨多少，皆惊曰：‘王斑虎来矣！’邑贼千余，尽奔往小田告急。杨恃众，欲挫王威，即遣前锋五千，至乐安十里屯住，大队继至。乐安有乡团，诸绅闻之，入见壮武，请发兵，拒不见。明日贼愈增，又请，又不见。壮武兵仅三千，自是日减一日，不知何往。诸惧，谓畏贼强将遁矣。四日贼尽入乐安界。有一大村曰林头，杨督后队至此，拟宿一夜，明日悉师进战，自谓此地离王军五十里，前后左右皆其兵，万无他虑，遂皆酣寝。至半夜，忽四面炮声震天，火箭数十，射入村中，村屋烧压，如崩崖裂石。贼在睡梦中惊起，不知此军从何而降，而风猛火烈，出门稍迟，即围焚无逃路。时值秋末天寒，多不及披衣者。须臾火箭一枝射烧杨卧榻，杨急走，而村外东西北俱重重围住，惟空南一角，为回宜黄孔道，遂从此奔窜。前有大河，有长桥，桥北水极深，板已毁，贼不知也，前者坠水，后者拥挤而上，为官军枪炮追迫，不敢回顾。贼精锐近万，尽在此地而冻死、烧死、溺死、杀死，无一脱者。天刚曙，官军分一半救火，而是夜四更，城中兵亦出，攻贼之前锋。当初更时，壮武急召诸绅至，曰：‘天明贼必败，东西必窜某小路，可速引乡团据守山口，多张旗帜，贼至但击鼓喊杀，勿出战，勿令窜入谷中，则君等功也。如违，以误军情论。’诸绅愕然，然不敢不遵。及日出，前锋贼果窜至小路，不敢走，遂由大路奔回宜黄，而后路贼又纷纷思窜下乐安，一往一来，自相践踏者不计其数。是时前攻后杀，左右僻径又为乡团所堵截，五万贼斩戮几尽，得脱者才数百人而已。战捷后诸绅莫解其故，争求壮武指示。壮武曰：‘诸君始请时，予知战必胜，然恐在后者闻而奔散，则此六万贼蔓延各县，又不知何日方能剿除，予故示弱不出，使贼知予怯，必归队前来，然后可一战歼之。此地往宜黄，夹道多大山，予初至，即命数十人遍探各山小径，出入远近，瞭如指掌。予兵日减者，盖每夜半遣数百人，带干粮，伪为樵夫山民，往林头左右山中藏伏，料四日内杨贼必宿此地，先歼此贼，余如破竹也。天幸不出所算，又得诸君为声援，成此大功。从此抚、建二郡，可望收复矣。’诸绅闻之乃叹服。”写来颇生动有致，亦谈鑫战略者之好资料。鑫与曾国藩始合终乖，而殁后国藩每称道之，举其治军之法以诏人。金陵下后裁军，留精锐使鑫部将刘松山统之，所谓老湘营，左宗棠剿捻及西征，最赖其力。

——民国廿二年

王鑫（古珍字）为湘军骁将，以善于治军著，其初起以勇毅为曾国藩所器赏，后乃相失，盖以矜张见疑也。骆秉章自订年谱（光绪乙未张荫桓重刻本）咸丰三年有云：

调任总督吴甄甫八月到长沙，住数日，即起程赴鄂。八九月田家镇兵船失利，张署督已交卸矣，吴制台接印，带兵赴堵截御贼，兵败阵亡，（按："堵截"当是"堵城"刻误，吴文镕殉难堵城也。）贼复上窜，长沙又办防堵耳。先是，王璞山鑫。带勇一营，是时营规三百六十名为一营，往兴宁县剿办土匪，全股殄灭，奏以同知补用。时曾涤生住衡州，伊言于曾曰："若令我募勇三千，必将粤匪扫荡。"曾遂致信省城，言"王璞山有此大志，何不作成之?"我覆信请其到省面商。后王璞山偕从九吴坤修来见，备言先发口粮二万两，硝磺各一万，回湘乡招勇三千，必能不负所委。王璞山操湘乡土音，多不甚晓，吴坤修代达。我谓："暂且招二千，因经费支绌。若不敷调度，再招。"即发札，并饬局发口粮及硝磺等项。王朴山遂偕吴坤修回湘乡去矣。闻曾涤生致书伊座师吴甄甫先生，极言王璞山之能。不数日，即得吴甄甫咨函，请调王璞山招勇三千赴鄂，遂发札与王璞山，招足三千之数。不数日，吴坤修到省求见，言："王璞山回乡招勇，出入鸣锣摆执事，乡人为侧目。其人如此，实不可用。"我言："伊得保举同知，初回家乡，不过荣耀之意，我粤新科举人回乡，亦是如此，似不足怪。"吴坤修无词而对。翌日，伊又来求见我，言："王朴山所招之勇，多是匪类，又不发口食，连夜在县城偷窃，赖令不胜其苦，又不敢言。将来带勇到省，难免骚扰。"我言："汝同王朴山回湘乡招勇，又是至好，何以不为规谏?”吴坤修云：“伊凡事不由我管理，是以难进言。”我云：“伊一切皆不交汝管理，是以尔说他。”吴坤修见我不信其言，辞去，即往衡州见曾涤生。两旬间，吴甄甫即有咨函，言王朴山之勇恐靠不住，止其不必来鄂。不数日，王璞山带勇到省。我以吴制军之咨示之，着其留勇二千四百人，其余六百名作长夫，嘱其日日训练，以备调遣。吴制军若调王朴山带勇赴鄂，有此得力之将，恐不致有田镇（按：应作堵城）之败。“利口覆邦家”，信然！

不满国藩之信谗，而深咎吴坤修之中伤焉。（坤修江西新建人，字竹庄，后以军功起，官至安徽布政使，署巡抚。）**又按：国藩是年与鑫各书有云：**

仆素敬足下驭士有方，三次立功，近日忠勇奋发，尤见慷慨击楫之风，心中爱重，恨不即游扬其善，宣暴于众，冀为国家收澄清之用。见足下所行未善，不得不详明规劝。又察足下志气满溢，语言夸大，恐持之不固，发之不慎，将来或至偾事，天下反以激烈男子为戒，尤不敢不忠告痛陈。伏冀足下细察详玩，以改适于慎重深稳之途，斯则爱足下者所祷祀求之者也。(又与骆秉章书有云：“王璞山自兴宁归来，晤侍于衡，见其意气满溢，精神上浮，言事太易，心窃虑其难与谋大事。”又云：“璞山血性可用，而近颇矜夸，恐其气不固，或致偾事，特作一书严切规之。”又与吴文镕书有云：“璞山驭士有方，血性耿耿，曾邀吾师赏鉴，惟近日气邻盈溢，语涉夸大，恐其持心不固，视事太易，曾为书规之，兹录呈一览。吾师用其长并察其不逮，俾得归于深稳之途，幸甚。”)

接到手书，改过光于日星，真气塞于户牖，忻慰无极。前者足下过衡，意气盈溢，视天下事若无足为，仆窃忧其乏惕厉战兢之象，以握别匆匆，将待再来衡城时乃相与密语规箴，以求抵于古人敬慎自克之道。自足下去后而毁言日至，或责贤而求全，或积疑而成谤，仆亦未甚深虑。逮吴竹庄书来，而投梭之起，乃大不怿，于是有初入奉规一函。仆函既发以后，又接家严手谕，道及足下忠勇勃发，宜大蕴蓄，不宜襮露，然后知足下又不理于梓里之口，向非大智慧转圜神速，痛自惩艾，几何不流于矜善伐能之途？古人谓齐桓葵丘之会，微有振矜，而叛者九国，亢盈悔吝之际，不可以不慎也。比闻足下率勇三千，赴援鄂渚，仆既幸吾党男子有击楫闻鸡之风，又惧旁无夹辅之人，譬如孤竹干霄，不畏严霜之摧，而畏烈风之摇，终虞足下无以荷此重任。

近日在敝处攻足下之短者甚多，其来尊处言仆之轻信谗谤弃君如遗者亦必不少。要之，两心炯炯，各有深信之处，为非毁所不能入，金石所不能穿者，别自有在。今欲多言，则反以晦真至之情，古人所谓窗棂愈多则愈蔽明者也。

当时鑫之见讥物论及为国藩所规切，有如此者。盖坤修而外，嫉之者颇多也。国藩取人，以多条理少大言为主，鑫则意气特盛，大言无所诎，故终难水乳耳。（鑫之盛气凌人，左宗棠亦尝与书诫之。）

又国藩与秉章书有云：

侍日内心绪极为烦恼，……王璞山本是侍所器倚之人，今年于各处表襮其贤，盖亦口疲于赞扬，手倦于书写。其寄我一函，曾抄示师友至十余处。（按：其与江忠源书有云："敝友王璞山忠勇男子，盖刘琨、祖逖之徒。昨二十日，仆以一书抵璞山，璞山亦恰以十九日为书抵我，誓率湘中子弟，慷慨兴师，即入江西，一以愤二十四之役，为诸人报仇雪耻，一以为国家扫此逆氛，克复三城，尽歼群丑，以纾宵旰之忧。其书热血激风云，忠肝贯金石，今录一通往，阁下试观之，洵足为君添手足之助矣。"可见一斑。）近时有向侍讥弹璞山者，亦与之剖雪争辩，而璞山不谅我心，颇生猜嫌，侍所与之札饬言撤勇事者，概不回答，既无公牍，又无私书，曾未同涉风波之险，已有不受节制之意，同舟而树敌国，肝胆而变楚越。

相乖之情毕见矣。鑫不乐受国藩羁钤也。王闿运《桂阳直隶州泗州砦陈侍郎六年（年六）十有九行状》，有云：

> 咸丰……三年，从文正军下湘援湖北，而湖南巡抚先遣王壮武出岳州，至蒲圻遇寇，败退，曾军新集，营岳州城外，寇乘胜追奔，将士力战不能支，遂水陆追走。壮武自以为违文正诫致败，耻与俱退，独入空城死守。文正愤懑，将士莫敢为言。侍郎独进曰："岳州薪米俱绝，明日必溃，宜遣救璞山。"璞山者，壮武字也。文正愠，不应。侍郎自以建议为公，不宜逢颜色，退卧。顷之，自计曰："为千人请命，奈何计小礼数？"复入请曰："璞山军宜往救。"意色愈和。文正方环走，遽停步，曰："救之如何？吾顷遣侦之，城中无人，但外有燎火。"即召侦者两人质之。侍郎诘之曰："若等畏贼，不敢往，若城中人出，寸斩汝矣。"两人俱伏虚诳。文正因问计，侍郎具言贼无战船，宜遣水师三版（舢板）傍岸举炮为声援。壮武因得缒城走出，免者九百余人。其后平浙、克新疆，大将皆在其中。壮武后为名将，号"无敌"，数同壁垒，意以为桂勇倚己乃能哉，有自功之色，未尝与言前事也。

国藩以不快于鑫，微陈士杰一再进言，几坐视其殆而弗援，斯盖闿运闻诸士杰者。如所云，国藩不亦已甚乎？

——民国廿四年

六　朱洪章

曾国荃之下金陵，部将论功以李臣典居首，获封一等子，萧孚泗次之，封一等男，朱洪章仅得世职，未邀爵封。后之纪述其事者，颇言洪章实首功，为之不平。如沈瑜庆《怀朱军门洪章》诗云：

一为楚将亦冠军，迁地为良敢雌伏？
屯兵坚城势欲绌，连营百里气转蹙。
忽惊地道隳垂成，四百儿郎糜血肉。
即今丰碑龙脖子，空使诗人叹同谷①。
破敌收京谁第一？再接再厉疮垂复。
冲锋居后受赏前，公等因人何碌碌！
当时大树耻言功，今夕灞陵还止宿。
文吏刀笔错铸铁，幕府文书罪罄竹。
谁知东海又传箭，矍铄据鞍更踢踘。
不侯枉自矜长臂，再植何堪拟群木？
飘零草疏讼陈汤，鼙鼓闻声思李牧。

原注：

①陈衍《石遗室诗话》云："同谷句与此题无涉，似宜改用陈涛斜事。"

诗有长序，谓：

从威毅捣金陵。时威毅所部皆楚将，公以黔军特立，有危险事，公任其冲，以此知名，威毅亦信任之。开龙脖子地道，垂成而陷，四百人无一全者，公仅以身免。二次地道成，威毅集诸将，问谁当前锋，莫对。公愤，退而出队，从火焰中跃冲缺口上，贼辟易，以矛援所部，肉薄蚁附而登，诸将从之。城复论功，李臣典于克城次日以伤殒，威毅慰公，以李列首，公次之，呈报安庆大营。文正按官秩叙先后，公列第四，故诸将有列封五等者，公赏轻车都尉世职，以提督记名而已。公谒威毅，语不平。威毅以靴刀授之曰："奏名易次，吾兄主之，实幕客李某所为高下也。盍刃之！"公笑而罢。湘中王闿运成《湘军志》，乖曾氏意。威毅使东湖王定安改订之，亦缘官书，未改正公前事。时承平日久，公感髀肉之生，不能无觖望于威毅，因论其书，至抵几而骂。威毅虽优容之，新进排挤，几不能自全。公悲怀慷慨，乞余为文为诗讼之，久之不就。甲午东海事起，南皮张公移节江南，……令募十营守吴淞。……公久废骡用，又嘎啃宿将，同事者辄訾议牵制之，使不得行其意。未几，伤发，卒。南皮属余草疏，请恤于朝，遂得以所闻于公，略叙曲折，得旨赐谥建祠，饰终典礼备焉。……

又李岳瑞《春冰室野乘》云：

曾忠襄之克秣陵也，大将李臣典、萧孚泗咸膺上赏，锡封子男，而不知悉黔将朱洪章一人之功，李、萧皆哙伍耳。……

忠襄部下皆湘将，洪章以黔人孤立其间，每有危险，辄以身当其冲，以此知名，忠襄益倚重之。初开地道于龙脖子，垂成而陷，健儿四百人歼焉，皆洪章部下也。二次地道成，忠襄集诸将，问孰为先入者，众皆默无言。洪章愤，愿一人为前驱，从烟焰中跃上缺口，以矛援所部，肉薄蚁附而登，诸将从之入，城遂复。臣典于次日病卒，忠襄好语慰洪章，使以首功让臣典，而己次之。洪章慨然应诺。及捷报至安庆，文正主稿入奏，乃移其次第，以洪章为第四人，于是李、萧皆封子、男，而洪章乃仅得轻车都尉，殊不平，谒忠襄语及之，忠襄笑而授以佩刃曰："捷奏由吾兄主政，实幕客李鸿裔高下其手耳，公可手刃之。"洪章一笑而罢。……

岳瑞盖即取材瑜庆所纪，惟指实幕客李某为李鸿裔耳。其助臣典张目而驳沈说者，如李详《李忠壮公家传书后》云：

时苏、常俱复，忠襄耻独后，愤欲死之，再凿龙脖子地道，募死士先登。公与诸将誓如约，地道火发，城揭二十余丈，公冒烟火砖石直进，伤及要害，城克而病，病遂死，去城破仅十余日。曾文正上公首功，奉上谕："李臣典誓死灭贼，从倒口首先冲入，众军随之，因而得手，实属谋勇过人，着加恩锡封一等子爵，赏穿黄马褂，并赏戴双眼花翎。"而公已先殒，不及拜受恩命。……一时公私记载，咸无异同。余儿时闻村优敲钲唱《克复金陵歌》，亦首及公。大功在人口，宜无没没也。云南鹤丽镇总兵朱公洪章者，先登九将之一也，……在江南久，郁郁不自得，念昔李公誓死登城，李独膺懋赏，身犹碌碌与偏裨伍，所奉主帅及同列诸将，无一在者，思倾李公以为己地，昌言于人，谓："曩者之役，余实先登，李资高，适卒死，主帅与朝廷务张之以厉将士，故李独尸大名。"此语一出，好事者争歌诗慰朱，且述其语云：李克城次日伤殒，忠襄慰己，以李列首。后谒忠襄，语稍不平，忠襄出靴刀授之曰："奏名易次，吾兄主之，实幕客李某所为，盍刃之。"又言王氏闿运《湘军志》，乖曾氏意，后属王氏定安改订，亦缘官书未改云云。其尽屏文正原奏及公私记载，为此系风捕景不可踪迹之词，荧惑视听，甚可骇怪。夫攻金陵，提镇死者甚夥，何独于公以死旌伐？文正手书日记云："至信字营，见李臣典。该镇为克城第一首功，日内大病，甚为可闵。"又云："闻李祥云病故，沅弟伤感之至，盖祥云英勇异常，克复金陵，论功第一。"据此则奏名列首，固忠襄意。幕客李者，中江李鸿裔也。论功之奏，核及殿最，李安敢以私见挠之？又王氏定安修《湘军记》时，忠壮子孙不在显列，无所顾忌。湘潭之志，即乖曾意，本非官书，东湖觊再起，一意媚曾，又何不可改正之有？凡此皆不考情实之过也。忠壮之子讳义信字蔚廷者，从忠壮军中，共劳苦，预见此事，时告其子，为异日容貌祖德之述。……余谓忠壮与朱公冒炮火，投躯死地，徇主帅旨，岂复有毫末富贵想，会有天幸不死，命也。忠壮爵赏不逮生前，其亦已矣。朱公侘傺失志，黄金横带，未尝一日稍厌其望，嚄唶大言，用以自豪，亦人情耳，奈何竟据为实录邪？

与瑜庆之说，针锋相对。洪章以黔将处湘军中，待遇之间稍有偏枯，于事或亦不免。惟瑜庆谓臣典死于克城之次日，以是获列首功，则殊非事实。考同治三年六月十六日清军轰陷金陵城垣，冲杀入城，曾国荃即日驰奏大概情形，是夜攻克内城，搜杀三日夜。曾国藩据国荃十九日咨，于二十三日驰奏详细情形，立功人员，列单请奖。二十五日国藩由安庆抵金陵，七月初二日臣典乃卒，故国藩犹及见之，何谓“于克城次日以伤殒”云云乎？详所云“去破城仅十余日”，是也。此为瑜庆所纪中最显之错误，详如就此直驳，不必言“何独于公以死旌伐”云云矣。赏功之谕，于七月初十日奉到，国藩七月二十日为臣典奏请优恤（据国荃咨），谓：“……年方二十七岁，竟有名将之风。六月十五日地洞口受伤，十六日克复金陵城池，十七日因伤增病，医治无效。二十日舁雨花台营次，医者谓伤及腰穴，气脉阻滞，不久恐变喘症，加以冒暑过劳，难期痊可。二十三日国荃亲往省视，李臣典不肯服药，自云此次万无生理，……即于七月初二日巳刻出缺。其胞弟李臣荣、李臣章料理后事，即日将归原籍，择立继嗣。钦奉六月二十九日上谕，有锡爵之旷典，有黄马褂、双眼花翎懋赏，李臣典竟不克亲拜宠命，感圣恩之优渥，叹该员之数奇，国荃私心痛悼，寝食难忘。……”臣典卒于拜命之前，或即缘是而误传为死于奏奖之前耳。（朱孔彰《中兴将帅别传》传臣典，于其病卒，谓：“公夜战过劳，明日病热。或曰，公恃年壮气盛，不谨，疾之由也。”有微词焉。）详所称臣典之子义信，盖即卒后立为继嗣者也。王闿运作《湘军志》于诸将帅多以微文贬抑，国荃等大恚，《湘军志》尝因以劈板，王定安之《湘军记》，乃承国荃之旨而作。瑜庆云“乖意”“改订”，盖即谓是，言两书均未特表洪章之功而已，详谓定安“一意媚曾，又何不可改正之有，”不免误会。臣典功首，即国荃意，“媚曾”者何以必可改正乎？瑜庆所述奏名易次，指臣典以下者而言，详谓“奏名列首，固忠襄意，李安敢以私见挠之”，又将臣典牵入，实欠分晓。洪章于是役所获世职，乃骑都尉。瑜庆辈谓轻车都尉，非是。

至洪章自叙身任首队及克城诸状，其《从戎纪略》云：

……九帅调各营队伍已齐，命章往问何营头敌、何营二敌。再三询之，无人敢应。章曰："我辈身受皇上厚恩，今日正当报效，请以职分定先后何如?"时萧统领孚泗已补福建陆路提督，寂无一言。次及李祥云，已补河南归德镇。祥云要章拨精兵一二千与之，章曰："既拨我军，不如我当头队。"众乃随声鼓动。刘南云乃言愿作二队，余依次派定，分为三路。当时相商，同到九帅前具军令状，畏缩不前者斩。章将各情复禀，九帅壮之，命章速准备。乃回营派头队四百名，二队一千名，余队随在后。各弁勇闻打头敌，无不奋然自振，一以当百。至龙脖子，章令头、二队勇各顶生草一捆，以使填壕，倘不遵者以军法从事。适信字李营官来，告药已安好，请示放火。章复转至伪天保城，禀知九帅。九帅指章看曰："城中贼如此之多，务须小心。"章禀曰："只要轰开城，得入其穴，任他贼众，勿怯也。"当是时，我各营队伍亦齐，布列龙脖子岗上。章至，乃下令放火，只看火线燃过，霹雳一声，烟尘迷天，砖石飞崩，军士无不人人惴栗。章乃奋身向前，左手执旗，右手执刀，奋勇登城，大呼而进。各队勇始纷忙齐上。贼约三四百，由太平门出来抵章，争先手刃数贼，各队奋然并进，贼大溃。我军追杀至老城埂太平门，用连环枪炮轰去，贼又败。转进滥房，忽伏逆四出，万炮轰来。章战马中枪，乃下马手持长矛，向为首骑马贼兜头杀去。贼首落马，章乃夺其马而跨之。各营勇见，慌忙向前。章令两路放火，顷刻火起，贼不能支，遂又败北。九帅闻章失马，乃遣人送坐骑来。章曰："马已得，请速催大队来。"先是，九帅进城时，至老城埂，遇节字营哨官败回，九帅怒，即令正法。各勇悚惧，始奋身向前，四路掩杀。各路分攻城门，无不勇（踊）跃争功。贼抵御不住，于是九门皆破。闻败贼大股聚于五台山，章令长胜营跟踪追之。章自督众往攻伪天王府，正遇伪王次兄，见我军即走。章令罗、沈二营官佯败诱之，得以生擒。时日已暝，章乃冲入伪王府，搜其党而歼之。令将辕门紧闭，以两营守之，余皆分扎前后，封其府库，以待九帅。惟地道冲塌之处，无人看守，夜半贼结队偷出，九帅随派马队武营官追杀。章知之，即督长胜军追至雄黄镇，将伪忠王李秀成搜获。九帅连调始回。章一路见我阵亡兵弁，目不忍视，不禁泪下。甫至营，各军士皆痛哭连声。往寻地道崩处，我四百奋勇当头阵军士，尽被火药轰死，无一得生。章心惨裂，捶胸痛哭，更不能止。各幕友来劝曰："死生有定，幸大功告成，亦足慰各忠魂于地下。"章哭曰："我自领军以来，从未有伤亡如此之多、如此之惨者。此数百勇士，皆同余十有余年，血汗辛苦，一旦成功尽丧，尸骨无存，追念前劳，能无痛伤！"各幕友泗泪力劝方止。次日九帅复令各处搜贼，忽贡院前阴沟火起，贼匿其中，以洋枪伤我亲兵数名。章令撒火药烧之，贼冒火乱逃，章追而歼之。乃回禀九帅，时派弁兵沿街搜捕，并出示安谕百姓，严饬各营不许滋扰。赏恤诸伤亡军士有差，以生擒逆首沥血祭我各将士，并延僧超度之。捷闻，朝野相庆，时同治三年六月十六日也。九帅乃叙功具奏，七月十八日奉上谕："提督衔记名总兵朱洪章，克复江南，首先登城，生擒伪王次兄洪仁达、伪忠王李秀成二逆首，异常出力，遇有提镇缺出，请旨先前简放，赏穿黄马褂，世袭骑都尉罔替。钦此。"

所叙颇详，可与当时奏报参阅。奏报或难免不实不尽之处，洪章自述亦间有夸侈失实，要其先登之勇，不愧骁将耳。国藩原奏谓："李臣典报地道封筑口门，安放引线。曾国荃悬不赀之赏，严退后之诛，遂传令即刻发火。霹雳一声，揭开城垣二十余丈。武明良、伍维寿、朱洪章、谭国泰、刘连捷、张诗日、沈鸿宾、罗雨春、李臣典，皆身先士卒，直冲倒口而入。……"所谓先登九将也。若国荃攻克外城原奏，系谓："十五日李臣典地道告成，十六日午刻发火，冲开二十余丈。当经朱洪章、刘连捷、伍维寿、张诗日、熊登武、陈寿武、萧孚泗、彭毓橘、萧庆衍率各大队从倒口抢入城内。悍贼数千死护倒口，排例（列）逆众数万，舍命抗拒。经朱洪章、刘连捷、伍维寿从中路大呼冲，奋不顾身，鏖战三时之久，贼乃大溃。……"则臣典不在先登九将之列，而洪章实冠诸将焉。

李、萧封爵，张诗日、彭毓橘亦得一等轻车都尉，洪章仅骑都尉，其觖望良非无因。张之洞请恤之奏，推为功首，亦非羌无故实也。孚泗之获封男爵，以擒李秀成等。虽秀成之擒，孚泗功盖幸致，（参看秀成供状及薛福成《庸庵笔记》。）然未闻有谓秀成、仁达为洪章所擒者，洪章乃亦引为己功，且不惜窜改上谕以实之，未免离奇之甚矣。其骑都尉世职亦并无“世袭罔替”字样。此役之获“世袭罔替”者，惟国藩之侯、官文之伯而已。赏功之谕，系云：

> ……记名提督李臣典，于枪炮丛中，抢挖地道，誓死灭贼，从倒口首先冲入，众军随之，因而得手，实属谋勇过人，着加恩锡封一等子爵，并赏穿黄马褂，赏戴双眼花翎。萧孚泗督办炮台，首先奋门而入，并搜获李秀成、洪仁达巨逆，实属勋劳卓绝，着加恩锡封一等男爵，并赏戴双眼花翎。记名总兵朱洪章、武明良、熊登武、伍维寿均着交军机处记名，无论提督、总兵缺出，尽先提奏，并赏穿黄马褂，赏给骑都尉世职。记名按察使刘连捷，着交军机处记名，遇有布政使缺出请旨简放，并赏加头品顶戴，赏给骑都尉世职。提督张诗日，着以提督遇缺提奏，并加恩赏给一等轻车都尉世职。记名道彭毓橘，着交军机处记名，遇有布政使缺出请旨简放，并赏给一等轻车都尉世职。……

洪章胡竟漫为抉易其词乎？（臣典时为记名提督实缺河南归德镇总兵，孚泗则已为实缺福建陆路提督。上谕于孚泗，若亦为记名提督者，殆降谕时未及致详耳。）

朱孔彰《中兴将帅别传》传洪章云：

> ……同治三年夏，忠襄攻江宁城，久不拔，提督李臣典建议于龙脖子山麓坚石最多处重开地道，日列队伍环攻，积湿芦沙填垒，欲平接而前，与城齐，以疑寇，使多备。六月十五日甲申，地道告成，议推前锋未决。有营务处朱云章者，楚人也，以不得统军为恨，大言于公前曰："若辈自命天下壮士，今趣临大敌，便如鼠子却缩探头穴中，吾知若无能为也。"公怒曰："孰畏死者而汝为是言乎？攻守未奉帅令，若使某为先登，有不蹈万死以取洪酋生致阙下者，如皎日！"两人争论于营幕中。忠襄闻之，亟召诸将入，署名具军令状。于是公遂署第一，武明良第二，刘连捷第三，其他以次署毕，凡得九将。李臣典实主地道事，虽列名，未尝任头队也。乙酉日中发火，城崩二十余丈。公率所部长胜焕字三营千五百人首先登城，从倒口冲入。是时烟焰涨天，砖石雨下，贼复拥大众谋堵筑，从城头掷火药倾盆下，烧死者四百余人。公摧锋务进，所向披靡，仰登龙广山，结为圜阵，外传与贼排击。诸将毕登，乃分军为三并驰，公趋中路，直攻伪天王府之北。大战一日夜，俘擒伪王次兄洪仁

达以献。江宁平，论功李臣典居首，公最四三闲(间)。或代为不平，说公往刺幕府。公谢曰："是何言之鄙也！寇乱方平，而为将者争功相杀害，此与贼党何异，不将垂笑万世乎？公止矣，吾义不肯为也。况吾由行伍擢至总兵，今幸东南底定，百战余生，恩简实缺，已叨窃非分，又何求？"光绪十四年以云南丽镇总兵入觐，道过金陵，谒见曾公，凭吊死事诸人，立石瘗所。曾公为之识曰："同治三年闰六月十有六日，龙脖子地道告成，火发，轰开城垣二十余丈，砖石雨下，长胜焕字营首先登城，前队奋勇死者四百余名，同瘗于此。呜乎惨矣！亟志之以表忠荩云尔。" ……

亦足参阅，而于洪仁达之擒，惟未言李秀成耳。(《别传》中无萧孚泗传。)同治四年洪章始简授湖南永州镇总兵，攻下金陵之岁，尚未"恩简实缺"也。《清史稿》洪章传，亦著其先登之绩，而于记赏功之后，有云：

初，叙入城功，李臣典以决策居第一，洪章列第三，众为不平，洪章曰："吾一介武夫，由行伍擢至总镇，今幸东南底定，百战余生，荷天宠锡，已叨非分，又何求焉？"

似即就《别传》中语，略加点窜，以简授在后，故删"实缺”之句。（洪章部曲前队四百人尽死于破城时，沈瑜庆诗序、李岳瑞《野乘》所叙有误。）

署两江总督张之洞光绪二十一年为洪章请恤之奏（据瑜庆所云，即彼代草），谓：

> ……金陵叙收复功，该故镇固应第一，乃以李臣典积劳先殁，萧孚泗名位居前，该故镇抑而为次。或讽其向幕府自陈，该故镇夷然不屑也。有功不伐，时论尤多之。三年七月十八日奉上谕：“提督衔记名总兵朱洪章，克复江南，首先登城，生擒伪王洪仁达、伪忠王李秀成二逆首，异常出力，遇有提镇缺出请旨先前简放，赏穿黄马褂，世袭骑都尉罔替。钦此。”是该故镇为首功，已在先朝鉴照之中矣。……

所引上谕，竟一如洪章《从戎纪略》所书，盖接统章字营记名提督谭会友等呈请奏恤，录自《纪略》，之洞即漫焉据以入告，实笑柄也。疏中“臣念该故镇天性忠勇，智略无伦。起家边徼，无里闬援引之功。资性木疆，落落难合”等语，即瑜庆怀洪章诗及序之意。之洞疏上，洪章获优恤，予谥武慎，为《别传》未及载入者。

《纪略》刊有曾国荃手书弁言云：

> 余伯兄太傅文正公雅号知人，于诸将中独伟视焕文。焕文忠勇性成，战绩半天下。甲子金陵之役，于

> 枪炮丛中抢挖地道，誓死灭贼，从城缺首先冲入，因而削平大难，焜耀史编，厥功伟矣哉！己丑冬，焕文京旋，余溯念金陵为焕文立功之地，遂奏留两江，权篆福山镇。庚寅夏因公来宁，出视《从戎纪略》，历述其生平艰苦，瞭如指掌，其文朴实，颇肖其人也。庚寅八月朔威毅伯曾国荃识于两江节署。

庚寅为光绪十六年，国荃即卒于是岁十月也。所云“于枪炮丛中抢挖地道”，当时奏报及上谕，以功属李臣典，或洪章亦与有力欤？《纪略》谓：

> ……章曰：“……以沐恩愚意，明日派队往采生松来，穿成木排，用木滚推近城脚，上面厚堆土泥，任贼用火药来烧，万无一失，然后依城再扎营垒，开挖地道，不过离十丈之遥。请大人派信字李营官同往，沐恩任三五日必成功也。”九帅曰：“恐又多伤士卒。”章曰：“事已至此，不得爱惜。”九帅时还犹豫，忽一日报昆字营以搬草填壕伤亡千余，乃唤章曰：“还是阁下所议不错，纵伤当亦不多。”章曰：“扎营近城可保无伤，只搬运出入间有难保。沐恩今夜告李营官，将挡牌立土堆，不过片时可将营之前面修好，再筑一小炮台堵御，使贼不能近，然后开挖地道。只城中贼一夜不来攻，即可以成。”九帅仍以伤人为虑。章素知九帅慈心体恤，见士卒伤必不忍，乃

曰："自古杀人一万自损三千，请大人回营，五日之内可不必到此，以免见之恻然。沐恩以五日定奏功也。"语毕，九帅回营。章乃往视龙脖子前炮台，有逆首带数十队前来，直列于挖壕扎垒上，忽然用火药掷下，沿烧我先锋营，幸木排堆土甚厚，烧而不入。章忙令开放洋庄大炮，群子如雨，贼站不住，乃收队回。章即商祥云曰："我军地道今夜定要挖成，久恐洩漏。"祥云曰："硐口业已开矣，请派队益之。"章乃令每营以六賍（成）队去，限一夜成功。至更时果已挖成。章复商祥云曰："地道虽成，地硐何日能就？"祥云曰："只要挖处无石峡，三日可成，五日可以装药。"章即将各情禀九帅。

次日……九帅问地道成否？章曰："再三日可以装药。"九帅惊曰："何如此之速？"章禀曰："自六月初八日迄今，已开挖七日，请大人分派，队齐即日进兵。"……九帅因约往看龙脖子先锋炮台，旋转至伪天保城，问曰："昨夜炮声不绝，至一夜不得安枕。贵营堵贼，未知伤亡若干？"章禀曰："贼分五路吊城来攻地道，被沐恩先令伏兵截击，该贼乱逃至信字严字营壕边并山脚一（以）躲避，天明出搜，尽歼之，我军伤不过三十余人。"九帅曰："明日地硐可成，今夜弟即宿此，以便派调各营。"乃令军装局预备布袋六千个装药。信字营来请搬运松木三百株，以作硐口押条，乘夜将各物具送至。

如所云，此次地道之开挖，洪章与臣典共任其事也。至《记略》中失实处，如上谕之杜撰，国荃何以未加纠正，非阅时并未谛审，即《纪略》印行时原稿复经改动耳。（吾所见《纪略》，署“光绪癸巳秋七月紫阳堂刊印”，国荃卒三年矣。）

洪章之籍贯，《纪略》自谓家于黎平府。《别传》及《清史稿》均谓黎平人，是也。瑜庆诗序谓镇远人，岳瑞《野乘》如之，实误。洪章初从胡林翼，在林翼官黎平知府时，而林翼又尝官镇远知府，盖误传洪章籍镇远之由。之洞请恤之奏谓黎平府开泰县人，开泰即黎平府同城首邑，惟各有分地，犹之贵阳府与贵筑县也。

——民国廿四年

七　崇实与骆秉章

咸丰十一年骆秉章之统湘军入川，崇实方署四川总督，开诚延接，其自撰《惕盦年谱》纪是年事有云：“六月骆籲门制军统万八千人入境，予设粮台于夔州府，以济其军，并奏请事权归一，意在推让。奉朱批：‘朕自有定见。’”王闿运《湘军志·川陕篇》以“公忠推贤”许崇实，谓：“崇实见蜀事日棘，度己材不足济，虚心待秉章，频上奏，欲假朝命促之，且自言旦夕竭蹶，恐误国事。当是时，封疆大臣虽见危败知死，莫肯言己短。曾国藩所至见齮龁，秉章亲遘之，至欲资饷地主，则挠诎百方，唯独崇实恳恳推贤能，常若不及。秉章在道，频奏诉饷匮，初不意四川能供其军。比至，未入境，总督公文手书殷勤通诚，遣官候问，冠盖相望。悉发夔关税银资军，湘军喜过所望。”称美甚至。《年谱》盖犹言之未详也。迨秉章受任川督，崇实为成都将军，相助为理，亦能和衷，无满汉畛域之见。秉章在川建绩享大名，颇亦有赖共事者之得其人云。同治六年秉章以久病卒官，《年谱》所纪云：

> 四年……秋，骆老求退，奉旨：赏假四月，安心调理，所有四川总督，著崇实兼署。九月初八接篆视事。……冬夜予亲自巡城。近年骆老年高，不能受此辛苦，外间不免懈弛。至是文武悉努力从事，附省一带竟无一劫案，省中几至夜不闭户，大有升平景象矣。五年……春正月，骆老请开缺之折批回，再三慰留，宽予假期，令其安心调理，所以总督篆务，仍著崇实兼署。二月，派人赴粤省为骆老延医。……九月，由广东延请针治目疾之阎姓到川，骆老仍无大效。予屡劝其销假。六年……开篆后，予劝骆老出而视事，择三月初三日将督篆交还。凡紧要公事与大典礼，皆许相代。骆老奏明遇事商办，并将本年文武科场皆归予料理。……冬月……初七日，骆老犹过我面议南北防务，并请十二日代主鹰扬宴，孰知其归去即不能起床。迨十二日，予往视，已言语不清。随侍并无眷属。予虽与之事事和衷，然究为其精神不振，不

忍令其烦心，自本年三月后，名为销假，而一切之事皆予代办。至是老翁自料不起，即命仍将总督关防送归予处。予力持大局，不能不先为接管。正拟出奏，而老翁即于是日溘逝，只族侄孙一人在侧，真令旁观不忍。因将其历年政绩详为奏明，并请格外加恩，于蜀湘两省建立专祠。督同司道亲视棺敛。川民感其戡定之功，合街缟素。予挽以一联曰："报国矢丹忱，古称社稷之臣，身有千秋公不愧；骑箕归碧落，气引星辰而上，自营四海我何依？"总之，骆老为人，第一不可及曰清操，而才略尚在其次。最能推诚用人。前在湖南，幕中有左季高诸贤，则东荡西除。初到川省，有刘霞仙，亦能筹巨款，灭大寇。后来幕中多不如前，加之神明已衰，几至声威稍减。

秉章清操最著，其勋业之建，则缘推诚用人。虽福命特优，亦正有不可及处也。晚年老病，崇实盖时为分劳焉。

薛福成《庸盦笔记》云：

……骆公既薨，成都为之罢市，居民皆野哭巷祭，每家各悬白布于门前，或书挽联，以志哀思。适文勤公崇实以将军署总督，谓为不祥，遣使禁之。蜀民答曰："将军脱有不讳，我辈决不敢若此！"闻者为之粲然。迄今蜀民敬慕骆公与诸葛武侯相等。骆公专祠，蜀民亦呼之为丞相祠堂。虽三尺童子入其祠，无不以头抢地者。或谓骆公生平不以经济自命，其接人神气浑穆，人视之固粥粥无能，而所至功成，所居民爱，在楚在蜀，自有诸贤拥护而效其长，岂其大智若愚耶？抑骆公之旗常俎豆早有定数，大功之成不在才猷而在福命耶？余谓骆公之当享勋名，固由前定，然其德器浑厚，神明廉静，推诚以待贤俊，亮直以事朝廷，斯其载福之大端也。

可与崇实所云合看。《湘军志·川陕篇》谓："秉章薨，省城士民如丧私亲，为巷哭罢市。其丧归，号泣瞻慕者所在千万数，自胡林翼、曾国藩莫能及也。"亦极言川人之爱悼。左宗棠咸丰十一年答毛鸿宾书，谓"籲门先生之抚吾湘，前后十载，德政既不胜书，武节亦非所短。事均有迹，可按而知。而其遗爱之尤溥者，无如剔漕弊、罢大钱两事。其靖未形之乱，不动声色而措湖湘如磐石之安，可谓明治体而识政要，非近世才臣所能及也。……宗棠以桑梓故勉佐帷筹，九载于兹，形影相共，惟我知公，亦惟公知我。……外间论者每以籲公之才不胜其德为疑，岂知同时所叹为有德者固不如籲公，即称为有才者所成亦远不之逮乎？……"尤深致赞叹，为辩才短之世论。至相传崇实以禁民缟素遭反唇相讥，而崇实同治十年离蜀时情事，如《年谱》所记云：

……接奉批回，准实来见，成都将军一缺，交（吴）仲宣制府兼署。实即于三月二日起程。通省绅民悉具呈恳留，仲宣制府欲据情入奏。实闻之，竭力阻止。窃思在川十余年，有何功德足洽民心，而绅民日来泣留，实更加惶愧。就道日，香灯结彩，沿途跪送，竟有放声痛哭者，实亦凄然不能自已，留诗赠别，以志民情。

亦颇见川人对彼之好感。虽出自叙，揆之似非全无事实漫自诩饰耳。又姚永朴《旧闻随笔》述秉章事有云：

公薨时室中止一布帐，簏存百金。询之司会计者，乃知公廉俸所入，多以周穷困之人。尝有廉吏罢官不能自存，为张罗千金，群不知所自来，至是乃知皆出诸囊橐云。公薨于蜀，民罢市缟素，丧车所过，哀音相属，至有以“如丧考妣”四字榜于门者。同官因语嫌国恤禁之。民大呼曰：“使公等他日为川督而死，民必不尔！”其功德入人之深，即此可见矣。左文襄公平回疆后，勋望益崇，一日谓人曰：“君视我何如骆文忠？”其人对曰：“不如也。”文襄曰：“何以知之？”曰：“到骆公幕府人才有公，公幕府人才乃不复有公，以此观之，殆不如也。”文襄大笑曰：“诚如子言，诚如子言！”

诸家记载，类多褒誉。沃丘仲子（费行简）《近代名人小传》传之，则加以讥斥。据云：

> 名震海内，莫不拟以诸葛，其实则骄蹇庸碌人也。左宗棠处其幕中，虽操军权，而每计事，秉章坐听之，送迎未尝起立。接属僚，益傲倨。虽起甲科，而俗鲰不能文。临殁自为挽联，出语则“由翰詹科道而转京卿”。丁宝桢见而笑之曰：“此履历也！”当官不饬吏治，军谋更非所长，而任将甚专，且果杀戮，遂薙蜀寇。生平廉素，及殁，布账一，银百两，破笥二而已。家无田屋以处子孙。然好男色，有剃发匠其嬖人也，濒死，执其手以属臬司扬重雅焉。……

如所云，秉章除廉素一节外，几一无可取矣。而当时能厚邀人望深得民心如此，（《小传》亦谓：“其卒也，蜀人白衣家祭如遏密八音然。”）疑费氏之言不免过刻也。至自挽之直叙履历，诚似过陋，然其履历实有与众不同处。盖清代由翰而詹，寻常事也，由科而道，亦寻常事也，若遍历翰、詹、科、道四项，则大非常例，以编检开坊即不能为御史，入台即不能官坊局，二者不可得兼耳。秉章以编修历御史，迁给事中、鸿胪寺少卿、奉天府丞，坐事落职，旋起为庶子，于是翰、詹、科、道备矣，非故事也。（其詹实在京卿后。）自挽举翰、詹、科、道为言，当以此。（原联云：“十载忝清班，由翰詹科道而转京卿，奉使遍齐州汴州吴州，回首宦途如梦幻。廿年膺外任，历鄂黔滇湘以莅巴蜀，督师平李逆石逆蔡逆，殚心戎务识时艰。”)

——民国廿四年

八　彭玉麟与杨岳斌

曾国藩湘军之成功，甚得水师之力，杨岳斌(原名载福，同治元年改)、彭玉麟同为水师大将，累著战绩，以骁勇齐名。金陵之下，曾国荃先会二人前衔，飞章报捷。比国藩奏入，清廷颁赏功之典，录水师之劳，二人同膺太子少保衔、一等轻车都尉之锡，盖杨、彭并称久矣。其后岳斌在陕甘总督任，当艰难之会，兵饷两绌，黯黮而去，声誉为之骤损；而玉麟则于国藩既卒，应诏起巡长江，眷畀甚隆，风猷遐布。疆帅参案之屡命查办，不法将弁之立予诛惩，朝野想望丰采，妇孺钦慑威稜，天下惟知彭宫保，无人更道杨宫保也。法越事起，玉麟以本兵治军岭表，敌师未犯粤东，粤西则奏谅山之捷，世亦以威望多之；岳斌帮办闽防，渡台助战守，迄和议之成，罢归，未获大有展布，晚节复无以自见焉。玉麟余事，更与一时文人学者唱酬，赋诗作画，兴致不浅，其声气之广，亦异岳斌之没没闾里。惟论者亦有扬杨而抑彭者。文廷式《知过轩随录》有云：

十年之春，海防甫急，朝旨命彭督师驻琼。彭急极，请督抚、将军会衔留之。督抚又恐朝廷责其拥兵自卫，未敢辄请。彭次日与张靖达手书云："朝命赴琼，玉麟本当遵旨前往，而无如粤中绅士，自卯至酉，纠缠不清，不得已躬亲不去。"余时在靖达幕中，阅毕怒不可忍。此人负海内重名，余亦素重之，然此一节之谬，不可掩也。

瑞麟为两广总督，贪劣无比。其死后十年，为邓承修所纠，命彭玉麟查办，乃尽为洗刷，遂逃法网。此公颇负重望，其实好谀恶直，不学无术处甚多，取其大端可矣，必谓韩、岳之流，则去之何啻天壤！

彭刚直不及杨厚庵远甚。厚庵朴直忠笃，有大臣之风。余在湘时，与之晤谈四五日，盖李西平一流人，未易求之晚近也。厚庵六十丧母，举动必依于礼，庐墓三年，非祭祀之日，不归城市。访余于旅店，多徒步而来。谈及渡台一役，惟引咎自言无功而已。

杨彭轩轾，所论若是，廷式固不满于玉麟也。对玉麟责备似嫌太苛。惟驻琼既势所不可，即可直言其故，不必着重于粤绅挽留之纠缠耳。"不要命"为玉麟自誓"三不要"之一，耻以畏葸遗讥，故必以粤绅力阻为根据，不免稍有气矜之嫌，要于大体无伤。旨谓："琼州备御空虚，着派彭玉麟迅速前往，择地驻扎，即饬所部各营，与郑绍忠一军，会合吴全美师船，扼守琼州。”又谓：“彭玉麟威望素著，务当相机调度，不必亲赴琼州，以期慎重，毋稍疏虞。”盖命其勿专顾省防，而驻于控制琼州较便之处，督饬所部等以扼守，而非责其亲驻琼州，特语气未甚清晰。玉麟与粤督张树声等会衔覆奏，谓正拟亲率所部湘军前赴琼州驻扎，以省城士绅力阻，乃委候补道王之春率四营赴琼会同防堵。疏中引士绅之言，谓：“广东为南洋首冲，尤以省城为根本，未便专守琼州偏隅一郡之地。”亦事理之当然也。（此光绪九年十二月初四日之旨，由总理衙门电寄，玉麟等于初十日覆奏。廷式谓十年之春，稍误。）光绪九年十一月，给事中邓承修奏请罚令在粤赃私最著之故总督瑞麟等十四人捐输巨款，以资要需。玉麟奉旨查覆瑞麟等居官声名若何，于十年正月覆奏，谓：“故大学士两广督臣瑞麟，公事明白，当红匪肆乱，能次第剿平，洋务大端，亦能坚持定议。在粤十一年，俸入本自优厚，虽未能峻绝馈遗，此外实无贪迹。……瑞麟曾邀谥法，并祀贤良。圣朝宽大，保全臣子令名，似应无庸置议。”对于其余各员，亦率为开脱，谓：“其余已故及去位各员，无丁书可讯，无专案可推，亦难确指其赃私之实据，然经奉旨饬查，则大小臣工益知簠簋当饬，否则已故已休之后，指摘仍不能辞，自当秉公洁己，大法小廉，于吏治不为无益。臣不敢徇隐，亦不敢过事吹求。”玉麟易名之典，得“刚直”二字，称其平生，众无间言，而有时盖亦不免有近于瞻顾之处，要难以一二事掩其大端而已。

醒醉生（汪康年）《庄谐选录》卷七云：

杨勇恪（按：当作悫）公起自行间。其居乡里，循谨孝义，里中人至今称之。……闻其持行有他将所不及者。法越事起，公奉特旨募勇援台。时庞省三为巡抚，重公名，先为公募勇数营。公至省，见多市井不可用，改募之。庞又荐某为将，某乃旧隶公偾事者，公告以不可用。庞拜之。适是月届太后万寿期，文武官绅应庆祝。初所司置拜垫，公与绅士伍。公先时至，衔位列大府后。藩司某至，见公拜垫居第三，曰："公昔为总督，今为钦差，朝廷班次宜有序。"公谦不肯，藩司固请之，乃亲移公拜垫于巡抚之左。庞至即行礼，不知公前之谦也，更恨之，乃日催其拔队，阴持饷不给。藩司请示，不置可否。长沙民习于兵，见乡兵至，辄欺侮之，兵怒，数斗詈，或延烧民间草房一间。庞遂命闭城门，且榜示民得诛乱兵，格杀勿论，阴欲激变，即日以纵兵焚掠入告，且谓彭公受命即行，而杨乃逗留长沙，久不去。于是公部将多愤懑不平，幕府亦怂公疏辨。公慨然曰："朝廷方忧边，何忍更以琐屑烦圣虑耶？降罪我自当之！"然朝廷知公，卒未下庞奏。公至闽，与守官等议办防守机宜。幕府欲公入告，公曰："此守臣事，吾特助为之耳。若我入告，是占守臣颜面也。"卒不奏。时须渡台，而我海军悉已为法人所歼，督臣等意欲留公省中，因问公渡台事。公曰：“我奉朝命渡台，是须即行。”问行期，公未语。翌日，公巡阅炮台，提军方留宴，公起如厕，久不出，众候不敢散。逾日始知已改装附舟渡海矣。后和议成，公遂归。公在家与诸乡绅齐列，出门但坐平常肩舆，至乡即乘竹轿，与田夫野老问答如平交。中兴以来，诸将帅纯笃无过公者，人多以是称之云。

亦极道岳斌之善，（所叙以法越之役再起治军诸情事，有尚待再考处。）盖其性行良有足多。关于渡台一节，吴光耀《纪左恪靖侯轶事》有云：

他日欲渡海至台湾，杨载福请行。或爱好杨，谓台湾危险。杨曰：“中堂硕德重望，请行，吾安得不行。”左曰：“去善甚，要机密。”左假他事造杨以送。俄而杨使人以病告，左拍膝曰：“厚菴病矣，若何好！”使人省视，返命曰：“病甚，不许外人入，裁留一子供药饵在侧。”左又拍膝曰：“厚菴去矣！”杨着洋布旧衫，携一子，趁渔船渡海，帮办钦差关防钉船底，奸细搜之无所得。佯令其子按摩，相私语：“台湾乱如此，我们生意太野，不知本钱收得多少。”支首而呻吟不辍。

所叙颇有异同，则缘行时甚秘，外间因之传说不一耳。

鲍超尝以哨官司隶岳斌水营，受知赏，后改将陆军，遂为一时虎将，（与多隆阿齐名，有多龙鲍虎之目。）以提督膺爵封焉。于岳斌师事颇谨，不忘本也。光耀《纪鲍子爵轶事》有云：

> 杨载福封侯，历总督，罢归乾州厅，贫不能生，念旧部唯可乞超，走千里，棹小舟，造夔门访超。门者见其布衫，老农也，弗为通，曰："第通，爵爷当知之。"超问状惊其为杨侯，倒屣出迎曰："老师何孤身远游？"情话达旦，就小舟归。家人曰："超遣人馈万金到家矣。"

岳斌仅与玉麟同膺世职，何尝封侯？其以提督迁陕甘总督，改武为文，时称异数。前乎彼者，杨遇春之督陕甘，亦自提督迁，而有封侯之荣，光耀殆以同姓而误记耶。岳斌之至蜀访超，是同治八年事，超有所馈遗，亦在意中，惟为数是否果为万金，盖弗可详矣。（光耀纪事诸作，甚有兴会，而浮夸臆断之病不免。）

沃丘仲子（费行简）《近代名人小传》传岳斌有云："岳斌仁厚敦笃，寡言语，治水师十余年，指挥应敌，优于玉麟。既归，家仅中产，怡然奉亲。初起末弁，晚渐通文学，能诗。江宁捷后还乡口号曰：'藉问归来何所有，半帆明月半帆风。'时诸将多拥厚资归，盖以此自明也。"岳斌虽未若玉麟之以"不要钱"形诸奏牍，而军中自律之严，亦足齐名。李寿蓉挽岳斌联有云："听野外轻雷送雨之吟，叹荩臣安不忘危，廊庙江湖，总关忧乐。"自注："公时退归林下，曾题《雨后耕野图》一绝，末二句云：'劝君且慢收蓑笠，犹恐轻雷送雨来。'"均见岳斌虽起自武夫，而亦能为诗。又按王先谦撰岳斌神道碑，有云："公自少即能诗，军务旁午，不废翰墨，感时抚事，辄流篇什，有集若干卷。尤善书，临《阁帖》《书谱》皆极神似，得者宝之，然未尝以文章自喜，其意度宏远矣。"其人之非椎鲁无文，尤可概见。

当国藩之卒，玉麟被命巡阅长江，继复起岳斌同任此役，以国藩创水师以建绩，杨、彭并为大将，功最。长江既设经制水师，提镇而下，均杨、彭旧部，故政府欲二人共领江防也。光绪元年四月二十日李鸿章致玉麟书云："厚帅踉跄入觐，行李萧条，然幸而两宫眷念旧勋，委以巡阅长江，令吴楚岁筹公费，稍资禄养。厚公亦喜与麾下廿载同袍，一朝共楫，相助为理，尤相得益彰。此疮痍赤子，患难友生，所同声钦慰者。我兄闻之，当更拊掌轩渠。以后互替往来，公私可兼尽矣。弟留厚公在此盘桓数日，渠即由运河南下，先诣金陵一商，望公于江干回棹相待。"亦见岳斌由陕甘总督归里后之清贫。统师多年，身经百战，作督兼圻，位跻正卿，而一寒至此，殊为难得。巡江新命，就杨、彭与长江水师之关系论，诚应如鸿章所云"相助为理，相得益彰"，且前此岳斌离水营而改统陆师，说者颇谓用违其长（国藩同治七年十二月十六日召见，于太后“杨岳斌他是水师的将，陆路何如”之间，亦以“杨岳斌长于水师，陆路调度差些”为对。）兹仍令督治水师，可云光复旧物。故是年到防后，七月二十八日与玉麟会衔陈奏会商江防情形一折，亦有“臣等受恩愈深，报称愈难，惟有力戒因循，亟图振作，期无负皇上慎重江防之至意”等语，而其后常请假，旋复乞罢回籍，事仍专于玉麟，盖两帅齐名已久，地位等夷，相处之际，有难焉者，玉麟正勇于负责，推让亦所以免相挠之嫌耳。昔二人同领水师作战时，固尝发生龃龉矣。方宗诚《柏堂师友言行记》有云：

> 溧阳陈作梅观察鼐为予言，胡文忠之公忠体国，其调和诸将，刻刻为国求才，出于至诚。时彭雪琴侍郎、杨厚菴提督分带长江内湖水师，偶因事不和。文忠知之，乃致书杨公、彭公，请其会商要事。杨公先至，欢谈，而彭公至，杨公即欲出，文忠强止之；彭公见杨公在坐，亦欲出，文忠又强止之；两人相对无语。文忠乃命设席，酌酒三斗，自捧一斗，跪而请曰：“天下糜烂至此，实赖公等协力支撑；公等今自生隙，又何能佐治中兴之业邪！”因泣下沾襟。于是彭、杨二人皆相呼谓曰：“吾辈负宫保矣！如再有参差，上无以对皇上，下无以对宫保！”遂和好如初。……其苦心维持大局盖如此。

此等处为胡林翼特长。故国藩于其卒，兴“赤心以忧国家，小心以事友生，苦心以调护诸将，天下宁复有似斯人者哉!”（见国藩咸丰十一年九月日记）之叹也，而当时杨、彭龃龉，盖几影响军事焉。王闿运《湘军志·水师篇》有云：

> ……杨载福自外江来会师，同出江，屯沙口。沙口者，武昌下游三十里，至沌口六十里。还沌口，当从武昌汉阳城下过。载福之出也，寇无备，而玉麟从汉口渡江，距两城远，故寇炮不甚相及。既空屯沙口，不能助攻战，乃议还。众议由汉入沌，虽迂远，其避炮宜易。载福愞之，曰：“丈夫行何所避，浮江下，溯江上，乃为快耳!”玉麟耻后之，张帆先行。寇先已密备，觇我还路，舣舟傍中流，及城上县炮并发。诸军但冒进，不知谁生死，炮丸飞鸣，船仓群子以斗计，击沉四船，中炮死者三百人。炮击玉麟桅折，不能进，望见载福，自呼之，载福船瞬息已去。成发翔三版（舢板）过，玉麟跃入，得免。知其事者皆不直载福，而玉麟曰：“风急水溜，呼固宜不闻。”载福先已不乐玉麟，林翼亲拜两人，和解之。

此叙咸丰五年胡林翼攻武昌时事也。二将之勇及负气争胜不相下之状，写得极生动有致。其时岳斌曾以见危不救见疑，殆亦缘二将素不相下之故。所云“林翼亲拜两人，和解之”，当即宗诚所记。（时尚未加宫保之衔）闿运后为玉麟撰行状，叙此役云：

咸丰五年，湖北巡抚胡文忠促进兵攻武昌，要公同攻汉口，而杨公出江屯沙口。寇不出战，陆师不能战，水师空屯三日，议引还。沙口在武昌下游三十里，还屯沌口，在武昌上游三十里。舟从武昌汉阳城下过，经寇垒下，无生全理。胡文忠由陆循汉入沌，令水师从之。杨公以为懦，微笑曰：“丈夫行何所避，浮江下则溯江上耳！”公闻，愤然，即登舟张帆先行。寇先舣舟中流，且县炮城上，以为我师必不敢掠而过。公既行，部下莫敢后之，杨公亦愕出不意，匆匆皆发，小船如凫雁散，炮丸飞鸣，万声同发，我军但冒进，不暇计生死。公所乘船，桅折船覆。公落水，起揽船底，横漂江中流。杨公舟掠而过，未及下帆，瞬息已去。成发翔棹三版（舢板）来，拯公还营。失四船，死者三百人。胡公亲拜公，请百叩以谢，且曰：“水军徒猛无益，宜大治陆军，乃可为也。”

略有异同，可参看。又《湘军志·水师篇》云：

咸丰……七年二月，国藩遭父丧，奏言：“臣军以水师为大，杨载福所统十营、彭玉麟所统八营，……请以署湖北提督杨载福为总统，惠潮嘉道彭玉麟为协理。”诏从所请。十一年，……诏玉麟为安徽巡抚，……再辞，改水师提督。明日又诏曰：“……彭玉麟有节制之任，武职不足资统率，着候补兵部侍郎。”载福避御名，改名岳斌。以母病再请假，诏促令到防。……同治……三年……四月……浙江巡抚左宗棠以岳斌为未尽其用，且密陈其才堪督抚，癸巳诏岳斌督师江西，兼防皖南，未几授陕甘总督。岳斌之贵先玉麟，及玉麟改提督，诏有统率之文。岳斌自恨非文官，常见于词色。还江一奏事，被诏令由国藩转上。当时论者皆以岳斌功高，胜玉麟远甚，叹息于文武积习。诸文人又自耻持常谈，亦交讼岳斌，称其才德。至是被显命，督师专征，众皆欣欣焉。

《玉麟行状》云：

……改公水师提督，未几又诏：“带领水师节制镇将之任，改膺武职，不足统率，着以兵部侍郎候补。”旋补右侍郎。时虽与杨公分将，而名位相压，动多嫌忌。军中重文轻武，勇将复猜侮文官。公自奉统率之命，调和倍难于协理时矣。然彭、杨齐名，垂四十年，终始无间。论者多为杨公屈，而不知公之苦心和协，为尤不可及也。

闿运语气抑扬处，姑不论，要见二人共事之不易。战争时有然，承平时恐益甚。

——民国二十五年

咸丰五年湘军水师湖北沙口沌口之役，杨载福、彭玉麟情事，前引王闿运《湘军志·水师篇》并所为《玉麟行状》暨俞樾所为《玉麟神道碑》所叙。又按：吴光耀《慈禧三大功德纪》卷一有云：

> 王闿运《湘军志》，体裁宏简，叙议平实，司马子长后无两之作，惟《水师篇》言杨载福、彭玉麟交恶事，不无曲笔。先是彭以五万金设船山书院于东洲，聘王主讲，以为终老之地，以故不能无所偏也。杜少陵《悲陈陶》《悲青坂》，不能为房琯曲笔；韩退之《顺宗实录》，不能为柳宗元曲笔。古人父子、君臣、朋友之间，自有相交中正之道，何必曲笔，反两失之。杨学术弗逮彭，彭朴勇弗逮杨。两人分领水师，同心戮力，以平大乱，要皆一时名将帅。彭偶有讳败攘功之事，实未尝有小人倾陷贤能之心，所以为君子之过日月之食也。彭呼救，杨不应，宜有恨者彭耳。彭曰："风急水溜，呼固宜不闻。"彭果有此语，是彭已自为和解，杨何深仇积怨更不乐邪？安得言载福先已不乐玉麟？汉水南入江，西岸迫近汉阳县城，东岸迫近汉阳码头。西东两岸，人烟繁盛，筑大堤以

东汉水，故入江处广不过十丈，不敌江水十一。寇陷武昌，三岸犄角驻重兵，安得言载福之出也寇无备？言寇无备故载福幸而免炮邪？下文于玉麟之张帆先行也，又安得言寇先已密备？言先已密备，故玉麟不得免炮邪？当玉麟呼载福，是两船同时在一江中，何以载福往来自如，独不惧炮？则载福勇、玉麟怯之情见矣，非载福所处地易、玉麟所处地难也。地逼窄难避炮，唯汉水入江处为甚，安得言玉麟攻汉阳，寇舟岸发炮不得近？江水中流最湍急，但可言寇船中流游弋，安得言舣舟傍中流？师行不战则无炮，但战何处无炮？由汉入沌迂远避炮，是了未经行阵之言，彭亦不应有此议。托诸众议不如托诸或议，众多而或少也。况汉口两岸逼窄，避炮更难，此全不识汉口地形之言也。与其出入汉水，不如当江中流上下，反得自在。玉麟以小船迂远，由沌入汉攻蔡店，蔡店在汉口上游六十里西岸，小于长江上游九十里之金口，非财赋要区，非严险重地，在所必争。当时或以武汉寇严，无处下手，乃图小逞于蔡店，亦无聊之举耳，不得误认为奇兵。桐城陈澹然为光耀言，此事不直实在彭。杨、彭约会战，彭先发败走，遇杨舟来呼救，杨以为寇胜而骄懈，方当乘其骄懈奋击之，鼓风纵流而前，慷慨应彭曰："怕甚么！"追寇至泥汉未返。彭泊舟内湖，闻胜掩以为功，先报帅府。杨武人质直，以是轻彭文儒使诈，怒不与言。胡林翼忧之，明年春特宴两人太湖军中，曰："平寇赖湘军，湘军赖水师，水师赖公两人，两人不协，奈大局何！"奉觞进两人，痛哭伏地拜不起。两人惭谢，交欢如初。陈所言时地微异，情事较近。

光耀籍江夏（今武昌县），所叙或于地理较稔，因录之以备读《湘军志·水师篇》者参阅。（闿运与玉麟踪迹较亲，或不免有稍私于玉麟处。《水师篇》成，曾寄玉麟商定也。惟主讲衡州东洲书院，事在《湘军志》成书以后矣。撰《湘军志》之前，曾应玉麟之请，在衡修《衡阳志》。）胡林翼调和彭、杨一节，与方宗诚《柏堂师友言行记》所云大致相类，惟言在太湖军中则未谛，以其时未治军太湖也。至韩退之、柳子厚云云，论史不离俗见。

——民国二十六年

九　张之洞与彭玉麟

己酉（清宣统元年）八月，张之洞卒，易名之典，得"文襄"二字，论者疑焉，以其未尝躬亲战阵，以武功特著也。按：《清会典》臣谥字样："辟地有德曰襄，甲胄有劳曰襄，因事有功曰襄。"咸丰三年清文宗有文武大臣武功未成者不得拟用襄字之谕。张氏非以战功显，故文襄之谥，或病其未安。然甲申（光绪十年）中法之役，张在两广总督任，选将筹饷，调度军事，以有乙酉（十一年）

二月谅山之大捷，其功非小，虽未披坚执锐，而地位实为统帅，襄字之谥，亦非无因。

罗献修挽以联云：“劝学踵仪征太傅，更有大焉，洵岭峤百世之师，颜欢寒士，长留广厦千间，惟惭后乐先忧，佛时谆勖为文正；易名媲湘阴爵侯，夫何疑者，慨中外两军相见，威震远人，独数谅山一役，全仗纡筹决策，将略知非短武乡。”自跋：“两粤文教，肇于仪征。公督粤日，越南敉定，辟广雅书院，拔知名士读书其中，公余亲临课授，情词谆恳，虽父兄训诲不是过。勖曰：“时事多艰，需才孔亟，当勉为有用之学。培养得以天下为己任如范文正其人者，即费百万金钱不惜。迨移节督鄂，犹邮题课奖。今陬澨皆知实学，公之教泽远也。师训在耳，泰山其颓。噩耗至粤，士林震悼，设位酹奠。朝旨晋赠太保，予谥文襄，或疑随何无武。哀感之余，濡笔以志向往云。受业罗献修。”张氏督湖广最久，称颂者多详于在鄂之事业，此联则专言督粤时事，上联举文教，下联赞武功，而为予谥同于左宗棠释疑，盖张在粤实有建树也。左氏为中兴名帅，其戡定西陲，扬威万里，尤为并时诸勋臣所莫及，然所经犹不出国内战事之范围，虽素负对外作战之志，而甲申之役，督师福建，未获与法兵交锋。张氏在粤主军事，则有冯子材等之大捷，战胜泰西强国之师，良足豪焉。《抱冰堂弟子记》（托名弟子，实张自叙）有云：

> 在粤，因法船踞台北，乃倡议奏请攻越南以救台湾，为围魏救赵之计。招回黑旗刘永福为我用，得旨俞允，乃议分三路攻之：岑襄勤滇军攻临洮府，刘唐攻宣光，粤军攻文渊州山一路。助滇桂及刘永福、唐景崧之饷银军械，并助台湾饷：滇二百万，桂二百万，刘唐四十万，台湾四十万。
>
> 法攻越边急，桂军数路皆败溃。法兵入桂境，两广大震。广西官吏将卒皆弃龙州，特奏派冯子材、军门总兵王孝祺两军援桂。冯、王两军扼镇南关内之关前隘，苦战两昼夜，卒大破敌，继克谅山。自中国与西洋交涉，数百年以来，未有如此大胜者。各国皆诣总署致贺。法人大惧，日发急电求和。法总理茹儿斐礼即日黜退。七次电奏力争，请少缓之，不得，竟由总署北洋与之划界定议。在粤创立广雅书院，规模宏整，教广东、西两省人士，以兴实学。又修葺三大忠祠，于其地设广雅书局，以刊经史有用之书。

盖于在粤之武功文教，亦深自喜也。

张氏军事上之所以奏功，尤得力于与彭玉麟和衷共济。彭氏以兵部尚书督师广东，时粤督为张树声，以湘淮及主客之见未能尽泯，意见时欠融洽。之洞在山西巡抚任，癸未（光绪九年）十一月初六日与张佩纶（时为总理各国事务衙门大臣）书有云："振（按：树声字振轩）、雪（按：玉麟字雪琴）不和，最关紧要，务须设法调和之。

此事以属清卿（按：吴大澂字）当可，但须朝命责成之。”“粤之官绅不和，钦督（按：谓钦差与总督，玉麟、树声也）不和，大是坏证。……宜请诏谕其和衷为要，然后思所以调护之方耳。”

又是月十二日与佩纶书有云：“闻内中遣雪帅率湘勇四营防琼州，以法人扬言欲割琼广故，窃谓此举似未尽善。振老既不甚健，粤省正赖雪帅维持，置之海外荒岛，全局失势，寥寥四营，亦复何济？无益于琼而有损于广，奈何！奈何！总之，粤不难于得劲兵，而难于得大将，雪帅一到五羊，民心顿定，士气顿雄，广州省城俨若有长城之可恃，奈何驱之海隅也！中国重臣，只此数人，若闻何处有急，即奔命何处，是医家所谓头痛医头，兵家之大忌也。似宜仍令坐镇省城，遣粤将以兵前往为是，幸惟熟计，切切！（在省仍能调度琼州，在琼则省门有急，不能兼顾矣，付之何人乎?）若为张、彭不和，以此解之，大误矣！”

又甲申正月二十六日与佩纶书有云：“前传言彭出示尽拒洋船，尽歼洋人，振老请朝命止之，颇怪雪老不应孟浪至是。嗣乃知其所阻者即将到粤时示稿，略言中法曲直，若法必内犯交兵，各国船货伤损，须向法国索赔，中国不任其咎云云。此稿早经寓目，窃喜雪老甚中窾綮，能为中国预占地步，使他国不与协力。不意译署竟力止之，示终未出。此示有何妨碍，愚憒殊不解也。此示尚不敢出，何论交锋乎？就此看来，诚不如趁早罢兵，尚可省钱省事也！拙疏所谓如与人斗，既欲击之，又恐怒之，正谓此矣。”推重彭氏及以彭、张不和为虑，其情可见。清廷旋解树声督篆，命之洞代之。（先署后补）

之洞既奉新命，先与书彭氏致意，其门人樊增祥所草也。稿云：

> 加官不拜，久骑湖上之驴；奉诏即行，誓翦海中之鳄。艰难时局，矍铄是翁。恭惟某官岭外长城，中朝柱石。独开一府，罗枚马于军前；并用五材，走孙吴于帐下。远闻壮略，实启愚心。某来觐上京，权移南海，欲金汤之孔固，幸黄石之可师，一切机宜，专求裁断。现拟某月日轻骑出都，乘轮渡海。逐公上下，譬龙乘云气而游；授我弢钤，请虎帅国人以听。先布胸臆，敬候起居。

词令工切，甚为得体。所云“加官不拜”“奉诏即行”，指其屡辞官职，而赴粤督师，则闻命即奋迅而往也。（癸未，彭授兵部尚书，具疏以衰病力辞，有“才既不足以当官，何敢复受官以溺职，病既不足以履任，何敢复虚职任以忝荣名”等语，继且并请开除巡阅长江差使，俾得静养。迨奉赴粤督师之命，奏言：“今广东防务吃紧，时事艰难，朝廷宵旰忧勤，臣一息尚存，断不敢因病推诿，遵即力疾遄征，以身报国，毕臣素志。前折即蒙恩准开缺，并除长江差使，臣亦万不敢辞此次广东之行，以免另简他员，往返迟延月日，致误大局。”）彭氏老于军事，阅历素深，且威望极隆，舆论所归。张抵任后，虚己礼下，推诚共事，统帅既和衷无间，诸将莫不用命，谅山之捷，基于是矣。后郑业斅挽张诗（有序）云：

光绪癸未、甲申间，法兰西弄兵越南，斅随彭刚直公筹防粤东，因得以士相见礼谒公于节署。后公见斅为彭公所具奏牍，颇蒙许与。公今骑箕天上，盛德大业，炫赫中外，时人类能言之。独在粤有一事关系大局颇重，而世顾鲜知之者，为纪以诗，以备异日史氏采择。惟笔力孱苶，未足导扬休美为憾尔。

越裳我属国，屏蔽西南偏。岛夷肆凭陵，肇衅窥龙编。
中朝赫斯怒，雄师出临边。典兵嗟匪才[①]，韬钤未精研。
疆场频失利，重关弛扃键。坐令千里内，鞣𨎥无人烟[②]。
诡词飞入告，诿罪偏裨焉[③]。失律有常刑，严旨降自天[④]。
桓桓冯与王，束发事戎旃，百战著勋绩，卓为当世贤。
胡来三字狱，陷法难生全！公时洎本兵[⑤]，激昂意不平。
抗论发覆盆，敷奏如涌泉。主将实恇怯，措施多倒颠。
败衄自乃致，部曲洵无愆。巧饰口如簧，其言岂其然[⑥]？
天高能听卑，德音幸复宣。重谴坐专阃，此外毋株连[⑦]。
一时士气伸，踊跃声殷阗，锻矛砺乃刃，凌厉势无前。
谅山遂奇捷，威棱詟垓埏。彼丑大奔北，蔽野抛戈铤。
匍匐泥淖中，但乞残喘延[⑧]。神武贵不杀，纳款许自湔[⑨]。

此日推冯王，论功莫与先。景风行庆赏，圭卣颁联翩。
呜呼微两公[10]，谠直回坤乾。将使百粤地，祸至不踵旋。
苍黔困征缮，井邑沦腥膻！乃知不世人，济变能达权。
所规在远大，民物归陶甄。兹事诚绝伟，宜付清史传。
即今溯前尘，一瞥垂卅年。彭公既往矣，公复班飞仙。
边防且日棘，筹笔谁仔肩？徒令梁园客，临风叹逝川。

原注：

①潘琴轩中丞。

②潘遇敌即退，两日夜驰数百里，遁回南宁。敌蹑踪而来，龙州镇南关遂失守。

③潘并未临阵，乃电奏："苦战受伤，冯子材、王德榜两军，不听调度，坐视不援，故致此败。"

④电旨："冯子材、王德榜不听调度，着即军前正法。"

⑤谓彭大司马。

⑥公接电旨，即与彭公会商，谓前敌所恃惟冯、王两军，今若此，大局不可问矣。遂合词电奏，并非冯、王不听调度，实由潘抚调度乖方，且陈其欺饰状，将前旨缴请收回。

⑦有旨褫潘职，冯、王释不问。

⑧西人战败，凡投械跪地者即不得杀，华兵不知此例，概行屠害，故法人此役死亡甚众。

⑨军既大捷，而鲍春霆军门大队已由桂林南来，使合军乘胜长驱而前，不独越南失地可以尽复，即其西贡老

巢，亦可一举廓清，乃廷议许和，遽令罢兵。公与彭公力争之，不能得。

⑩公与彭公。

斯为甲申之役中之史料，可资参考。（惟当时似未命即将冯、王正法。乙酉正月据潘奏，谕："冯子材、王德榜经潘鼎新飞催不至，可恨已极，着张之洞、潘鼎新传旨严催。倘再玩延，即照军法从事！"郑说殆即指此，盖与"着即军前正法"程度犹有缓急之不同也。潘、王旋均革职，而王与冯等力战奏捷焉。）庚寅（光绪十六年）三月，彭氏卒，张挽以联云："五年前瘴海同袍，艰危竟奠重溟浪；二千里长江如镜，扫荡难忘百战人。"上联言在粤共治军事，赞冯而已亦在内。又诗云：

神州贯长江，其南际涨海。江海幸息浪，砥柱今安在！
持危望同心，事棘公不待。回忆越祲昏，炎方门户殆。
天降江神尊，气吞海若倍。军离终成睦，民恐顿忘馁。
雪涛拥虎门，两角高崔嵬。孤军壁其外，免胄不披垲（铠）。
共苦感士卒，任难服僚采①。我亦受危任，同臭若兰茝。
论奏出腐儒，谬谓谋可采②。王师入龙编，虏肉不足醢。
捣虚势已成，行成遑欺绐。返旆三军呿，撞斗老夫唉。
天鉴刚且直，戆言宥不罪。两年栖庵间，择地斥爽垲。
雾潦看坠鸢，浸淫中肩髎。烂烂紫石棱，疏髯苍绕颏。

扶掖始下床，英姿终不改。九州眼威风，所至绝奸贿。
灿烂妇孺口，张皇及琐嵬。画梅遍人间，自吐冰霜蕾。
北归未过衡，一面至今悔[③]。急难不尸位，此意空千载。
袍泽入魂梦，孤愤结磊魂。鲸牙日锋厉，箕尾失光彩。
群蒿岂任柱，雨泣问真宰。

原注：

①虎门曩为广州前敌，黄埔为次敌，前粤督以淮军守黄埔，以水师提督率粤军守虎门，提督怨之，以致粤淮交恶。公于虎门外沙角、大角二山筑炮台，自督湘军守之，粤淮两军皆愧服，听指挥，无异词矣。

②凡防海规越计画兵食及谏阻停战撤兵诸事，余意皆与公合，折奏电奏，不易一字。

③余移湖南，本拟自韶州度岭，取道衡州，由湘入鄂，便视由海道，不得过衡州。

尤详著粤中共事之情状。

关于彭氏与张树声意见不合事，彭与之洞遵旨会查树声被参各款，甲申八月覆奏有云：

原奏内称“……兵端已见，则畏懦不前，以前锋委之彭玉麟。闻彭玉麟部兵三千，仅以千人委道员王之春出防琼州，余悉留省。张树声外和内忌，艰巨则委之，事权则毫不假借，彭玉麟虽有智勇，亦无所施”一条。准该前督覆称“……法越兵端已开，树声

> 两次奏请出关，身当前敌，虽未奉谕旨，而是否畏懦不前，毋庸置辩。上年十二月初四日奉旨：‘琼州预备空虚，着派彭玉麟迅速前往，择地驻扎等因，钦此。’当与将军臣长善、前抚臣裕宽会商，佥以琼在偏隅省为根本，重臣未可轻出，公同商派道员王之春毅字两营赴琼驻防，会同彭玉麟电总署，并会奉有案。其以千人防琼，余悉留省，并非树声主持”等语。彭玉麟去冬到防，与该前督筹议诸事，无不和衷商榷，间有议办而不能随行者，实以饷项支绌力不从心之故，谓其有心牵掣，殆不其然。至于身临前敌，力肩艰巨，乃统兵人员分内之事，亦彭玉麟应尽心力之事。彭玉麟以本兵奉命督办粤防，军中之事，岂不能自主？何至听张树声之忌而委之？此理不待辩而自明也。……巨等窃维张树声……非议顿集，今经臣等详考案牍，按核实政，似其设施不宜有此。揆其致此之由，略有数端：……〈一〉由于该前督谓兵力不敷，扼要以近为宜，主守黄埔，彭玉麟谓藩篱当固，御敌以远为宜，主守虎门并沙角、大角两山，现在两策并行，始分终合；持论偶不甚相同，属僚遂妄生揣测，谓为怀忌掣肘，由是民心将志，各存成见，吹求附会，浮言遂多。

虽事过境迁，为之辩解，而当时两人意见未尽水乳交融，犹约略可睹，以视之洞莅粤后，钦、督之间，毫无隔阂，固有不同。

王闿运与彭氏书有云：“防海之勤，经划之略，其可见者已具读大疏矣。公当洋面首冲，敌船不敢窥伺，此非宿望伟烈不能幸致。孝达依倚，遂成砥柱。”言之洞仗彭而获知兵之名也。而按之当时情事，以之洞地位之重要，两粤军事全局，亦可谓之互相依倚耳。所谓“当洋面首冲”，即指之洞诗“任难”云云。又俞樾撰《彭氏神道碑》，所叙云：

> ……入粤，审度形胜，以虎门为第一重门户，由虎门而进至常洲，为省城第二重门户，自此而进，左则渔山、珠山，是为北路；右则海心冈、大黄滘，是为南路。公无事驻大黄滘，有警驻虎门，省城官吏为公治行馆不居也，支帐为棚，蔽以蕉叶，风雨沾濡，暑日蒸炙，与士卒共之。维时省中议者以虎门辽阔难守，不如退守黄埔。公亲往履行，见虎门以外即零丁洋，大海浩瀚无涯，而屈曲清流实止一线，无论帆船轮船，必循此一线而进，进则必经由沙角山下。公发健儿凿穿山石以为炮洞，兵隐其中，敌不得见。十年冬，民间争传夷人将以明年正月犯粤，公自驻山上，令幕夜不得有一舟入口。至除夕，有舟入焉。发炮击之，帆桅俱断，于是遐迩咸知所守实扼险要，狡敌寝谋，粤境安堵。……

亦可同阅。七十衰翁，勇往如斯，所谓“烈士暮年，壮心未已”者已。（沙角一炮，盖误伤盐务巡船。俞氏《与孙妇彭书》有云：“……甲申之冬，警报日至，言明年正月必犯广东。令祖于除夕亲驻大角，因疑似之间，开放一炮，误伤盐务巡船，方悔卤莽。而乙酉正月寂无警信。后阅外国新闻纸，有一条言，大角炮台深得形势，不可轻犯，乃知此一击之误，不为无功，亦令祖与吾言之。此等事，宜细询当日随征将佐，务得其详，传示后世，勿使人言粤东之役，但以虚声胁人，侥幸无事也。”可以参阅。惟此言大角，碑则言沙角，盖撰碑时续经访询者。彭在大角、沙角两山均修有炮台。）王闿运挽彭联云：“诗酒自名家，更勋业烂然，长增画苑梅花价；楼船欲横海，叹英雄老矣，忍说江南血战功！”下联道其心事，盖晚年志在扬国威于海外，至前此长江水师之功绩，虽为一时所艳称，究属国内之战争也。

谅山之捷，彭、张会衔详陈冯子材暨王孝祺、苏元春、王德榜等战状一疏，读之令人神王（往），实为我国对外战争光荣之史迹。彭以大捷之后，正可乘胜而前，清廷遽从李鸿章“见好便收”之主张，罢兵议和，越南遂为法人所有。当时与张氏向政府力争无效，甚为愤郁。其乙酉三月二十八日请开兵部尚书缺之疏有云：

> 伏维古者大司马之职，实司九伐，征讨不庭，今兹……臣忝任斯职，既未能宣播天威，弭隐患于未

作；复不能大伸挞伐，摧凶焰于已张。数载纷纭，迄无成绩。致使国家屈从和议，转藉款局以为绥边御侮之方，是臣不能称其职矣。服官不职，理宜罢斥，纵圣恩高厚，不即谴责，臣亦具有天良，腼颜尸位，岂不知耻？此所以昕夕疚心，寝馈不安，病积益觉其难瘳，任重终不能静摄。……臣耄矣，无能为也。伏恳圣明鉴臣愚悃，饬开臣兵部尚书实缺，俾仍领一军，备防粤东，庶臣得循愚分，勉图寸效，而隐微之负疚，寤寐藉可稍宽，斯沉痼之余生，调治或期渐起。

慨愤之意，流露于字里行间。王闿运所撰《彭氏墓志铭》谓："晚遘海氛，起防南越，自谓得其死所，乃复动见扳缠，因积悲劳，加之瘴毒，重感末疾，遂以沉弥。……埋忧地下，郁郁千年。宜泐幽词，以毕深恨。"张氏晚以大学士居政府，见朝政日非，不克匡救，亦以愤终。（临终前有《读白乐天以心感人人心归句感赋一绝》云："诚感人心心乃归，君臣末世自乖离。岂知人感天方感，泪洒香山讽谕诗！"）其友陈宝琛深致叹惋。（见《陈宝琛》篇。）彭、张二人，高位大年，（彭寿七十有五，张寿七十有三。）固可谓身名俱泰者，而实均赍恨以没也。

——民国廿五年

一〇　荣禄与袁世凯

甲午战役之后，袁世凯以曾为吴长庆僚佐，且在朝鲜尝为其国王练兵，欲以治军自见，遂以训练新军事宜说督办军务处，李鸿藻、荣禄辈为所动，因奏准以浙江温处道督练新军于小站，号曰新建陆军，凡七千人，后卒藉是大显。汲引而扶持之者，荣禄之力为尤多，世凯之谨事荣禄，实其得志之最大原因也。民国初元，世凯在大总统任，沈祖宪、吴闿生二人，为编《容庵弟子记》，述其在清之事迹，卷二关于光绪二十一年乙未奉派练兵小站云：

> ……二十一年……四月……因督办军务王大臣保留，复由津入都。时军机大臣为翁相同龢、李相鸿藻、荣相禄，而李相尤激赏公，以公家世将才，娴熟兵略，如令特练一军，必能矫中国绿防各营之弊，亟言于朝，荣相亦右其议，嘱公于暇时拟练洋操各种办法上之。公手缮数千言，其大旨则步军操法以师法德国为主。……十月，醇王、庆王会同军机大臣奏请变通军制，在天津新建陆军，派员督练，折称“查欧洲各国，专以兵事为重，逐年整顿，精益求顿（精），水师固其所长，陆军亦称骁勇。中国自粤捻削平以后，相沿旧法，习气渐深，百弊丛生，多难得力。现欲讲求自强之道，固必首练重兵，而欲迅期兵力之强，尤必更革旧制。去岁冬月军事方殷之际，曾请速

练洋队，蒙派胡燏棻会同洋员汉纳根在津招募开办。嗣以该洋员拟办各节，事多窒碍，旋即中止。另由胡燏棻练定武军十营，参用西法，步伐号令，均极整齐，虽未尽西国之长，实足为前路之导。今胡燏棻派造津芦铁路，而定武一军接统乏人。臣等公同商酌，查有军务处差委浙江温处道袁世凯，朴实勇敢，晓畅戎机，前驻朝鲜，甚有声望。其所拟改练洋队办法及聘请洋员合同暨新建陆军营制饷章，均属周妥。相应请旨饬派袁世凯督练新建陆军，假以事权，俾专责任。先就定武十营步队三千人、炮队一千人、马队二百五十人、工程队五百人为根本，再加募步马各队，足七千人之数，即照该道所拟营制饷章编伍办理，每月约支正饷银七万余两。至应用洋教习洋员，由臣等咨会德驻使选商聘订。果能著有成效，尚拟逐渐扩充"等语，当日奉旨允准。……公部署一切，即日出都。定武军本驻距津七十里之新农镇，津沽间所称为小站者也。……

后来袁世凯暨北洋派之称雄，基于此矣。微荣禄等，岂易得此好机会乎？（时翁同龢、荣禄均尚未入阁，不得称相，李鸿藻自甲申罢协揆后，亦尚未再入，《容庵弟子记》非以当时之官称之。惟书中言及他人，则率按当时官秩相称。又，军机大臣其时为恭王奕䜣、礼王世铎及翁同龢、李鸿藻、刚毅等。荣禄在督办军务处，尚未入军机也。醇王载沣时年尚稚，未用事，据言与庆王云云，疑亦有误，容更考之。）**陈夔龙《梦蕉亭杂记》卷二有云：**

甲午中日之役失败后，军务处王大臣鉴淮军不足恃，改练新军，项城袁世凯以温处道充新建陆军督办。该军屯兵天津小站，于乙未冬成立。当奏派时，常熟不甚谓然，高阳主之。讵成立甫数月，津门官绅啧有烦言，谓袁君办事操切，嗜杀擅权，不受北洋大臣节制。高阳虽不护前，因系原保，不能自歧其说，乃讽同乡胡侍御景桂，摭拾多款参奏，奉旨命荣文忠公禄驰往查办。文忠时官兵尚，约余同行。甫抵天津，直督王文勤公文韶传令淮、练各军排队远迓，旌旗一色鲜明，颇有马鸣风萧气象。在津查办机器局某道参案毕，文忠驰往小站。该军仅七千人，勇丁身量一律四尺以上，整肃精壮，专练德国操。马队五营，各按方辨色，较之淮、练各营，壁垒一新。文忠默识之，谓余曰："君观新军与旧军比较何如？"余谓："素不知兵，何能妄参末议，但观表面，旧军诚不免暮气，新军参用西法，生面独开。"文忠曰："君言是也。此人必须保全，以策后效。"迨参案查竣，即以擅杀营门外卖菜佣一条，已干严谴，其余各条，亦有轻重出入。余拟奏稿，请下部议，文忠谓："一经部议，至轻亦撤差。此军甫经成立，难易生手，不如乞恩姑从宽议，仍严饬认真操练，以励将来。"覆奏上，奉旨俞允。时高阳已病，仍力疾入直；阅文忠折，拂（佛）然不悦，退直后病遂增剧，嗣后遂不常入直，旋即告终，足见其恶之深矣。

荣禄对世凯护持之力，可以概见。（夔龙为兵部司官，受荣禄知遇，后辟为武卫军幕僚，甚见亲信。夔龙之得大用，亦多赖其汲引。）《容庵弟子记》卷二叙及小站被参事，谓：

二十二年三月，御史胡景桂论列小站兵事，有克扣军饷、诛戮无辜之奏。公之御军也，惩旧营营官领饷侵挪积压之弊，于放饷独为认真，每月发饷，令饷按名册分包数千分，平色必准，届时传派营务官一二员，前往各营监视发给，兵丁直接领饷，百弊不生。胡景桂初未深究，摭拾奏陈。政府派荣相到营察视，并查考训练有无进步。公櫜鞬相迓，请荣相阅操。校阅既毕，荣相大惊异，盖未料成军才百余日，而队伍之精整，阵法之变化，竟擅曲端纵鸽之奇也。回京之后，据实称誉，遂蒙温谕。德宗并拟恭奉孝钦后莅津亲自校阅。后公抚〔山〕东，适胡景桂任山东臬司，公一见即与笑谈前事，并开诚结纳，悉泯猜嫌。胡景桂本道学名臣，见公宅心正大，莅事精强，深为引服。公频荐才，后以藩司居忧病殁。公手制挽词，以志哀悼。

此为世凯方面所述之词，亦可参阅。闻世凯抚鲁，胡景桂甚不自安，世凯自白绝不以前嫌介意，且优遇之，堂属相处颇善，盖所以示大度，且畏清议斥其报复耳。史念祖之于赵尔巽，事亦近之。（尔巽由御史外放贵州石阡知府，念祖方为贵州臬司，昔曾为尔巽参劾，不念旧恶，且加优遇，尔巽因之获调首府焉。后尔巽既贵，奏起念祖于废籍以自佐，所以报之也。）

关于世凯之受知荣禄，王伯恭《蜷庐随笔》云：

> 中日和约既定，恭亲王一日问合肥曰："吾闻此次兵衅，悉由袁世凯鼓荡而成，此言信否？"合肥对曰："事已过去，请王爷不必追究，横竖皆鸿章之过耳。"恭亲王遂默然而罢。是时项城在京，虽有温处道之实缺，万无赴任之理，设从此诖误，心实不甘。忆昔在吴武壮朝鲜军中，以帅意不合，借题为朝鲜练兵，因祸为福，此次师故智，正合时机，乃招致幕友，僦居嵩云草堂，日夕译撰兵书十二卷，以效法西洋为主。书成，无术进献，念当时朝贵中，惟相国荣禄，深结主知，言听计从，顾素昧生平，无梯为接。侦知八旗老辈有豫师者，最为荣所信仰，又侦知豫公独与阎相国敬铭相得，阎为路闰生入室弟子，又申以婚姻，非路氏之言不足以动之，因念路氏子弟有在淮安服官者，家于淮安，而项城之妹夫张香谷，系汉仙中丞之子，亦家淮安，必与路氏相稔，遂托香谷以卑

礼厚币请路辛甫北来，居其幕中为上客。由辛甫以见阎文介，由文介以见豫师，由豫师以见荣文忠，层递纳交。果为荣文忠所赏，项城遂执贽为荣相之门生。而新建陆军以成，驻于小站周刚敏盛波之旧垒。但项城初不知兵，一旦居督练之名，虽广用教习，终虑军心不服，于是访求赋闲之老将，聘为全军翼长，庶可以镇慑军队。适淮军旧部姜桂题，以失守旅顺革职永不叙用者，正无处投效，闻小站新军成立，径谒军门，项城见而大喜，遽以翼长畀之。桂题亦不知兵，惟资格尚深耳。项城更说荣相，以五大军合编为武卫全军，以宋庆为武卫左军，以袁世凯为武卫右军，以聂士成为武卫前军，〔以〕董福祥为武卫后军，其中军则荣相自领之，兼总统武卫全军。荣相乐其推戴，且可弋取统属文武之名也，德项城甚，有相逢恨晚之感。复用项城之策，令诸军各选四将，送总统差遣，比至，令此十六人者，各用一二品品服，乘马在舆前引导。荣相顾盼自喜，以为人生之荣，无过于此。吁，何异儿童之见哉！

《蜷庐随笔》对世凯多贬词，此处于世凯进身荣门暨练兵事，言之历历，然其中有一大误。大学士阎敬铭，光绪十四年戊子以病免，十八年壬辰卒于家，何能于甲午（二十年）战役之后犹在人间，而为世凯介见豫师乎？武卫五军之名目，始于戊戌政变后，除中军由荣禄另编外，余四军，世凯以所部用西法训练，自负非宋庆等部所及，庆等则自负百战宿将，不特以徒壮观瞻未经战阵轻世凯，即对荣禄，亦轻其不娴军旅，未能倾心事之。独世凯事荣禄最谨，其得抚鲁督直，均荣禄之力为多。荣禄帘眷最隆，而胸无城府，工策画，富权谋，世凯对之犹心存畏惮；迨荣禄卒，庆王奕劻以枢垣领袖当国，贪婪外无所知，世凯遂玩之于股掌之上矣。

——民国廿六年

袁世凯于光绪二十七年辛丑由鲁抚擢直督，盖得荣禄在枢垣主张之力，而世颇传由于李鸿章遗折保荐，如汤用彬《新谈往》云："和议将告成，合肥屡电请回銮，并陈述外人善意。两宫信其忠诚，遂启銮。至郑州，合肥薨耗至。孝钦携德宗登行宫后楼，北向而泣。越日启銮至开封，止不进。合肥遗折至，力保袁世凯才略堪任艰巨，请以继任直督，并请速回銮，以慰中外之望，诏并从之。"此说颇流行，且有谓鸿章遗折原稿系保周馥，幕僚杨士骧辈善袁，为私易袁名者。而证之所递遗折，其全文云：

奏为臣病垂危，自知不起，口占遗疏，仰求圣鉴事。窃臣体气素健，向能耐劳，服官四十余年，未尝因病请假。前在马关受伤，流血过久，遂成眩晕。去夏冒暑北上，复患泄泻，元气大伤。入都后，又以事机不顺，朝夕焦思，往往彻夜不眠，胃纳日减，触发旧疾，时作时止。迭蒙圣慈垂询，特赏假期，慰谕周详，感激零涕。和约幸得竣事，俄约仍无定期，上贻宵旰之忧，是臣未终心事，每一念及，忧灼五中。本月十九夜忽咯血碗余，数日之间，遂至沉笃。群医束手，知难久延。谨口占遗疏授臣子经述恭校写成，固封以俟。伏念臣受知最早，蒙恩最深，每念时局艰危，不敢自称衰病，惟冀稍延余息，重睹中兴。赍志以终，殁身难瞑。现值京师初复，銮辂未归，和议新成，东事尚棘，根本至计，处处可虞，窃念多难兴邦，殷忧启圣，伏读迭次谕旨，举行新政，力图自强，庆亲王等皆臣久经共事之人，此次复同更患难，定能一心勰力，翼赞讦谟，臣在九原，庶无遗憾。至臣子孙，皆受国厚恩，惟有勖其守身读书，勉图报效。属纩在即，瞻望无时，长辞圣明，无任依恋之至。谨叩谢天恩，伏乞皇太后皇上圣鉴。谨奏。

内容若是，并无保荐何人继任等语，外传种种，实不足信。世凯虽资格尚浅，而以戊戌告变，帘眷已隆；拳乱保障地方，声誉亦著；兼有荣禄为奥援，其擢督畿辅，固不必有鸿章遗折之保荐也。（或谓外人方面之推重，亦为一重要原因。）馥虽久为鸿章所重，其时官仅直隶布政使，只能循例护理，若云遗折保其越次超擢，尤于事理为远矣。九月二十六日后、帝由巩县抵汜水，接鸿章电奏，谓：“臣病十分危笃，……现已电令藩司周馥来京交代一切矣。”亦就其藩司职分而言耳。（二十七日后、帝抵荥阳，枢廷接馥电禀鸿章出缺，即奉旨以世凯署直督，未到任前馥暂护，张人骏补鲁抚。十月初二日后、帝由中牟抵开封驻跸，翌日始接到馥代递鸿章遗折。）

——民国廿三年

一一　瞿鸿禨与张百熙

陈夔龙《梦蕉亭杂记》卷二云：

长沙张文达公百熙，善化瞿文慎公鸿禨，……同岁举于乡，先后入翰苑，均为高阳李文正公高弟。文正每与长白荣文忠公禄谈宴，极称许两君不置。……庚辛之际，两公驻跸西安，枢臣端邸载漪、刚相毅、赵尚书舒翘、启尚书秀，因庇拳获严谴，枢府乏人，文忠密荐于朝，特旨令迅速来陕，预备见召。时文达任广东学政，文慎任江苏学政，相约交卸后会于汉口，联辔入秦。文达先到，谂知文慎莅鄂需时，爰纡道回湘省墓。讵文慎到汉，接秦中友人密函，星驰而去。文达由湘返汉，乃知文慎已着先鞭，竟不稍候，有孤前约，意颇不怿。追赴行在，定兴鹿文端公传霖已先入政府（亦文忠所保），只须再简一人充数。两宫无可所否，转询文忠，择一委任。文忠密奏：“圣驾计日回銮，举行新政，可否令张百熙、瞿鸿禨各抒所见，缮具节略，恭呈御览，再求特旨派出一员，较为得力。”上颇然之。奉谕后，文达力论旧政如何腐败，新政如何切用，并举欧西各国治乱强弱之故，言之历历，何止万言。文慎不逞辞华，但求简要，略陈兴利除弊四端。两宫阅竟，谓文忠曰：“张百熙所言，剑拔弩张，连篇累牍，我看去不大明晰，还是瞿鸿禨所说切中利弊，平易近情，不如用他较妥。”文慎遂入直军机……。

按：瞿鸿禨之成进士，入词林，早于张百熙一科。庚子之岁，瞿方以礼部右侍郎督苏学，张则以内阁学士督粤学。迨瞿升左都御史，张乃补礼侍，瞿升工部尚书，张又补总宪，两人资序，雁行相次如此，虽枢臣简畀，不必尽循阶资，而瞿既班在张上，当时选用枢臣，以地位论，机会自属较优，其得入直军机，亦自无足异耳。庚子各省学政报满，未及简放新任。瞿在苏闻两宫西行之讯，即专折驰问，嗣因头风自额顶至脑后苦作掣痛，病体难支，再奏请先行交卸，给假两月回籍就医。奉旨准假后，于十月间移交关防，十一月二日抵长沙，十二月初八启程赴西安，见《长江瞿氏家乘》卷五《止盦年谱》附录，是瞿实迂道回湘也。瞿自苏西行，张自粤北行而后西，自以瞿之行程为尤便，所谓莅鄂需时云云，盖有未谛。至应诏陈言一事，乃缘辛丑三月初三日之通谕，中外大臣皆有条奏。瞿以是月二十三递折，所陈确系四条，主张择要以图，行之以渐，大略谓：

……今日情势，譬如大病之后，元气尽伤，不独攻伐之剂不可妄施，亦岂能骤投峻补？若欲百废俱兴，一时并举，不惟无此财力，正恐纷更罔济。……

一曰整饬吏治。……请饬下各省督抚，慎委州县，必以尽心民事、兴利安良为考成。至命盗案处分，则应从宽。

一曰造就人才。……学堂创办之始，除京师原有大学堂外，但于各省会立一时务学堂，……期以十年，各省府厅州县次第自兴学堂矣。

一曰变通军制。……请各省建一练兵学堂，……学成之后，使分充队长，转相教习，推广多营，就中择尤委为管带，即以督抚统之。

一曰开浚财源。……一切搜括病民之政，断不可行。除加抽进口洋税及改定镑价二端，为出入大宗要款，应由全权大臣与各国公使商议，期于必行外，其余别无开源之法，计惟有求之于地，犹可资以裕民。……又现在铸造银元，已有数省，惟湖北、广东两省为精，拟请饬下户部，将机器提至京师，仿照湖北、广东办法，由部铸造精式大小龙圆，颁发各省，一律通行。

又，鹿传霖于庚子闰八月初二日即奉旨入军机，时尚未召瞿、张，荣禄亦尚在保定，未至行在也（是月十三日始谕令荣禄前来行在，入直办事）。瞿于辛丑正月十五日抵西安，（四月初九日奉旨在军机大臣上学习行走。）鹿已为军机大臣数月矣。

——民国廿四年

瞿鸿禨、张百熙，生同里闬，订交最早，同治九年庚午同领乡荐，相继成进士，入词林，（瞿辛未，张甲戌。）其后同官尚书，瞿且直枢廷，晋揆席，均以名臣见称。近获见其往来手札。己亥（光绪二十五年）张致瞿书云：

> 子玖老前辈同年大人节下：别三稔矣，积想成痗，如何可言！百熙不肖，以暗于知人，几获大戾，为师友辱。然区区愚忱，迫于救时，切于报国，至不顾利害而汲汲为之，其不颠覆以至今日者，盖亦天幸而已。方咨送某某时，尝声明酌中采取等语，（意谓考试之事，究属以言取人，且时务一途，本宜节取。）虽亦觉其危言谠论，不无偏激，而通晓时事，似有过人之才，不谓包藏祸心，陷于悖逆，至于如是，是则愚蒙无识所未及深察隐微者矣。往者论列时流，将以某名并举，经我老前辈指示，乃遂去之，以近于不孝而黜之于剡章，岂有觉其不忠而反登诸荐牍？平居读史，尝窃议胡文定理学大儒，何以轻信人言，谬举秦桧，（殆亦迫于救时之过耳。）乃自蹈其失，而又加

甚焉。从此不敢轻议古人，妄评当代。鄙意于某某初非有党同之见，特以自信太过，其弊一至于此，此则非惟寡识，亦坐不学之过矣。仰荷东朝天覆之恩，不从吏议，且未久即蒙开复，不知何以为报。每一念及，辄汗涔涔下。老前辈夙加伟视，而百熙乃躬冒不韪若此，其何以对知己，但有引咎自责而已。屡欲函讯起居，匆匆未果，即乘轺之喜，卿贰之荣，亦阙然未有以贺也。非无典签，但可以酬桓泛，如公笃谊，反致阔疏。去秋已来，则以获咎抱惭，临池辄辍，恃老前辈有以谅之耳。时局日益阽危，德人之于胶州，俄人之于旅大，英人之于九龙，法人之于广湾，瓜华之见端，（仲华相国曾以此面奏东朝，故敢及此。）西人所谓势力圈也。势力之圈所在，他国不得沮害。（按："圈"原笔误为"权"。）如英人公向译署言，长江一带，不得割与他国，盖认为其权力之所到也。切肤之痛至此，或犹以为不过割我海疆之境而已，岂非梦梦哉？《诗》曰："我生不辰，逢天亶怒。"又曰："载胥及溺，其何能淑？"两宫忧劳宵旰，为人臣者顾莫展一筹，诗人可作，应亦不料世难之至于斯极也。《吕氏》曰："燕雀争善处于一室之下，子母相哺，自以为安矣，至于突决火焚，颜色不变，乃不知祸之将及己也。"又曰："万人操弓共射一招，招无不中；万物章章以害一生，生无不伤。"今外夷之祸烈，岂惟一招一生而已，而犹以为祸不及己，自同燕雀，岂不痛哉？一人一身之出处，一家一室之福祸，殆不足言，特为老前辈放言世变如此，知必为之同声一叹也。此间试事极难措手。次远前辈语熙曰：“三年辛苦，竟无补益。”初以为其言之谦也，今乃知其信然，且不惟无补而已，至声名性命〈名〉皆可不保，甚矣其难也！顷试惠州，舟次书此，以达拳拳，敬叩春祺。年晚张百熙顿首。己亥除夕前二日。

附诗暨跋云：

要使天骄识凤麟，（东坡送子由使契丹诗句。）读公诗句气无伦。岂期变法纷朝政，差免书名到党人。修怨古闻章相国，推恩今见宋宣仁。（百熙以主事康有为讲求时务，所识通雅之士多称道其才者，因以其名咨送特科，当声明“蠲除忌讳，酌中采取”等语。既念与主事素不相识，其心术纯正与否不可知，复据实陈明，并将该员业蒙钦派差使，可否免其考试，请旨办理。又片陈，中国自强在政不在教，在讲求政事之实际，不在比附教派之主名，请明降谕旨，严格禁用孔子纪元及七日休沐等名目，以维持名教而免为从西之导等语，均仰邀留览。及康难作，而被罪者众，百熙独叨特恩镌职留任，以视东坡之遭遇宣仁，有过之无不及也。）过书举烛明何在，削牍真惭旧侍臣。

《题东坡居士居儋录诗》三首之一，录奉教削，小注皆事实，藉以明使才之误。荣相语鹿滋轩前辈，谓某枢府误记。（谓系仲老，必不然也。）刚相谓：“不有片陈之件，亦如张香涛不理会矣。”（面语熙者）熙谓：“咨送与奏保，同一谬妄，处分实属应得。”刚云：“东朝初颇生气，谓：‘张某里边人，何亦如此！’枢庭当奏：‘张某此片，不是保他，因曾咨送考试，恐其心术不可靠，故尔声明如此。’东朝意亦释然，此所以不久即开复也。”附片明言咨送考试，何以言保送使才？此折系八月初十日到京，何以延至二十五日始行交议？公记会东樵之折否，可以悟矣。然东朝天覆之恩，闻者无不感激，况身受者乎？惟有愧汗而已！百熙附识。

戊戌政变，张以曾荐康有为获咎。观此，可知世传以使才论荐之为误会，即荐应经济特科之试，亦咨送而非奏保也。张氏幸免严谴，犹有余怖，故以“包藏祸心，陷于悖逆”谓康，而以未觉其不忠误登荐牍自谓，且别引一以近于不孝既知、遂不论荐之人，与康对举，明非有心，其时情态如此，盖处境使然耳。书之后幅，畅论时局阽危之状，忧国之怀若揭，玩其词意，固仍以德宗之变法图强为是也。时张以内阁学士督学广东，瞿以礼部侍郎督学江苏。次远为恽彦彬（辛未传胪）字，为张广东学政前任。仲老谓廖寿恒（字仲山）。张之洞曾赞行新政，政变并未追究，故刚毅以为言。己亥刚毅奉命往广东筹饷，与百熙相晤而面语之。（百熙以南书房行走直内廷，故孝钦谓之“里边人”。）又庚子致瞿书云：

芷玖老前辈同年大人节下：前奉手教，备纫爱注，冗于尘俗，裁答稽迟，歉甚歉甚。比得电传，恭悉宠命钦承，荣除都宪，抒素怀于启沃，用宏济乎艰难，隆栋之膺，计在指顾，不惟同曹称庆，抑湘中人士所引领以祝之者也。百熙承乏岭南，惭无称报，渥荷圣慈，忝晋容台，高厚难酬，益滋悚惧。先是因睽离桑梓，多历年所，拟此次报满时，乞假一月，归省先茔。自联兵北犯，乘舆西狩，天下多故，大局阽危，暂假一节，未便陈请。现在试事告毕，考优亦已举办，俟新任抵粤，即行交卸，驰赴行都。尊处离西安较近，受代必当较早，天寒岁暮，迢递关河，驿程辛瘁，不堪预计，但冀大局速定，长途无梗，斯为大幸耳。肃复，恭叩大喜，敬请台安。年晚生张百熙顿首。九月二十一日。

此书由广州发，十月初四到江阴学署，陈夔龙《梦蕉亭杂记》卷二，谓张、瞿相约交卸后会于汉口，联辔入秦，瞿氏爽约先抵西安云云，前经辨其非确，今复见此书，亦足旁证相约同赴西安之说之难信。盖此书到时，瞿正准备交卸启程。书中惟言“尊处离西安较近，受代必当较早”云云，毫无相约“联辔入秦”之语气也。又辛丑瞿致张书：

> 潜斋长兄同年大人阁下：别后不胜怀想，定复同之，冬卿大喜，为之庆忭。然外部一席，实宜让于稷契，不才两次荐公自代，卒未如愿，实亦弟之不幸也。举劾大疏，声震天下。慈圣谓：“如此认真，甚属难得。”深为褒许。修工办法，极为核实，积弊自可一清。诸事都顺手否？两得来电，使节一件，略相不以为然，或即从缓。此间一切照常，筹款则尚无端倪，何以为计？俄约消息如何，便中示及是荷。手布，敬请台安，并贺除喜，不一一。弟止盦顿首。七月尽。

瞿由礼部侍郎递升左都御史、工部尚书，复转外务部尚书，所遗之缺，历由张氏任之。外务部为新设之部，班在旧有各部之上，责任较重，瞿膺斯命，荐张自代而未获允。所谓举劾大疏，指张任总宪举劾言官而言。所谓修工，指承修跸路工程而言，张以此差先由行在入都，共事者为陈夔龙等。陈氏于《梦蕉亭杂记》卷二自叙承修此项工程经过云：

> ……适奉旨定期十月还宫。维时京城残破不堪，急须修理。全权大臣先期电奏，请派大员承修跸路工程。行在枢府拟定长沙张尚书百熙、长白桂侍郎春，

奏请派充。慈圣笑谓："此次工程，须由在京大员中拣派，情形熟悉，较为得力。我意中已有两人，一兵部侍郎景沣，一顺天府尹陈夔龙，不如一并派充，四人合办。"枢臣承旨后，即刻电京遵照。桂侍郎前在庄王府任差，有庇拳嫌疑，不果前来，张尚书一时不能赶到，先由余与景侍郎召匠选料，赶速开工。初次入东华门，蓬蒿满地，弥望无际，午门、天安门、太庙、社稷坛等处为炮弹伤毁，中炮处所，密如蜂窠，想见上年攻取之烈，不寒而栗，拔荆斩棘，煞费经营。此外如天坛、先农坛、地坛、日月坛暨乘舆回时经过庙宇，大半均被焚毁，急须修理，工程浩大，估计实需工款约百万两，而堂子全部择地移建，与正阳门城楼之巨工，尚不在内。景侍郎狃于从前习惯，凡工程估定价目后，堂司各员例取三成节省经费，拟照前例，借工帑余润以偿拳乱损失。余不以为然，谓："此次拳祸之烈，为二百年所未有，九庙震动，民力艰难，此项工程不得以常例论，应核实一律到工，即所派员司，一律自备夫马，洁身任事，将来大工告竣，准给优保，以酬其劳。"侍郎意不怿，谓余有意与彼作梗。适张尚书到京，颇以余所论为是。侍郎无如何，始允会同入奏立案。余等分期率同员司，督理工作，历经三月，工程大致完竣，当即电知行在。……赴漕督任。逾年壬寅，接张尚书等函，知堂子业已兴建讫。余复于漕督任内捐廉一万两，倡修正阳门

> 城楼，各省均提公款助修，计一年余始行工竣。承修跸路工程之案，乃告一结束。特备书以谂来者。

所述情事，可备考，因缀录之。

张氏一生宦历，以充管学大臣时最为有声有色，为中国教育史上有名人物。而事属经始，颇感困难，有疑谤交乘之势。兹更摘录其致瞿书关于办学者如左：

> 所难者，则学堂也。（从前京师议论，皆以学堂为无父无君之地。今犹是见解，犹是议论也。昨与夔臣相国言及，同为太息久之。）容诣略相及公处详言之。
>
> 昨日法使馆一晤，未克絮谈。前函言学堂为难一节，拟不向略公道及。若因其难而不为，既无以对朝廷，亦无以对我公与略相也。勉竭小才，至开办后再行陈说，彼时必望公体谅此心耳。现在吴总教及荣提调勋（略公至亲，极好，极明达）、绍提调英已于初三日前赴日本考察学务，译书、编图两局亦已开办。潜手定编书大纲，一曰定宗旨。宗旨者，群矢之的也。人人向此的而致力焉，虽不中不远矣。宗旨乌乎定？必择其可以正人心端趋向绝无流弊者，建一名号以为标识，则莫如爱国。国家教忠孝，励廉节，无非欲养成此爱国之民，使人人各全其忠孝廉节之美德也。此次编书，当光揭明此义。二曰芟烦碎。略言：

既定此爱国之宗旨，则凡关涉政治，于国家有利无害者，精为甄综，一切烦碎之笺疏，支离之诞说，概从删薙，则成书精而讽诵易，必不使学者疲日力于无用也。三曰通古今。略言：今日之所急，当以究心教养之原与夫通考历朝礼乐、兵刑之制能见诸施行者为要务，若第博考其异同沿革之迹，仍不能谓之有用也。故必以知今为主，而证以既往之陈迹，以定其损益，使人人读书时之精神皆贯注于政治之中。四曰求贯通。略谓：今所编纂诸书，非一人可办，总期于经史诸子中可以变通互证者特加之意，则学者诵习时可收贯通之效等语。未知公谓然否？载籍极博，浩如烟海，非有一定之宗旨，主一之精神，以范围之，贯注之，随意抉择，即成巨帙，何所裨补于时事耶？知公亦必以为然也。改建学堂一层，刻已于瓦厂地方，择定一区，月内可以署券。将来即请将从前大学堂（已残破不堪，由大学拨款修理），改作宗室八旗中学堂。而大学堂之速成科，即借中学堂地先行开办，俟明年城外大学堂有成，再行挪移。日内已将宗觉罗各学校接收。左右两翼两学尚有学舍，觉罗学则久已荒芜矣。中学堂大概情形，月内或可具奏，惟经费一项，除常年左右翼及八旗应领户部款项五万二千金外，尚不敷银五六万两。大学堂常年经费已自拮据，万不能兼顾中学堂，（必令兼顾中学堂经费，则并大学堂亦不能办。）势不能不另请的款。此则必须仰赖大力主持者矣。翰林院编书应用书籍，已由上海购来四百一十二种，日内即拟咨送。谨附及。

鞠尊前日来述一节，潜与此公并无嫌隙，或闻外间讹言传述，遂尔率陈，然亦可怪诧矣。好在学堂章程，已经奏定，海内周知，并无诡异之说，即香帅所奏办法，除武学堂外，其所定学科，与潜所奏章程，十同八九，可见公理相同，不能特别以示歧异也。现今大学堂办法，何以即有大祸，略园何不面诘之？实有意外之流弊，亦不妨改良也。此事非与略园当面一言不可。流言之来无端，恐有处心积虑以排我而因以害及学堂者。一二日当奉诣一谈。

湖北所奏章程，无非欲专揽教育之务，然省学堂卒业仅令外洋游历一年，不令升入京师大学，虽欲自为风气，而学生仅得举人，不能得进士，恐学生亦未必愿意也。中学堂习外国语文三年，而高等学堂无之，未免疏漏。各国语文，仅习三年，未合也。（奉朱批议奏，其以此乎。）公于学堂有大功，略相能从公言以保学堂，是亦有大功者，而下走乃以不足轻重之身，致负疑谤，以致负我两公，可愧甚矣！行当投劾以去，以避贤路，他日公幸毋固留，以重其罪也。

所述编书大纲，可略见其教育宗旨。京师大学堂旧址，今北京大学犹沿用之，而当时张氏另有在城外建校之计画也。略园为荣禄（字仲华）别号，时以大学士为枢臣领袖。燮臣为孙家鼐字，时以大学士同任学务。鞠尊为江苏候补道朱恩绂字，长沙人，时在京以乡谊往来瞿、张间。当时学堂（称学堂不称学校者，以科举制度下之府州县学通称学校，故称学堂以别之）毕业生奖励出身办法，中学堂奖拔、优、岁贡，高等学堂（各省省会设之，程度介于大学、中学之间）奖举人，大学堂奖进士。湖北所奏章程，不符通制，高等学堂毕业，不令升入大学，奖励出身，以举人为止，故张氏言“恐学生亦未必愿意”。又：

> 学务事日前与华翁深谈，意见颇合，似以缓设学部为宜。此时照香帅所定学务处章程，分科办理，（此即与学部无异。）不立学部之名，而居其实，必于学界有所裨补。俟一年之后，各省学堂普立，再就学务处已扩之规模改作学部，不至头绪棼如。务乞力为主持，学界幸甚！（乞与徐铁两公商之，好处甚多，愿加详审。）
>
> 学部非设不可，而兹事体大，下走实不敢承。公之意固公而非私，然自揣无此学识，以公一人之意争之，不得固失言，得而不能胜任，使我公有举不得人之悔，而议之者并公而咎之，何如慎之于始也？公谓何如？下走于学务，于京师各馆，尚无不可对人之处，及此而卸肩，何快如之？若既为人所轻而忌之，不去必不讨好，且将并其前所办者亦以为罪。（开学不久，即两人同办，实亦不能罪及一人，然事未可知

也。）非公爱我，谁可与言及此者？幸乘其自任而赞成之，俾潜得以引身而退，公之赐也！

顷有人言，将以铁、徐两公领户部，然则荣与潜必学部矣。（本不愿久于户部，故前有调回吏部之请，今不可得矣。）二三年来，颇有退志，所以迟迟者，始则以东朝万寿，不能不一随班。嗣以学务羁身，难于摆脱。后复以东方事变，万无可言归之理。今东事粗定，但能开去学务，无论身居何部，冀可渐得自由。果如所闻，则衰病之躯，何能胜此重寄？（窥当事之意，未必以此为重要也。）况有匿名书一事在心，更何能有所施为耶？忧来无端，聊为知己发之，知公亦不能为潜计矣！

此三书为主张缓设学部及力陈不愿任学部尚书者。初拟即照张之洞所定学务处章程办理，暂不设部，继以设部将成事实，深恐即以学部尚书相畀，蕲得摆脱，盖疑谤所集，不得不谋退步耳。华翁谓同管学务之荣庆（字华卿），所云“幸乘其自任而赞成之”，似亦即指彼。徐、铁两公，指徐世昌、铁良，丙午修改官制，二人均参与其事。至“铁、徐两公领户部”“荣与潜必学部”之说，似以为各部仍设满、汉两尚书，而己与荣庆将同授学部尚书（荣庆，蒙古人，例补满缺），势难挽回矣。新官制公布，各部均仅设尚书一人，荣庆授学部尚书，张授邮传部尚书，铁良授陆军部尚书，徐授民政部尚书。（户部改度支部，溥頲授尚书）“东方事变”指日俄战事，扰及东陆。瞿致张书有云：

> 公于学务有益，学务于公亦相宜。吾两人苦心热血，一旦皆付之东流，夫复何说！……公随人仰屋持筹，无往而非难境，可想而知，如能乞外，最为上策，容日再倾吐言之。连日胸中恶劣，了无佳况，奈何！奈何！

此盖张氏以环境之困难，势须摆脱办学职务，而瞿氏深致其慨惋也。张另有一书致瞿，有“或铨或外，否则惟有引退耳”之语，言或吏部或乞外，此书所云“如能乞外，最为上策”，似即对此而言。

瞿、张往来手札，瞿兑之君（子玖相国之嗣）藏弆颇富，近得就观，移录如右。

——民国廿六年

一二　陆徵祥与许景澄

陆徵祥早任坛坫，中陟中枢，晚作畸人，洵近世名人之自成一格者。以受知于许景澄，获其裁成。而景澄又舍生效忠，节概凛然，故徵祥服膺甚至，钦慕无已，其事足传也。昨承沈君怡君由上海以徵祥在欧印行之纪念品见寄，书谓：“去岁游英，会获有印刷品一种，系陆子兴先生在欧印行以纪念许文肃公者，吉光片羽，亦颇可珍，爰置之行箧，携归故国。兹因素喜读尊著随笔，知搜集史料，不厌其多，用敢奉上，聊作芹献。”雅谊甚可念。此印刷品印有景澄遗像，暨陆润庠联云：“事君以忠，能临大节。与人为善，赖有真传。”（上款：“许文肃公遗像，为子兴陆君题。”下款：“年侍生陆润庠撰句并书。”）并有景澄致徵祥手书墨迹数行。正文为“追念许文肃公”，词云：

鸣呼吾师！自庚子七月初四日吾师捐躯就义，至今已足足三十年矣。回溯在俄时，勉祥学习外交礼仪，联络外交团员，讲求公法，研究条约，冀成一正途之外交官。祥虽不才，抱持此志，始终不渝。吾师在天之灵，想鉴之也。已亥春，祥与培德结婚。吾师笑谓祥曰：“汝醉心欧化，致娶西室主中馈，异日不幸而无子女，盍寄身修院，完成一到家之欧化乎？”尔时年少未有远识，未曾措意。丙寅春室人去世，祥以孑然一身，托上主庇佑，居然得入本笃会，讲学论道，以副吾师之期望，益感吾师培植之深厚，而为祥布置之周且远也。鸣呼！生我者父母，助我者吾妻，教育以裁成我者吾师也。今先后俱登天国，而祥独存，岂不悲哉？虽然，祥以衰朽多病之体，自入院后，除朝夕诵经外，于拉丁文、道德学、哲学、神学以及新旧圣书等，无不竭吾智能，以略探其精微。历时非为不多，用力非为不勤，数年以来，不唯无病，且日益强健，此上主之赐。九泉之下，吾师闻之，当亦为之快慰。祥惟有永遵主命，日颂主名，以终吾年耳。本笃会修士门人陆徵祥谨述。夏历己巳七月初四日。

其词并印有英法文者，兹录英文如左：

PAX.

TO MY DEAR AND REVERED MASTER SHU

It is to this eminent and deeply regretted Master that I owe my first training in diplomacy and my whole career therein, of which he had foretold the different stages.

In his fatherly solicitupe for me, he also foresaw my future retirement into the seclusion of the monastery and the peace of the cloister.

To his sacred memory, I dedicate my profound and eternal gratitude,in remembrance of the 30th anniversary of his death.

He was condemned and decapitated on July 29th 1900 a victim of false accusations, but his complete inoncence was vindicated and all honours restored to him posthumously by an Imperial Decree of February 13th 1901.

Oh God. Thou hast taken from me my Parents, my Master, my Wife.

Thy will be done.

Blessed be Thy Name for ever.

U. I. O. G. D.

His old devoted pupil:

D. Pierre Celestin Lou Tseng Tsiang O. S. B.

Benedictine monk of St. Andrew's Abbey.

July 29th 1900——July 29th 1930.

又有一纸云：

民国二十年十一月二日追思已亡瞻礼。祥伏读北平公教青年会季刊《读书运动》专号，内有补白一则，题曰《回首三十年前事》，兹特恭录于后："庚子之乱，迄今已三十年矣，回顾往事，有足述者。有致命荣冠之父，然后有主教品位之子，近故第一位罗玛祝圣国籍主教赵公是也。有殉难牺牲之师，然后有弃俗精修之徒，此事之明证，可举陆子兴先生为例。前者世所周知，后者人所罕闻，故舍前者而述关于后者之故事云。许文肃公，陆子兴先生所师事者也。为清末著名之大外交家。庚子乱作，因诤谏而赐死，实即殉难之牺牲者。许公曾使诸国，亦明晓公教事。查许文肃公日记：甲申十一月初九日即一八八四年申刻抵罗玛住店，是日为西历十二月二十五日，相传为耶稣诞日，店中悬灯召客。初十日游花园两处及大礼拜堂，规制宏丽，极天下巨观。十一日游礼拜堂三处，其一旁楹下有穴，石椁在焉。其一堂小，相传为耶稣受刑讯院，石梯尚存，教徒皆以膝行上。十四日游教王宫。再丙戌一八八六年二十一日日记，提及教王通制之议云。可证。在许公牺牲二十五年后，其弟子中乃有陆子兴先生入本笃修会，殆先烈之血亦自有其代价乎。”云云。神（祥）读至“有殉难牺牲之师然后有弃俗精修之徒”“殆先烈之血亦自有其代价乎”句，不禁神往祖国，追慕先师，盖祥始知入院苦修之愿，不独得先师预言之指导，实则为文肃捐命鲜血之代价焉。谨据文肃中表兄弟朱君文柄叙述庚子七月初三日未刻经过情形，略云：“比逮至提署，即交刑部，尚未经审讯，便与袁忠节公同时就义，权奸构陷，营救无方，惨酷情形，不堪寓目。事平，仅得开复原官，后隔数年始经郭春榆侍郎奏请，加恩予谥，略慰忠魂。云云。”谨按：先师被逮之顷，尚与朱君谈论学务，从容就义，视死如归，宛然有基多信徒殉难之慷慨态度。呜呼，我师殆有以勖祥追步芳踪之处耶！祥惟有早夕虔祷上主赐祥以不负先师期望之特遇耳。门人本笃会修士陆徵祥追念谨述，以告来兹。

于此可见徵祥追念师门之笃，尤见其皈依耶教之肫诚，自行所信，物外萧然，于同时辈流中，诚为特异。

——民国廿四年

一三　倭仁与总署同文馆

清总理各国事务衙门之设同文馆，士大夫多守旧，以“用夷变夏”非议者甚众。倭仁以大学士为帝师，负重望，反对尤力。虽迕旨，而一时清议极推服之。翁同龢（时与倭仁同值弘德殿）日记中，于当时情事，颇有所记。

同治六年丁卯正月二十二日云：“见恭王等连衔奏请设同文馆咨取翰林院并各衙门正途人员从西人学习天文算法原折。命太仆寺卿徐继畬开缺管理同文馆事务，有‘老成重望，为士林所矜式’之褒。”二十三日云：“又见同文馆章程。”二十九日云：“是日御史张盛藻递封奏，言同文馆不宜咨取正途出身人员。奉旨：‘毋庸议。’”

二月十三日云：“同文馆之设，谣言甚多。有对联云：‘鬼计本多端，使小朝廷设同文之馆；军机无远略，诱佳子弟拜异类为师。’”十五日云：“今日倭相有封事，力言同文馆不宜设。巳初与倭、徐两公同召见于东暖阁。询同文馆事，倭相对未能悉畅。”二十四日云：“前日总理衙门尚递封奏，大约辨同文馆一事，未见明文也。京师口语藉藉。或黏纸于前门，以俚语笑骂。（‘胡闹，胡闹！教人都从了天主教！’云云）或作对句：‘未同而言，斯文将丧。’又曰：‘孔门弟子，鬼谷先生。’”

三月初三日云：“军机文、汪两公至懋勤殿传旨，将总理衙门复奏同文馆事折交倭相阅看，并各督抚折奏信函均交阅。”二十日云：“与艮峰相国至报房，并至其家，商略文字。昨日有旨：倭某既称中国之人，必有讲求天文算法者，着即酌保数员，另行择地设馆，由倭某督饬办理，与同文馆互相砥砺等因。总理衙门所请也。朝堂水火，专以口舌相争，非细故也。访兰生，点定数语。”二十一日云：“倭相邀余同至荫轩处，知今日递折，有旨一道，令随时采访精于算法之人。又有旨：‘倭仁着在总理各国事务衙门行走。’与商辞折。”（按：倭仁阻设同文馆原奏有“天下之大，不患无才。如以天文算学必须讲习，博采旁求，必有精其术者”等语。上谕即以“该大学士自必确有所知，着即酌保数员”云云应之，实恭王奕䜣等有意与之开玩笑也。迨其以“意中并无其人，不敢妄保”复奏，上谕：“仍着随时留心。一俟咨访有人，即行保奏。”且命直总署，均枋臣故意相厄。）二十二日云：“还坐兵部朝房，与倭相议论，辞折未允也。”二十三日云：“出偕倭、徐坐报房，商前事。”二十四日云：“遇艮翁于途，因邀至家，谈许久。知今日仍不准，与邸语几至拂衣而起。有顷，兰荪来邀，艮翁在座，商酌无善策。噫！去则去矣，何疑焉！”二十五日云：“是日倭相请面对，即日召见。恭邸带起，以语挤之。倭相无辞，遂受命而出。倭相授书时，有感于中，潸焉出涕，而上不知也，骇愕不怡良久。”二十六日云：“艮老云：‘占之得讼之初六，履之初九，去志决矣！’相对黯然。”二十九日云：“闻艮峰先生是日站班后，上马眩晕，遂归，未识何如也。”

四月朔云：“问艮峰先生疾。昨日上马几坠，类痰厥不语，借它人椅轿舁至家，疾势甚重也。”初二日云：“遣人问艮峰先生疾，稍愈矣。”初十日云：“谒倭艮翁未见，疾稍愈矣。”十八日云：“问倭相疾，晤之。颜色憔悴，饮食甚少。相与唏嘘。”

五月初八日云：“晚谒艮峰相国，相国拟十二日请开缺。”十二日云：“倭相请开缺，旨：‘赏假一月，安心调理。’”十七日云：“钟佩贤奏天时亢旱，宜令廷臣直言极谏一折，内有‘夏同善谏止临幸亲王府，则援旧章以折之；倭仁谏止同文馆，则令别设一馆以难之’等语。谕旨特驳之。”二十一日云：“昨日同文馆考投学者。（七十余人。抱仁戴义论，射、御、书、数、明理、策。）”

三十日云：“闻候遗直隶州杨廷熙上封事，有十不可解。”

六月朔云：“始见前日谕旨，有‘若系倭仁授意，殊失大臣之体，其心固不可问，即未与闻，而党援门户之风从此而开，于世道人心大有关系。该大学士与国家休戚相关，不应坚执己见。着于假满后即于总理各国事务衙门之任’等语。”十二日云：“倭艮翁是日请开缺，闻准开一切差使，仍以大学士在弘德殿行走，为之额手。”

同龢所记与当时关于此事之谕旨、奏牍等合看，益可得其大凡。

李慈铭时居忧在籍，其日记中尤畅发反对“用夷变夏”之论，而深为倭仁不平。七月初三日录驳斥杨廷熙而责令倭仁假满后即到总理衙门任之上谕，加注云：“草土臣慈铭曰：当咸丰末之设总理各国事务衙门也，慈〔铭〕私谓其非体，宜以理藩院并辖，而添设侍郎一人，以恭邸总理之，不宜别立司署。尝为一二当事者言之，而不听也。及考选六部内阁属官为司员，又窃谓士稍自好者当不屑之，而一时郎吏，奔走营求，惟恐弗得，则已大骇。知好中有为之者未尝不力止，止而不可则未尝齿及之矣。然大僚之与此事者，固一二唯阿寡廉鲜耻之人也。至今年开同文馆，以前太仆卿徐继畬为提调官，（按：继畬之膺命，其头衔为总管同文馆事务大臣。）而选翰林及部员之科甲出身、年三十以下者学习行走，则以中华之儒臣而为丑夷之学子，稍有人心，宜不肯就，而又群焉趋之。盖学术不明，礼义尽丧，士习卑污，遂至于此。驯将夷夏不别，人道沦胥，家国之忧，非可言究。朝廷老成凋谢，仅存倭公，然谋钝势孤，无能匡正，而尚见嫉于执政，龃龉于宫廷，以宰相帝师之尊，兼蕃署奔走之役。徒以小有谏争，稍持国体，遂困之以必不能为之事，辱之以必不可居之名。呜呼！谁秉国成，而损威坏制，一不以为念乎！五月中内阁侍读学士钟佩贤上疏，以天时久旱，请求直言。有曰：'近者夏同善谏幸惇亲王府第，而谕旨称循旧章以折之；倭仁谏设同文馆，而谕旨令酌保数人另立一馆以难之。当朝廷开言路之时，而迹似杜言者之口；在大臣尽匡弼之义，而转使有自危之心：诚恐敢言之气由此阻，唯阿之习由此开。请饬在廷诸臣于时政得失悉意指陈，毋避忌讳。'诏从其言。（按：上谕驳辨佩贤所举二事，并诏求直言。）于是杨廷熙（四川泸州人）之疏应诏上。乃重违时旨，深被谯诃，牵及辅臣，疑为指使。夫杨疏外间未见，其所云‘天文算学，疆臣可行’之语，盖为湘乡督辅地，瞻顾枝梧，辞不达意。（按：上谕驳廷熙疏有云："且谓‘天文算学，强（疆）臣行之则可，皇上行之则不可’，普天之下，孰非朝廷号令所及？岂有强（疆）臣可行而朝廷不可行之理？"）可知其全疏亦不能实陈西法之不足用，夷心之不可启，国制之不可不存，邪教之不可不绝，深切著明，令朝廷耸听。其致诘责，亦非无由。特是指使者恶名也，朋党者大害也，皆君上所深疑而至患者也。国家二百余年绝无门户之祸，一旦以选人小吏不经之单章，遽加旧位大臣以非常之重咎，逆亿为事，其祸将滋，杞人忧天，是为戚矣。识者谓湘乡之讲习泰西技算，实为祸端。至于继畬，盖不足责尔。"又曰："行走者驱使之称，简贱之辞也。文言之曰直，质言之曰办事。国朝之待大臣也，直军机处、直南书房、上书房皆曰行走，然军机则曰大臣上行走，上书房官至尚书者则曰总师傅，不更名行走矣，惟南书房则大小臣皆曰行走，然其结衔皆称南书房翰林，近世亦鲜有以宰相直南斋者。今何地也，而以宰相为行走乎！"其论亦足代表其时多数士夫之意见。恭王奕䜣之见称"鬼子六"，不亦宜乎？被命在总理衙门行走者，通称大臣。（其由本衙门章京升擢者，更明著"大臣上"字样。）宰相而为大臣，未为不可。慈铭之论"行走"，着重仍在鄙视总理衙门耳。

李岳瑞《春冰室野乘》云："同文馆之开始也，朝议拟选阁部翰林官年少聪颖者肄业馆中。时倭文端方为首揆，（按：时倭仁在阁臣中非首席。）以正学自任，力言其不可。御史张盛藻遂奏称：'天文算法宜令钦天监天文生习之，制造工作宜责成工部督匠役习之。文儒近臣不当崇尚技能，师法夷裔。'疏上，都下一时传诵，以为至论。虽未邀俞允，而词馆曹郎皆自以下乔迁谷为耻，竟无一人肯入馆者。朝廷岁縻巨款，止养成三数通译才耳。（按：此语似嫌太过。）方争之烈，恭忠亲王奏命文端为同文馆大臣，（按：实系命直总署。）盖欲以闲执其口也。文端受命，欣然策骑莅任，中途故坠马，遂以足疾请假，朝廷知其意不可回，亦不强之。（按：此节情事应看同龢所记。）文端之薨也，巴陵谢麐伯太史以联挽之曰：'肩正学于道统绝续之交，诚意正心，讲席敢参他说进；夺我公于国是纷纭之日，攘夷主战，明朝无复谏书来。'当时士大夫见解如是，宜乎郭筠仙、丁雨生皆以汉奸见摈于清议也。"亦可参阅。（岳瑞谓词馆曹郎不肯入馆，与慈铭所云"又群焉趋之"有异，盖较确。当时翰林及科甲京曹固多不乐就学于此耳，同文馆学生之视总理衙门章京，地位又有间矣。）

——民国二十三年

一四　黎吉云

于湘潭黎劭西君（锦熙）处，获见其族祖樾乔先生（吉云，原名光曙）《黛方山庄诗集》。先生为道光癸巳进士，由翰林院编修转言官，侃侃谔谔，道、咸间名御史也。所为诗深博清超，亦负盛名。集凡六卷（诗余附），同治间雕板，甫印一部，原板即失去，此成孤本矣。劭西将付影印，以永其传，实大佳事。因先假读摘录，以饷阅者，俾快睹焉。

《都门留别八首》云：

残蝉已无声，楚客今当归。寸禀养顽钝，悠悠经岁时。
仰视苍天高，正色无由窥。周道自挺挺，我行殊纷歧。
省识转惶惑，汗漫无端倪。炉熏就詹尹，繇称滋然疑。
人生要自审，进退命所司。吾其为瓠樽，襆被从此辞。

束发受诗书，志与温饱别。时事有悲愤，森然五情结。
柱后叨在簪，刍荛屡陈说。献芹诚乃痴，孤怀不能抑。
朝廷宏翕受，折冲鲜陈力。深宵焚谏草，废纸如山积。
事往空慷慨，悲来但呜噎。百期不一酬，志愿何时毕？

物情久乃敝，积渐匪一日。谋国妙张弛，岂不资人力？
君子养其源，塞流虑横决。制用诚急务，选材讵宜忽？
植橘尚成枳，何况植棫棘？后来名世臣，必有活国术。

方今承华勋，峨冠皋夔列。协心隆翊赞，树立定宏达。
愿治均朝野，况曾忝簪笏。炙背称尧舜，百年容蹇劣。

谏官非冗员，为国肃纪纲。骢马好威仪，绣豸美文章。
一介田闲来，居然谬所当。岂犹不足欤，而有他志萌？
顾惟策万里，驽劣岂宜襄？六载了无补，得不还耕桑？
敬告同僚友，去就皆官常。昨者陈与朱，翩若凫雁翔。

我皇十三载，通籍二百余。经今陟显要，屈指晨星如。
瞻惟鲁灵光，岿然东南隅[1]。古今师儒重，端不系金朱。
通德景郑公，实践期苏湖。经训辟榛莽，古义相灌输。
持以报国家，或且贤公孤。人情护所私，只为膴仕图。
不朽当有属，烜赫裁须臾。小子不自废，还以质吾徒。
原注：
①阮仪真师。

屈宋擅风骚，根抵在忠蹇。藻艳性之华，末流派弥远。
至今吾乡土，文采抱忱悃。感激拜荃荪，彪蔚集梏箘。
以我厕其间，声实溷端窾。左右相挈提，旰宵得祓湔。
论交属心骨，几与天属近。人生有离别，精气无域畛。
敬恭复敬恭，来者得观善。临行眷槐荫[1]，双眦泪痕泫。
原注：
①湘潭邑馆槐为陈恪勤公手植。

篱菊瘦已华，庭树寒犹叶，离觞更迭进。累日愁增集。
故乡岂不好，苦乏友朋接。平生金兰契，见已化车笠。
及门二三子，相赏素心惬。许与关气谊，谅不责报答。
自顾了无取，厚意感维絷。长安苦传舍，车马日杂沓。
巢痕故未扫，都门傥重入。

幻想学那吒，骨语还吾亲。终知非了义，为有心肝存。
昔抱终天憾，便拟余佩捐。丙舍今当成，寝食依松阡。
礼让式闾里，诗书逮儿孙。仕隐有殊轨，萝衮皆君恩。
百年会有尽，一息念所天。去去君门远，魂梦长周旋。

《出都留别送行诸友》云：

匹马冲风出国门，夕阳浩荡满郊原。
回头廿载只如昨，注目西山无一言。
黄叶何心辞故树，白云依旧宿寒村。
征车历碌长安道，梦绕觚棱晓月痕。

从来吾道各行藏，感谢群公意惨伤。
十驾终难千里致，九牛岂惜一毛亡？
西风别泪酬朋旧，白雪新诗压客装①。
拂拭袍痕余雨露，江湖满地有恩光。
原注：
①送行诗装成二巨轴。

此道光季年以力陈时事不见用，移疾而归之作，最为一时胜流推许者，磊落恻楚，低回无限，盖颇有孟子三宿而后出昼之意味焉。（曾国藩诗集中有《送黎樾乔侍御南归》五古五首、七古一首，亦颇雄骏，可合看。）

《寄胡咏芝》云：

识君弱冠时，长身面如玉。名驹汗血成，凡马敢齐足。
彯缨上玉堂，清班喜联属。春官与分衡，抟沙阅晦朔。
君持大江节，声名甚烜赫。作贡列玑贝，收材就硥斫。
谓当抟扶摇，排翼上寥廓。讵知风力微，欲进为少却。
丈夫志开济，焉能久屈蠖？柔兆月之皋，都门手重握。
我门有雀罗，勤君日剥啄。说剑星斗翻，对酒檐花落。
欢会那可常，一麾去我速。牂牁渺何许，望远愁心曲。
殷勤递尺书，好语慰离索。恍兮若可接，沉思转无着。
安得列屋居，相对两无逆。不愿长相对，愿君念畴昔。
努力崇令名，无令山泉浊。举世随波流，亮节守金石。
我将捐佩去，谷口事耕获。政成何时归，近局招要数。
更寻左氏庄[①]，宵分翦桦烛。

原注：

①谓季高亲家。

《送曾涤生典试江西》云：

星轺四出后先望，忽听除君喜欲狂。

臣节独伸时所倚，天心向用道将昌。
当秋自可盘雕鹗，到处争来看凤凰。
动为苍生锡之福，谁云报称只文章？

愁闻风鹤近吾乡，大帅深居气不扬。
此去衔恩瞻岵屺，可能画策扫欃枪？
事同救火关心切，语待还朝造膝详[①]。
割舍私情催上道，未须携手赋河梁。

原注：

①君谢恩时有归来面奏之语。

《题彭雪琴茂才从军诗后》云：

雪琴文甚武，逸气浩纵横。目下无曹谢，胸中有甲兵。何时膺节钺，为国作干城。榕峤方骚扰，幺麿岂足平[①]？

原注：

①雪琴名诸生，亦奇男子，胸有韬略。集《坐位帖》十四字奉赠云：“将相致身非异数，朝廷侧席正须才。”盖望其为时一出也。

与曾、胡同官京朝，为文章道义之交，斯亦足见相期许勖勉之意。彭氏尚为秀才，乡先达推重如是，可谓鉴识非虚。（寄胡诗盖作于移疾出都之前，时胡于典试江南缘事镌级后援例以知府分发贵州也。题彭诗之作，在返乡后，送曾诗则文宗即位后再起重官御史时作，未几曾即以丁忧侍郎奉旨治军矣。）**曾、胡、左、彭等后来建树赫然，湘军威声震动一时。先生卒于咸丰四年春，未及见大勋之成也。**（卒于咸丰四年三月。）

又《闱中杂咏》云：

礼闱襄役八人同[①]，名在丹毫点注中。
监试头衔差不恶，煎茶故事续坡翁。
原注：
①外帘监试，满汉各四。

昨岁毡帷两被恩，春秋分校到龙门。
何如此度夸荣遇，朱盖高张鼓吹喧[①]。
原注：
①监试出入甬道，例有红伞导行，并鼓乐。

南宫风月妙宜诗，清景偏从局外知。
回首八年堪腹痛[①]，沉思未就烛阑时。
原注：
①余成进士今八年矣。

主持坛坫属宗工，咫尺风云有路通。
举子五千齐鹄立，定谁入彀是英雄？

此道光辛丑以江南道监察御史充会试外监试所作也。外监试有张盖鼓吹之荣，可与光绪丙戌会试内监试李鸿逵《春闱内帘杂咏》所谓“惟有内帘监试阅”云云合看，均都老爷之尊贵处。

他如：

花朝二首

火中退寒暑，日中渐倾昃。花事甚今朝，老丑变顷刻。
大力暗中移，谁能挽之息？桃李门前华，向人作光泽。
忍使尊罍空，今朝足可惜。

园秋始有菊，岭冬始有梅。造物何先后，乃循资格为？
彼此若互观，迟早两无猜。生机自不息，时至当得之。
不信万卉繁，青阳专其司。群儿艳唐花，火力相攻催。

题画

树古云阴积，岩深石气寒。知音若可遇，试取鸣琴弹。

初度言怀（三首录一）

为学岂多言，忠信洵德基。吾观万弊丛，悉由浮伪滋。
真意苟不存，两间盈杀机。靡丽习慆淫，揣摩蹈险巇。
积渐非一日，岂曰非人为？摇摇风中纛，未足喻我思。
南山有松柏，终古枝条垂。愿言结邻居，高咏羲农诗。

过邯郸县题壁（二首录一）

富贵安能了此身，难凭一梦谢尘因。

如何燕赵今犹昔，不见悲歌感慨人！

约曾涤生至陶然亭小酌代柬

明日日之吉，乃午游江亭。枯苇带残绿，高柳垂余青。

我友具笔砚，儿子携楸枰。行厨稍供顿，芡菱杂荤腥。

庶以极谐笑，谁能知悴荣？今我不欢乐，卒卒秋霜零。

愿言伫高驾，在耳萧萧鸣。无为效颠当，双户牢昼扃。

送朱伯韩侍御归里

索索雨叶天欲霜，朱子随雁于南翔。

置酒为饯各叹息，我殊无语情则伤。

桂林山奇水清驶，大好家居画图里。

出舁肩舆入图史，子为子计诚得矣。

年来丹山群凤暗，卑飞敛翼巢深林。

衔阙忍饥俟一饱，见者不复名珍禽。

闽海一人奋长袂，撞钟伐鼓闻海内。

粤海一人继其声，琼琚大放何觥觥。

二子离立子往参，奄有两美峰成三。

二子翩其竟不顾，每一思之怅烟树。

今子又作黄鹄举，侧身天地奈何许。

我亦百鸟之鸣鹅，所值与子同坎坷。

塞马得失岂须较，隍鹿迷离安足多？

已矣从子岩之阿，闭门高咏康哉歌。

校陈庆覃云石初稿为题后还之

君诗卷舒岩上云，朝暾射映光璘彬。
君诗皎皎湘江月，终底沦猗鉴毛发。
平生襟期杜牧之，罪言一箧情万丝。
挥毫如不用意为，湜籍汗走难庶几。
贱子论交在早岁，同官近复推前辈。
形影真看餍炬连，唱酬况复丝桐契？
琵琶拉杂春风手，烧烛同倾蓟门酒。
万种愁牢有此樽，三尺喙狂肆谈口。
此后合离安可知，我去将扶湘上犁。
他日相思欲愁绝，松风万壑对君诗。

四柏行

司徒庙前四古柏，森然布列各殊状。
一株郅偈干云霄，众条纷敷酌宜当。
气象尊严若王者，雍容冠服朝堂上。
一株标异在肤理，蹇产诧若缠丝纩。
骨节锴鐕中藏棱，劲枝折铁谁敢抗。
其东一株伸两爪，驶牮如猕不相让。
又如奇鬼欲攫人，伏地侦伺翘首望。
迤西一株尤绝奇，皮之仅存无腑脏。

首尾至地枝仰撑，其中豁开外健壮。
世间万木总雷同，此四株者傥新创。
吁嗟造物有意无，伫立斯须为惆怅。

放鹤亭

鹤飞去兮何时还，山川悠邈日月闲。
湖水不波云不出，千秋岑寂一孤山。

正月十四夜上饶舟中对月

水浅滩声沸，沙明月色新。孤舟初泊夜，三载未归人。
碕岸柴门静，低枝宿鸟亲。他时倚虚幌，回首话酸辛。

过歧岭韩祠榕树绝大枝干扶疏恰蔽祠宇

岭海东行半是山，百围榕树壮边关。
孤根盘结三唐后，直干高陵百越间。
谁假诗篇滋异说，似闻阴洞富神奸。
苍茫独立悬崖影，万里秋空见鹤还。

途间负担者多女子作歧岭曲

鬓侧垂青丝，与欢两肩并。妍媸待欢定，将欢作明镜。
十里上蓝关，对面相逢笑。双声歌入云，知是龙川调。

六十初度言怀

浮生过眼渺云烟，秋至俄开六秩筵。

白笔十年惭报国，丹忱一片许笺天。
入闲老骥思千里，作茧春蚕已再眠。
蜀肆蓍龟休就问，从头甲子且重编。

曾经作赋侍螭坳，几辈青云客定交。
官职迍邅鱼上竹，身家辛苦燕营巢。
行藏差可逃訾议，富贵从来等幻泡。
但勉儿孙守清白，百年农具肯轻抛？

忽漫江湖聚乱民，土崩鼎沸太无因。
幺麽梗化原非敌，帷幄成谋要有人。
沧海即今归禹贡，诸公努力答尧仁。
属櫜缚袴平生志，试拟人闲老大身。

世故乘除幻万重，静观物变转从容。
风花过去双蓬鬓，云楚谁曾一芥胸？
壮岁心期刘越石，暮年志趣郭林宗。
太平但许余生见，湘上渔人早晚逢。

追悼钟小亭舍人

欢会如云散，无端作鬼雄。名喧三极北，气慑大江东。
骄帅心难问，苍生恨未穷。史祠应配食，蘋藻四时同。

悲张玉田同年

未觉英雄老，焉知祸变寻？萧骚巫树暗，惨淡皖云深。

隔岁虚传札，长途感赐金。御茳悲世事，洒涕望江浔。

盖均斐然卓然，不愧名作，郭嵩焘序（咸丰十年撰）云：

往在京师。樾乔侍御语予曰："顷曾侍郎表章山谷内外集，有羽翼诗教之功。"凡为诗，意深语博，屏绝尘俗，惟山谷为宜。其后侍御乞假归，有出都感事诸作，传诵一时，尽变平日和夷清丽之音而为抑塞磊落，因悟向者之言为自道所得也。侍御既归，沿淮涉江而南，东尽岭表，而诗日多。居久之，复还京师，逾年卒。盖侍御自通籍二十余年，落拓不适意。为言官，数陈事，中忌讳，益以困穷。始终一节，而所为诗顾数数变，变而益工。中年以后，潦倒人事，乃益发摅，沉潜于山谷以写其幽窈。信哉，诗之穷人也。然自予少时，见侍御谈艺京师，曾涤生侍郎、汤海秋农部、何子贞太史、陈庆覃侍御，及凌荻舟、孙芝房、周荇农诸君，先后以诗文雄视一世，从容谈宴，日夕闲作。其时国家岁忧水旱，海夷渐起，追思百余年乡人宦京师，文章遭际，博大光显，慨然太息，憾生年之晚。七八年来，复有今日，顾念往昔文宴之盛，流连慨慕，又渺不复得。然则侍御之官与年不甚丰，而幸生无事，自少逮老，优游文字，而其诗既久益为当世所贵重，斯其幸不幸又岂以穷达修短为哉？嗣君寿民大令属校侍御之诗，因为之序其略，而以侍御生平与世运升降相发明，附著之，寄余慨焉。

又罗汝怀序（同治五年撰）云：

……或以绿萼梅画扇属题，周翁者为七言律诗四章。先生怫然谓余曰："某君自负时艺老宿，则谈时艺可耳，何用作诗？如此题者，数绝句足以了之，而若是繁重乎？盖自乾嘉之际，一二学使者提唱（倡）风雅，邦人靡然从风，流连景物，矜尚藻采，题多赋物，作必连篇，时之风尚使然，莫以为诗之道不如是也。" ……一夕远水清澄，斜影荡漾，先生曰："吾昨独游于此，得句云：'夕阳空翠无人到，自棹孤舟一叶来。'殆以喻独得也。" ……先生天机清旷，风趣流溢，略无宿物著其胸肌，故出语疏俊，雅近眉山，而性术挚厚，萦系家国，恋眷友朋，时具往复缠绵之致。就其深处绎之，可生人流连慨慕之思。……

各于作者境诣风旨有所申说，录资并览。

咸丰二年先生再官御史，翌年忽以细故获咎，其事亦颇足述。左宗棠与为友，且姻家也，所撰《前江南道监察御史黎君墓志铭》记此云：

> 时都城方戒严，君奉命驻京城。一日语守者曰："城上宜多积砖石。"守者慢诺之。君督责急，谓："明日不具，将治尔！"守者惧获罪，走诉诸大僚，言御史恐我明日寇将至也。大僚闻于朝，以恇扰降官。

略举其概，而委曲未尽。罗汝怀《清故监察御史前翰林院编修黎君传》所叙有云：

> 癸丑春，派巡视东城，时有请添派守城人员者。上谕："毋庸添派，即分派巡城御史。"是时粤贼踞江宁，分股北窜，及于静海独流，君忧甚。十月朔，有湖北人直南斋者来告曰："天津已有贼踪。"君故警动，即驱车至广渠门，周视城堞，守具不备，遂谕门领达兴阿严密防范，预储石块，以为堵御。翌日，巡防处王大臣传问，谓其张皇。当君语门领时，有"明日"二字。楚人谓"明日"者，犹言他日，而门领执为次日。或谓君但诣某王自陈，事当解。君曰："褫职耳，何降志为？"及事下部议，朝士皆谓君思患预防，非私罪，宜从轻拟，独协揆某公坚持从重，遂镌五级。

差详，盖先生曾书告罗氏也。（罗氏序先生诗集，有云："当先生被议左迁，曾详书其由以贻余。"）先生手书日记，并承劭西假读，是年所记关于此事者，摘录如下，以资印证：

（五月十九日）本日见钞，五城添派御史共十二员，吉云派巡东城。

（九月二十六日）饭后出城，至广渠门查门弁兵丁。缘皇上批何赓卿请添派御史查门之折，旨："无庸添派，即着五城御史稽查。"中城陈琴山拈走，广渠派袁幼泉与我专查，故往彼也。

（十月初一日）未刻金可亭来此，言天津有了贼。闻此心甚着急，即套车至广渠门谕该门领达兴阿严密防范，并谕："警信若加紧，城门不免有要关闭之时，甚至要将大石块堵塞。此处隔巡防处甚远，汝当预至该处回明，并先筹起石工费。"又见城上带兵章京，问及守垛之具，诸多未备，心更着急，因将纸条书写"赶紧诣巡防处具领守垛一切应需之件"云云。又到城上周阅一晌，天色将晚，即便回寓。至半晚，忽有李参将偕一守备来，言定王爷叫他来问如何向门领说的。我即述前言。参将即去。因臣谕该门领之时，或口称"明日怕要关城"，此"明日"二字系南边口腔，作"将来"二字看，并非即指次日也。该门领或是误会此二字，不可不遣人说明，因嘱杨八于天未明时即持名片往告以不可误会。

（初二日）东城遣差送到联台长一札，亦是问明昨事，即据实呈复。

（初三日）半（未）刻有东城差役送一札来，巡防处王大臣传往说话，即坐车至其处，见惠王，定王，恭王，花、联、罗三台长，孙符翁，璧心泉数人，旁问我供词。缘门领达兴阿具呈控我，并谓我遣人持名片去是求他上去含混说下。当具亲供据实写明，即回寓。

（初四日）巡防王大臣联衔奏请将我交部严加议处，未知折内所说云何。

（十二日）本日吏部奏我处分，降五级调。闻各堂都说此事因公，不可拟私罪，惟贾筠堂协揆定要从重，功司司员呈三个样子：一降二级留，一革留，一即降五级调用。贾执意用此，奏入，依议。我生官运至此遂决绝矣。此次复来，本为蛇足，今年两次遣人持印结告病，皆不果，必待镌级以去，合是数定。况此时官爵，毫无足恋，岂复有顾惜之心？惟耿耿孤忠，既不见谅于同朝，复不邀鉴于主上，天实为之，谓之何哉！

读之益详此事之原委焉。事缘急公，以方言之偶被误解，遽获降五级调用之处分，贾桢（时以吏部尚书协办大学士）之力主从重，可谓刻矣。“明日”可作“将来”之意用，即如北京语“明儿个”，犹言“明日”，亦每泛指“将来”，不只作“翌日”解也。以“天津有了贼”相告之金可亭，名国均，湖北黄陂人，道光戊戌榜眼。先生自道光癸巳通籍，至是凡二十年，入台以后，未迁一阶。咸丰二年日记有云：

（七月十六日）九点钟引见，奉旨补江南道监察御史。吉云于道光庚子年冬即补是道缺，越十三年仍由故步，可笑也。然此十三年中，飞黄腾达者固不乏人，而降黜死亡者亦自不少，今得仍居原官，而儿子福畴亦挂名朝籍，且系吏部，亦随带领引见各员之后仰觐天颜，讵非厚幸？

（十二月初二日）出门拜数客，知明年河工，本衙门已送京畿道长君，余所谋皆成画饼，世事之艰如此。

（初十日）五点钟进内引见，梁子恭得。数年为人抬轿，曾不能分一勺之波，可悲亦可笑也。

盖不免自嗟淹滞。（咸丰三年七月《六十初度言怀》诗所谓“官职迍邅鱼上竹”也。）其官御史事，罗氏所为传，除前引一节外，所叙云：

庚子……擢江南道监察御史。明年充会试监试。派稽查颜料库事务。吏盛饰供张，醵金为寿，君一切却之。库物例由内动（务）府官庭领，其后仅持名刺领状取物，相沿久矣。君一遵旧例给发，领状积百余纸，而内务府官来领者不过一二，冒领之弊顿革。湖南解蜡，库匠斥蜡坏，延不出结，君取向所收蜡较之，无少异，遂收蜡革匠，自是库役无敢需索。解官至私宅求见，君使人谓之曰："收蜡，公也，非私厚尔，何谢为?"卒不见。壬寅署兵部刑科掌印给事中。当是时，海氛大肆，要挟无已，而当事惮发难，多主〔输〕款，君陈封事十余，语多直切，遂失执政意，而君亦以外艰归矣。丙午起补山东道监察御史，复力陈时务，论难侃侃。时有五御史之目，君居其一，而皆不见用，相继引退，君抑塞不自得，亦移疾归，赋诗见志，世所传《都门留别》八首是也。文宗显皇帝登极，政治日新，大开言路，中外朋旧咸趣君，君亦思勉图报称，起补江南道监察御史，转四川道。派充武乡试监试，中式百六十四名，所监张字围取中五十五名，一二三五名皆在围内。先是，君假归时，粤西寇事孔棘，朝廷命湖广总督某驻衡州相机防御。君于会垣遇新化邹汉章谈楚粤厄塞。汉章故精舆地之学，为一夕作图数纸。君大喜，挟图往见总督曰："公婴防务，岂第'身居城，卒支更'已乎?"总督曰："然，不过如此。抑更有何术?"君乃出图授之，并商控制之法而别。其后贼卒由全州入楚，豪无防御，故君首劾之，复奏陈兵事八条。其筹饷条：分户口为三等，上户每日输钱十文，中户五文，下户免输。合直省州县凡千四百四十九缺，省会市镇多至十数万户，简僻州县亦万余户，截长补短，每县以上中二万户为

> 率，约计月得五百余万金，岁得六千余万金。如以为扰，则周官口率出泉，汉制人出一算，古以口计而不虞其扰，今以户计独虞其扰乎？又请革步军统领衙门积弊：步军二万一千一百八十五人，分布周列，此八旗禁旅之制，至今日几同虚设，且添办事名目，二十四旗，旗五人，皆出召募，饷银悉归其手。其正身旗人注籍在营者，并不当差，但食甲米，虚伍缺额，不足十之一二，预雇无赖应卯，以备稽查，应请革办事之名，除召募之弊，月粮由各旗都统躬同印房章京放给，庶饷不虚糜，兵归实用。又言：步甲每名月支饷银两半，不足应事，莫若并三为二，兵贵精不贵多，人减饷增，以期鼓励。操练武艺，当责成健锐、火器两营，简派多名，勤为教习。盖君之奋发忠直，期于有为，出自天性，不可遏抑，如此。

其为御史盖若斯。所劾湖广总督某，程矞采也。日记所云“儿子福畴”，系其长子，以咸丰壬子进士为吏部主事，旋改知县，官直隶藁城县，用军功保直隶州知州，署安徽宁国府知府，兼摄泾县事，以劳卒于任，恤典准知府例，加赠太仆寺卿，荫子知县（附见传末）。曾国藩有联挽之云：“四十年忧患饱经，叹白发早生，襟韵真如古井水；二千石谋猷初试，只丹心不死，精魂长绕敬亭山。”又代弟国荃挽之云：“湘妃白眼随愁长，有德配远道相从，一曲鸾飞，不得见夫婿声音笑貌；谢朓青山带病看，叹使君到官遽逝，千里鹤返，应眷恋宣州城郭人民。”

——民国廿五年

曾国藩撰《江忠源神道碑》，其铭词起句云：“儒文侠武，道不并张，命世英哲，乃兼厥长。”语极雄健。忠源，故湘军将帅中最有奇气者也。其于道光丁酉捷乡试后，公车入都，过国藩，款语移时去。国藩目送之曰：“平生未见如此人。”既而曰：“此人必立名天下，然当以节烈死。”斯节屡见诸家记载，薛福成代李鸿章所拟奏陈国藩忠勋事实疏稿亦述为国藩知人之明之一证。而据欧阳兆熊《水窗春呓》，则预言其死难者，乃黎吉云。其说云：“忠烈少时游于博徒，间亦为狭斜游，一时礼法之士皆远之，予独决其必有建竖，故吴南屏集中与予书颇以为怪。忠烈用兵以略胜，在中兴诸公之右，至今名满天下。初至京师，人未之奇也。惟黎樾乔侍御，一见即言此人必死于疆场，人亦不之信，亦不知其以何术知之也。其下第回南时，三次为友人负柩归葬，为人所难为，曾文正公以此赏之，令阅儒先语录，约束其身心。忠烈谨受教，然其冶游自若也。”兆熊与吉云同籍湘潭，与忠源为乡试同年，又国藩之友，其言似非羌无故实者。独而以此属诸吉云，或黎语犹在曾先耶。意者忠源英锐之气，呈于眉宇，遂料其必有奇节耳。

——民国廿一年

一五　咸丰军事史料

洪杨之军起事后，咸丰三年攻长沙不克，十月趋岳州，陷之。旋于十一月、十二月相继陷汉阳、武昌，（湖北巡抚常大淳等死之。）翌年正月，九江、安庆均不守，（安徽巡抚蒋文庆等死之。）二月遂陷南京，［两江总督陆建瀛（先以督师败退夺职）等死之。］建太平天国首都于此。（提督向荣以钦差大臣督师踵至，扼诸国门。）盖方兴之势，所过如摧枯拉朽也。湘潭黎吉云手写日记，卷后附有摘录左宗棠等三书，均他处所未见，述当时情事颇悉，可供研考咸丰初年军事者之参稽，特移录于次：

> （邓弥之世八兄有友人与之书言）咸丰二年博勒恭武守岳州，贼来，先遁入武昌，其所带兵即在城外抢夺，声言贼即至，因而常抚仓猝将九门坚闭，烧城外民房，周围数十里，四昼夜火光烛天，民不及避，自尽自溺及焚死者约万余人，文报遂绝，薪米遂无从采买。常抚又将京口一带戍兵全撤守城，故贼水陆并进，无人侦探。常抚又屡促焚汉口镇、汉阳城外数十里民房，十一月十二日辰刻纵火。汉口张司马夜逃，义勇四千遂大肆劫掠。汉阳守兵三千，缒城奔溃，多溺死者，亦存空城。贼只数十人，梯而入，皆从陆路来者。武昌城头自初九开炮，十二日止，见船即打碎，凡三百余艘，皆良民难民。向提军在武昌城外与

贼接仗小胜，贼近濠溃窜，川兵欲出击。双□（按：此字不可辨。是时双福以江南提督入城助防，与常大淳同殉难，此似应为“提”字或“福”字，惟字形颇不类）常抚禁止之，兵皆解体。十二月初四日黎明，贼十余人梯上保安门，守兵六百名一齐缒城逃散，未开一枪而城已陷。是日戕官五百余人，烧常抚尸，戮民积尸高与城齐。城外发冢。已而协从之贼十余万，分水陆弃武昌而下。自十一月至除夕，文报探报皆不得确，人心大乱。

江西去年八月，民已纷纷移徙，赖当途厉禁，半月始定。自汉阳失守，难民泊九江者数千艘，城郊一夕数惊。先是，官兵守官牌峡，又有铁炮横江，绅民出丁夜巡，颇为安堵。署道有移关入城之议，众始惧。及撤戍移炮，民益惧。福建音镇带两卒强入城，宿土地祠，大员无肯驻城外者，官眷纷纷下船，署道又不肯稍轻其税，致船只蔽江面，日夕相惊，民皆胆落，遂于十一月二十日至二十五日城郊一空。

正月初四，制台使水师下巢湖扼贼，自领于初六日出城。水师遇贼，只开一炮，见贼众而援兵尚杳，各船溃散，袁都司自沉于江。恩镇退还，见援兵只三百人，亦沉于江。制台令此三百人在姑塘听调，为贼轰散。

初八日江西抚张遁往瑞昌，九江全城官皆遁。十一日贼数十人入城，城无一人，惟将火药、器械及粮台钱米取去，扬帆东下。张抚在瑞昌，又退至德安，十七日退回省城，从者亦寥寥无几。

（又厚甫与其子书）恽臬司于十一月中旬驰赴浔郡，张抚于十二月初四日启节前往，统带兵勇合计六千八百有奇。陆制军于新正初三日率师抵浔，统水陆两营兵三千名，勇二千名。张抚初八日拔营由陆路至瑞昌县。刚到县城，而向军门已轻骑前来，始知贼兵已过道士袱矣。维时浔郡存城兵不满千。制府进师，始过下巢湖。未至武穴镇，即值船千余蔽江而下，以木牌卫锋，继以空船燃火，我兵枪炮齐施。迨炮已放尽，人力已竭，而两兵始至，中其奸计，前锋恩镇落水死。制府当即回舟，至九江，星夜放下彭泽，犹欲等待向军门一晤，乃贼之前队亦已驶至，放火箭焚其坐船，因另坐小江船回保金陵。张抚所带兵勇，不战而溃，旋即退守德安。正月十一午陷九江城。廉访观察督办粮台，于初九日避往姑塘。当贼船初入瑞境也，向帅率疲卒二千，由间道驰至马头，见我兵恇怯，亦为束手。嗣见后队只千余人，在下巢湖岸边游奕，向军门即亲率兵数百，思一击以少挫其锋，讵知甫杀贼百余，而大队抄围，中其诱兵之计，阵亡都守四员。向军门跨马渡江，水已没腹，几不可保。贼船泊小池及下游十八套一带。中丞于十六日返省。（按：此书有眉注云："方其泊于小池口等处之时，若有数百敢死之兵，涉险宵济，乘风纵火，贼船虽众，不为灰烬，亦遭覆没。惜乎兵已早溃，失此一大机会也。”未知是否亦录自原书，抑黎氏所加按语也。）

（二月十八日接左季高信云）武汉两城，遗胔骈积，尸横遍野，武昌滋生局收埋至一万有余，以五堂合计，当不下七八万，而贼所屠戮旋经焚毁者，不知凡几，丁男少女被掳上船之际悲愤自沉者，又不下万余人。汉阳一城，半遭虐焰，计亦不下数万人。惨哉！武昌土人云：贼未来之先，官计算丁口，共七十余万人，今其存者不过十有余万，又皆老弱尫羸气息仅属之人。湖北兵饷堤工每岁约需八十余万，自二年十一月以后，至今应领之款二十余万，迄无以应。

贼于正月十一过九江，守兵尽溃，文武先逃。贼入城不一日旋即挂帆东下。十七日未刻抵安庆，戌刻城陷。文武先营城外，贼至不知所之。贼以空城无所得，举火延烧衙署房屋，火至七日未熄。贼于十八日登舟，驶金陵。

二十八日围金陵，二月十一日失守。向荣十二日始至六合，而琦善、陈金绶尚无信。若向提军由池州太平一带陆路取道高淳，亦可速赴金陵。

又云：真长发贼不过二千有奇，余惟衡、永、郴、桂新附之兵，颇能战。萧朝贵韦正实伏冥诛，洪秀全不知实有其人否，即使有之，亦碌碌无能为。惟杨秀清苍滑异常，贼中一切皆其主持。现在诸贼饱掠

> 思归，即老贼亦多怀异志，只缘蓄发已长，出则为官军所杀，是以不敢轻离其党。若官军能得一大胜仗，出示招降，毋论长发短发，投诚概予免杀，示以大信，事犹可为。贼志在子女玉帛，不过盗贼之雄。杨秀清之所以能用众者，只在一严字。我自军兴以来，糜烂数千里，用款至二千万，未尝戮一逃将，斩一溃兵，事安得不败？余长清弃道州不守，贼遂围长沙；福兴不肯结营龙回潭，贼遂由长沙窜去；博勒恭武弃岳州不守，贼遂围湖北。此三提督不即在军前正法，何以作士气而振军威？诸将如瞿腾龙、朱占鳌、郑魁士、戴文兰、全玉贵、邓绍良，皆可当一面。

盖均咸丰三年春间之书，堪为当时情态旁证之资料。〔萧〕、韦均洪、杨方面之重要人物。咸丰三年正月上谕，谓："张亮基奏查明逆匪萧朝贵业已轰毙等语。萧朝贵一犯，系贼中著名凶悍首逆，伪号西王。经生擒逆匪罗五等供称，该逆前在长沙城外被炮轰毙，尸埋老龙潭地方，现已起获尸身。验明枭挫。……"是萧朝贵固以被炮轰毙入告，他记载亦大率云然，左书乃以"冥诛"为言，似病终矣。又按：骆秉章自订年谱咸丰二年云："萧朝贵犯长沙时，尚幸城垣甫经修好，当与罗苏溪、鲍军门登陴守御。……贼于七月二十八日直扑南门，城上点放铜炮，将萧朝贵打伤。……张石卿于八月二十四日入城，即于是日交卸巡抚篆务。八月萧朝贵因伤身死。"则受伤与身死并非同时，与张亮基继任巡抚后所查奏亦有异。韦正即北王韦昌辉，系被杀于咸丰六年南京之内讧，此时亦谓“伏冥诛”，自属传讹。至“洪秀全不知实有其人否”，颇奇，然不足深怪，盖杨氏握大权，清人方面，对敌军内部，消息隔膜，不免致疑于洪氏之有无，当时固异说纷纭也。

——民国廿五年

一六　陈宝琛

张之洞以大学士卒于宣统元年己酉，是年归榇，陈弢庵（宝琛）送以诗云：

风吹尘沙如黑烟，城郭惨澹飞纸钱。
弥天心事一棺了，丹旐此去无时还。
为臣独难古所慨，谢安裴度宁非贤。
移山逐日老不给，矧更百虑镵其天。
漫漫修夜大星失，觇者于国犹哀怜。
寸丹灰尽料未死，傥龥宗祖通灵乾。
太行蜿蜒送公处，卅载岂意重随肩。
对谈往往但微叹，此景追味滋涕涟。
九原何者算无负，踯躅四顾伤残年。

语甚沉楚。陈于同治间入翰林，光绪初年，与之洞及张佩纶、宝廷等同为清班中最以敢言著者，主持谠议，风采赫然，锋棱所向，九列辟易，时称清流党焉。订交最早，情文相生，与祭文“吾之交公也以天下，哭公也亦以天下，而无所为私，独以三十年之离索，犹及生存数面，濒危一诀，盖亦非人之所能为”，挽联“有注海倾河之泪，近忧远虑，窥微早识病难为”，墓志铭“初宝琛与公接膝京师，谬引同志，里居一访公广州，前后契阔几三十年。前岁入都，见公道孤志励，气郁虑煎，私用忾叹，孰图会遭而诀遽哉?”等语，均见投分之深。之洞于光绪七年辛巳以内阁学士授山西巡抚，宣统三年辛亥陈又以阁学授晋抚。遥遥相对，相去适三十年。“随肩”之句，若语谶焉。惟陈未及之任，即开缺以侍郎候补，偕大学士陆润庠授读毓庆宫。（民国四年乙卯，袁世凯营帝制，润庠以忧恚卒，陈挽以联，有“来日大难，及此全归天所笃”之语。）当时或为其失开府惜。未几革命军起，晋抚陆钟琦死之，乃群叹其福命之优。鼎革以还，久寓故都，同光老辈，鲁殿巍然，年近九旬，神明弗衰，书法清腴，犹能于灯下作小楷，所为诗视壮年益精密，说者谓期颐之寿，殆不难致，近者遽以病卒，耆旧凋零，闻者当有同感也。

宝廷、佩纶之逝，陈均有诗哭之。《哭竹坡》云：

大梦先醒弃我归，乍闻除夕泪频挥。
隆寒并少青蝇吊，渴葬悬知大鸟飞。
千里诀言遗稿在，一秋失悔报书稀。

梨涡未算平生误，早羡阳狂是镜机。

《入江哭箦斋》云：

雨声盖海更连江，迸作辛酸泪满腔。
一酹至言从此绝，九幽孤愤孰能降？
少须地下龙终合，孑立人间鸟不双。
徒倚虚楼最肠断，年时期与倒春缸。

真挚可诵。佩纶当马江失事后，陈丁母忧，挽以联云：“狄梁公奉使念吾亲，白云孤飞，将母有怀嗟陟屺；周公瑾同年小一月，东风未便，吊丧无面愧登堂。”（此据李岳瑞《春冰室野乘》。黄哲维《花随人圣盦摭忆》云：“周公瑾三字，当作孙伯符，盖伯符小于公瑾也。”按：《三国志·周瑜传》裴注引《江表传》载孙权母谓权曰：“公瑾与伯符同年，小一月耳，我视之如子也，汝其兄事之。”是公瑾实小于伯符，《野乘》所载似未误。哲维殆因“兄事”之语而联想偶失欤。）皆清流党之哀音也。陈与佩纶之交尤笃，佩纶墓志，亦陈所撰，于马江之役，颇为申雪云。

陈以同治甲子科举人（乙丑补行福建乡试）成戊辰科进士，改庶吉士，年甫二十一也。辛未留馆授编修，光绪元年乙亥大考二等，记名遇缺题奏，回翔翰詹，迭司文柄。壬午以侍讲学士简江西正考官，转读学，就简江西学政，翌年擢内阁学士。甲申中法衅起，与佩纶（侍讲学士）、吴大澂（通政使）同受命参军务，吴会办北洋，陈会办南洋，张会办福建海疆。佩纶最用事，以马江之败遣戍。陈与江督曾国荃颇不相得，未能有所展布，旋以尝保唐炯、徐延旭（唐、徐以滇抚、桂抚督师获重咎），交部严加议处，遂降五级调用。三会办惟大澂幸无恙（十年后亦缘甲午军事罢湖南巡抚）。当陈与佩纶获谴时，谑者为一谐联云："八表经营，也不过山西禁烟，广东开赌；三洋会办，请先看侯官降级，丰润充军。"嘲陈与二张也。之洞山西巡抚谢恩折有"职限方隅，不敢亡经营八表之略"之语，在晋禁烟颇力，督粤弛禁闱姓，故云。惟陈实籍闽县，非侯官。沈太侔《东华琐录》谓"嘲张幼樵、林少穆、张香涛"，盖因侯官而误，此时安得有林少穆（则徐）乎？甲申军事，之洞方为两广总督，以广西冯子材等谅山大捷，论拨军筹饷功，赏戴花翎，朝眷日厚，视陈与佩纶荣枯判然矣。宝廷先罢，（壬午以礼部右侍郎典试福建，覆命途中纳妾，褫职。）佩纶与陈继之，清流党遂瓦解。

陈得镌级处分，时已丁母忧，归里不出，迨己酉（宣统元年）以荐起，奉召入都，优游林下者二十余年矣。再补原官，总理礼学馆，充资政院钦选议员（以硕学通儒资格）。既开山西巡抚缺，以候补侍郎直毓庆宫，旋授正红旗汉军副都统。清室逊政后，洊加太傅。比闻其旧君予饰终之典，晋赠太师，谥曰文忠。

庚辰（光绪六年）午门李三顺一案，陈于太后盛怒之下，抗疏力诤（张之洞和之），收匡救之效，尤为清流党出色之举。其门人陈三立挽诗“早彰风节动宫闱”之句，谓此也。（其事另详《庚辰午门案》篇。）

陈与三立，三立为其壬午典试江西所得士。师生均工诗。宝廷壬午典闽试，所得士如郑孝胥（解元）、陈衍、林纾（时名群玉），后亦为陈诗友。（陈和纾诗有句云：“读书博簺等伤性，多文为富君勿贪。”时纾以译小说所入颇丰，又喜作麻雀之戏也。婉而多讽，诚隽语。）

陈寿八十八。其翰林前辈（同治乙丑，早一科）曾为同治师傅之张英麟，卒于民国十四年（乙丑），寿亦八十八，晚年亦甚健。张适届旧例重宴琼林之岁，陈且逾七年。

——民国廿四年

一七　庚辰午门案（附述神机营事）

清光绪六年庚辰，有午门护军与太监争殴一案，朝野注目，其事甚可述。八月十二日，孝钦后命待奄（侍阉）李三顺赍物出宫，致其妹醇王福晋。至午门，以未报敬事房知照门卫放行，护军照例诘阻。三顺不服，遂至争哄。三顺以被殴失物归诉。孝钦时在病中，怒甚，言于孝贞后，必杀护军。事下刑部暨内务府审办。八月十三日上谕：“昨日午门值班官兵有殴打太监以致遗失赍送物件情事。本日据岳林奏太监不服拦阻与兵丁互相口角，请将兵丁交部审办并自请议处一折，所奏情节不符。禁门重地，原应严密盘查，若太监赍送物件，并不详细问明，辄行殴打，亦属不成事体。着总管内务府大臣，会同刑部，提集护军玉林等，严行审讯。护军统领岳林，章京隆昌，司钥长立祥，着一并先行交部议处。”盖据阉人一面之词，坐罪护军也。谳三上，后以为轻，饬更审拟。十一月二十八日覆奏，仍执前议。二十九日奉上谕：“午门值班护军殴打太监一案，曾谕令刑部内务府详细审办，现据讯明定拟具奏。此案护军玉林等，于太监李三顺奉使赍送物件，竟有拦阻殴打情事，已属荒谬，该衙门拟以玉林从重发往吉林充当苦差，祥福从重发往驻防当差，觉罗忠和从重折圈三年，并将岳林请旨交部议处，自系照例办理。惟此次李三顺赍送赏件，于该护军等盘查拦阻，业经告知奉有懿旨，仍敢抗违不遵，藐玩已极，若非格外严办，不足以示惩儆。玉林、祥福均着革去护军，销除本身旗档，发往黑龙江充当苦差，遇赦不赦；忠和着革去护军，改为圈禁五年，均着照拟枷号加责；护军统领岳林着再交部严加议处。至禁门理宜严肃，嗣后仍着实力稽查，不得因玉林等抗违获罪，稍形懈弛。懔之！”对护军不惜格外重处。而于阉人之违例，不置一词。此谕既颁，闻者骇然，以其长阉人之焰，流弊甚大也。至十二月初七日，乃有改定罪名之两宫懿旨：“午门值班兵丁殴打太监一案，护军玉林等因藐抗获咎，原属罪有应得。惟念门禁至为紧要，嗣后官兵等傥误会此意，稍行瞻顾，关系非轻，着格外加恩。玉林改为杖一百，流二千里，照例折枷，枷满鞭责发落；祥福改为杖一百，鞭责发落；忠和改为杖一百，实行责打，不准折罚钱粮，仍圈禁二年，圈满后加责三十板；护军统领岳林，免其再行交部严议。太监李三顺，着交慎刑司责打三十板，首领太监刘玉祥，罚去月银六个月。至疯犯刘振生混入宫禁，已将该管首领太监等分别摘顶、罚银、斥革、责打发遣，以示惩儆。仍着总管内务府大臣恪遵定制，将各该太监严行约束。禁门重地，如值班人等稍有疏懈，定当从严惩办，决不宽贷。”（刘振生混入宫禁，为是年之另一案。）护军处罚减轻，阉人亦得薄惩，并有严行约束太监之命，可谓差强人意。此案之结束如是，其间之转圜盖大不易也。

翁同龢当时对此案之经过，以次略有所记。其八月十三日日记云：“中官出午门，为禁兵拦阻，争扭。将禁兵交刑部，而中官云受伤。”

十月二十日云：“刑部奏结太监被午门护军殴打一案，奉旨再行讯问。（未见明发。）”

十一月初七日云：“刑部内务府会审午门之兵与内监互殴一案，内监无伤，而门兵问军流。折上，奉旨情节未符。盖至是已再驳矣。”二十七日云：“昨日内府、刑部奏午门案，懿旨将抗旨例查出具奏。今日覆称，抗旨无例，照违制例，抗即违也。”二十八日云：“夜访吴江相国（按：协揆枢臣沈桂芬也），知昨日午门案上，圣意必欲置重辟，枢臣力争不奉诏，语特繁。今日传谕内务府、刑部堂官，仍须加重罪名也。窃思汉唐以来，貂珰之弊，往往起于刑狱，大臣无风骨，事势渐危，如何如何！”二十九日云：“是日内、刑两处封奏，并呈律例一册，奉旨将护军两人加重发黑龙江，遇赦不赦，又一人系觉罗，尤重，圈禁五年，护军统领岳林加重严议。”

十二月初七日云：“钦奉懿旨：午门殴打太监一案，将首犯杖一百，流二千里，折枷，余犯皆减。涣然德音，海内欣感。前日庶子陈宝琛、张之洞各有封事争此，可见圣人虚怀，大臣失职耳。既感且愧。”

所记虽简略，可见此案自发生至结束之过程，盖以枢廷刑部等之争持，护军得免死，而仍格外从重定罪。大臣不敢再争，最后得陈、张二庶子抗章论之，始得从轻改处。二庶子挽回已定之局，其力伟矣。

张之洞时官左庶子，陈宝琛时官右庶子。（均兼日讲起居注官。）其因此案上疏之情事，据闻十一月二十九日重处护军之上谕既颁，陈氏以此案若竟如此结局，关系甚巨，决意上疏争之。张佩纶（时官侍讲）与过从最密，知而告之洞。之洞曰：“吾亦欲上一疏，为同声之应，惟此事只可就注意门禁裁抑宦寺立言，蕲太后之自悟，勿为护军乞恩。太后盛怒之下，不宜激之，致无益有损。”陈疏稿略如其旨，而正疏之外，并附一片，则仍争此案处分之失当。之洞闻之，亟致一笺，谓“附片万不可服”，以药名作隐语也。十二月初四日，两人之疏同上。之洞旋于直所晤陈，复问曰：“附片入药否？”曰：“然。”之洞顿足曰：“误矣，误矣！”孝钦览疏，为之感动，遂于初七日特颁懿旨。此案既结，之洞喜而谓陈曰：“吾辈此次建言，居然获效矣。请问附片中究是如何说法？”陈为诵数语，之洞乃大赞其词令之妙，示推服焉。斯亦张、陈一出色之举。陈之胆力，及为义之勇，尤过于张也。《张文襄公年谱》（胡钧重编）所记云：“十二月因案与陈弢庵太傅交章奏请裁抑阉宦，恭亲王见而称赏，谓同列曰：‘此真奏疏也！’先是，有中官率小阉二人，奉内命挑食物八盒，赐醇邸，出东右门，与护军争殴，遂毁弃食物，回宫以殴抢告。两宫震怒，立褫护军统领职，门兵交刑部，将置重典。太傅拟上疏极谏，公谓措词不宜太激，止可言渐不可长，门禁不可弛，如是已足，我当助君言之；若言而不纳，则他事大于此者不能复言矣。太傅以为然，改正义为附片，有云：‘皇上尊懿旨，不妨加重；两宫遵祖训，必宜从轻；出自慈恩，益彰盛德。’公犹虑其太峻，夜驰书，谓附子一片请勿入药。太傅以示幼樵侍讲。侍讲曰：‘精义不用可惜。’卒上之。公闻而叹曰：‘君友谏不纳，如何能企主上纳谏乎？’翌日以俄事遇太傅于直庐，问消息如何。曰：‘如石投水。’意谓留中也。又数日，两宫视朝，谕枢臣此案可照原议，毋庸加重。公闻之，折简与太傅云：‘如石投水，竟成佳谶。’”与余所闻者盖大致相同，可印证。（十二月初七日颁懿旨，孝钦是日似未力疾视朝。）此附片措词最难，妙在得体。

张之洞于《抱冰堂弟子记》（罗惇曧《宾退随笔》云："托名弟子，实其自撰也。"）自述此事云："庚辰、辛巳间官庶子时，有中官率小阉两人，奉旨挑食物八盒赐醇邸。出午门东左门，与护军统领及门兵口角。遂毁弃食盒，回宫以殴抢告。上震怒，命褫护军统领职，门兵交刑部，将置重典。枢臣莫能解，刑部不敢讯，乃与陈伯潜学士上疏切论之。护军统领及门兵遂得免罪。时前数日内有两御史言事琐屑，不合政体，（如争迁安县落花生秤规之类。）被责议处，恭邸手张、陈两疏示同列曰：'彼等折真笑柄，若此真可谓奏疏矣！'"此为张氏晚年追忆而约略记之，未及致详，且孝钦后犹在，意有所讳，于个中委曲，有不便质言者。恭王奕䜣对张、陈奏疏之称誉，当是事实。

张、陈之疏，为恭王奕䜣所叹服，均名奏议也。张疏云：

……窃近日护军玉林等殴太监一案，刘振生混入禁地一案，均禀中旨处断讫。查玉林固系殴太监之人，而刘振生实因与太监素识，以至冒干禁御，是两案皆由太监而起也。伏维阉臣恣横，为祸最烈，我朝列圣驭之者亦最严。我皇太后皇上恪守家法，不稍宽假，历有成案，纪纲肃然。即以此两案言之，玉林因藐抗懿旨而加重，并非止以太监被殴也；刘振生一案，道路传闻，谓内监因此事被罪发遣者数人，是圣意灼见弊根，并非严于门军而宽于亵御也。仰见大中至正，宫府一体，曷尝有偏纵近侍之心哉？惟是两次谕旨，俱无戒责太监之文，窃恐皇太后、皇上裁抑太监之心，臣能喻之，而太监等未必尽喻之，各门护军等未必喻之，天下臣民未必喻之。太监不喻圣心，恐将有藉口此案恫喝朝列妄作威福之患；护军等不喻圣心，恐将有因噎废食见奸不诘之忧；天下臣民不能尽喻圣心，恐将有揣摩近习谄事貂珰之事。夫嘉庆年间林清之变，是太监为内应矣。本年秋间有天棚搜出火药之案，则太监失于觉察矣；刘振生擅入宫禁，不止一次，则太监从无一人举发矣。然则太监等当差之是否勤慎小心，所言之是否忠实可信，圣明在上，岂待臣言？万一此后太监等竟有私自出入，动托上命，甚至关系政务，亦复信口媒孽，充其流弊所至，岂不可为寒心哉？相应请旨严饬总管内务府大臣将太监等认真约束稽察，申明铁牌禁令，如有藉端滋事者，奏明重加惩处。至内监出入，旧例应有门文，即使谓禁中使令繁多，向来或有便宜办理，非外廷所能尽悉者，亦望敕下总管内务府大臣、前锋统领、护军统领，妥议章程，以后应如何勘验，以谨传宣而杜影射之处，奏明遵守。其刘振生一案，如有惩办太监，亦恳明旨宣示。则圣心之公，国法之平，天威之赫，晓然昭著于天下，庶几宿卫班军，知感知悚，可以各举其职矣。臣记注之官，职在拾遗补阙。闻之《经》曰："履霜坚冰，防其渐也。"《传》曰："城狐社鼠，恶其托也。”迂愚之见，不敢不竭知上陈。伏祈圣鉴，谨奏。

陈疏云：

奏为请旨申明门禁旧章以肃政体而防流弊恭折仰祈圣鉴事：前因午门护军殴打太监事下刑部、内务府审办，未几遂有刘振生擅入宫内之事，当将神武门护军兵丁斥革。昨者午门案结，朝廷既重科护军殴打违抗之罪，复谕以禁门理宜严肃，仍当实力稽查。圣虑周详，曷胜钦服。臣维护军以稽查门禁为职，关防内使出入，律有专条。此次刑部议谴玉林等，谓其不应于禁地斗殴，非谓其不应稽查太监也。谕旨从而加重者，谓其不应藐抗懿旨，亦非谓其不应稽查太监也。虽然，藐抗之罪，成于殴打，殴打之衅，起于稽查，神武门兵丁失查擅入之疯犯，罪止于斥革，午门兵丁因稽查出入之太监，以致犯宫内忿争之律，冒抗违懿旨之愆，除名戍边，罪且不赦。人情孰不愿市恩而达（远）怨，其于畏祸孰不愿避重而就轻，虽谕旨已有不得因玉林等藐抗获罪稍形懈弛之言，而申以具文，先以峻罚。兵丁有何深识，势必惩于前失，与其以生事得罪而上干天怒，不如隐忍宽纵，见好太监，即使事发，亦不过削籍为民，此后凡遇太监出入，但据口称奉有中旨，概即放行，再不敢详细盘查，以别其真伪，是有护军与无护军同，有门禁与无门禁同。方今圣主冲龄，海宇多事。秋间道路纷传，禁中有天棚藏置火药之事，人心惶惶。此辈阉寺，岂尽驯良，大则如嘉庆间太监引贼入内之案，小则如乾隆间偷窃库银遗失陈设、道光间携带违禁器械之案，似不可不深思而远虑也！不独此也，本朝宫府肃清，从无如前代太监假窃威福之事，盖由列圣防驭之严，二百年中，但有因太监犯罪而从严者，断无因与太监争执而反得重谴者。臣愚以为此案在皇上之仁孝，不得不格外严办，以尊懿旨，而在皇太后之宽大，必且格外施恩，以抑宦官。今该护军既不能邀法外之仁，则太监无知，方将快心满意，藉此以陵侮护军，藐视祖制，此后气焰浸长，往来禁闼，莫敢谁何。履霜坚冰，宜防其渐。查内监出入，向须报明景运门，发给门文，各门方放行，谓之报门。臣伏读高宗纯皇帝圣训："凡宫物出门，俱向敬事房景运门给票照验，钦此。"又律载内监并奉御内使，凡遇出外，各门官须要收留本人在身关防牌面，于簿上印记姓名及牌面字号，明白附写前去某处，干办何事，其门官与守卫官军搜检沿身别无夹带，方许放出，回还一律搜检，以凭逐月稽考出外次数，如有不服搜检者，杖一百，发附近充军，门官及守卫官军失于搜检者，与犯人同罪。我朝成宪，本极严明。拟请旨申明定章，饬下护军统领等衙门，嗣后仍照旧例报门者方许放行，庶有稽查之实，而无抗违之误，以重差使而杜冒混。并请特旨饬谕内务府，约束太监等，以后均当恪遵定制，益加敛抑，如有骄纵生事不服稽查者，必当从严惩办。既以仰符列圣杜渐防微之至意，亦使天下臣民知重治兵丁非为殴打太监，亦非偏听太监赴诉之词，则群疑释然，弥彰宸断之公允，大局幸甚！是否有当，伏乞皇太后、皇上圣鉴。谨奏。

附片云：

再臣细思此案护军罪名，自系皇上为尊崇懿旨起见，格外从严。然一时读诏书者，无不惶骇，盖旗人销档，必其犯奸盗诈伪之事者也。遇赦不赦，必其犯十恶强盗谋故杀人之事者也。今揪人成伤，情罪本轻，即违制之罪，亦非常赦所不原，且圈禁五年，在觉罗亦为极重。此案本缘稽查拦打太监而起，臣恐播之四方，传之万世，不知此事始末，益滋疑议。臣职司记注，有补阙拾遗之责，理应抗疏沥陈。而徘徊数日，欲言复止，则以时事方艰，我慈安端裕康庆昭和庄敬皇太后，旰食不遑，我慈禧端佑康颐昭豫庄诚皇太后，圣躬未豫，不愿以迂戆激烈之词，干冒宸严，以激成君父之过举。然再四思维，我皇太后垂帘以来，法祖勤民，虚怀纳谏，实千古所仅见，而于制驭宦寺，尤极严明。臣幸遇圣明，若竟旷职辜恩，取容缄默，坐听天下后世执此细故以疑议圣德，不独无以对我皇太后、皇上，问心先无以自安，不得已附片密陈。伏乞皇太后鉴臣愚悃，宫中几暇，深念此案罪名有无过当。如蒙特降懿旨，格外施恩，使天下臣民，知至愚至贱荒谬藐抗之兵丁，皇上因尊崇懿旨而严惩之于前，皇太后因绳家法防流弊而曲宥之于后，则如天之仁，愈足以快人心而光圣德。昔汉文帝欲诛惊犯乘舆之人，卒从廷尉张释之罚金之议；又欲族盗高庙玉环者，释之执法奏当，文帝与太后言之，卒从廷尉，至今传为盛德之事。臣徬徨辗转，而卒不敢不言、不忍不言者，岂有惜于二三兵丁之放流幽系哉，实愿我皇太后光前毖后，垂休称于无穷也。区区之愚，伏祈圣鉴。谨奏。

张疏见《张文襄公全集》，陈疏承其孙壬孙君（鍪）借钞，并以当时关于此事致张佩纶之手札三通相示，一并移录如左："投醪之说，琅琊如肯以进，无形之匡救，不胜于外人万万哉？晨访扶桑不遇，闻赴东山，大有把臂入林之意，可笑。顷亦无兴寻臧文仲矣。蒉园世丈侍者。名心叩。""示来，深为焦急。此证诸药均多未投机，一二日内即守不服药为中医之言，亦是一法。盖杂投亦无益，不如听其机之潜转，但壮火不降，燥热难当，则惟饮瓜汁及参麦汤，以为治标之计。济川于此证未得端绪，断无灼见，其所长在温证也。且邀之未必来，来亦未必早，尤为可恨。姑由侄作字订之。侄胃间湿热，故喜茗辄呕，顷食瓜已愈。吾丈忧闷，自不能已，宜稍自譬，无任盼幸。侄宝琛顿首。”“药中尚须投附片一味，故欲亲诊此证，不急急。稍迟数日，二剂并下，更易奏功。务先止之，再渎。绳丈。弢叩。”以隐语达旨，深可玩味。其至十二月初四日始上疏，盖待孝钦事过而悔心惭萌，庶言之易入，即所谓听其机之潜转欤？陈氏同治戊辰入翰林，为张佩纶（辛未）词馆前辈，其以丈称张，以张侄人骏亦戊辰翰林与陈为同年进士之故。

诸家记载之言此案者，可供参阅。王小航（照，晚以字行）《方家园杂咏纪事附记》云：“慈禧遣阉人赴醇王府，出午门。凡阉人出入例由旁门，不得由午门。值日护军依例阻之。阉恃势用武，护军不让。阉归告慈禧，谓护军殴骂。时慈禧在病中，遣人请慈安临其宫，哭诉被人欺侮，谓不杀此护军则妹不愿复活。慈安怜而允之，立交刑部，并面谕兼南书房行走之刑部尚书潘祖荫，必拟以斩决。祖荫到署传旨，讯得实情，护军无罪。秋审处坐办四员、提调四员，皆选自各司最精于法律者也，（时刑署中有八大圣人之称。）同谓交部即应依法，倘太后必欲杀之，则自杀之耳，本部不敢与闻。祖荫本刚正，即以司官之言覆奏。慈安转告慈禧，慈禧大怒，力疾召见祖荫，斥其无良心，泼辣哭叫，捶床村骂。祖荫回署，对司官痛哭，于是曲法拟流。自是阉人携带他人随意出入，概无门禁。”于刑部之争持，及孝钦之恚怒，言之颇详，可见当时事态之严重。惟于此案之犹得转圜处，未之及焉。有谓此案之转圜，由于恭王奕䜣之抗争者。金梁《清后外传·慈禧太后》一则云：“《皇室闻见录》：凡内廷有异出物件，应由敬事房先行照门，如未照门，不得放行。光绪初，有太后赐件，未经照门，护军阻之，太监不服，互殴，奔奏。太后大怒，谓统领岳林应处斩。恭亲王曰：‘岳林失察，罪至交议，护军应斥革耳。’太后曰：‘否则廷杖。’王曰：‘廷杖乃前明虐政，不可效法。’太后怒曰：‘汝事事抗我，汝为谁耶？’王曰：‘臣是宣宗第六子。’太后曰：‘我革了你。’王曰：‘革了臣的王爵，革不了臣的皇子。’太后无以应，始如议，然怒极矣。”恭王奕䜣盖曾偕枢臣争此案，惟自领袖枢廷，已屡经挫折，此时恐未必能对孝钦以此等语强争也。意者外间以此案定局之后，忽有转圜，必由于王大臣中最有力者之力争。奕䜣以皇叔之贵，久长军机，最为朝野所属目，故传有此段情事耳。又林纾《铁笛亭琐记》云：“李三顺，阉人也。年十五六时，孝钦太后命将物件赐醇邸七福晋，行及午门，为护军所止，检视盒中何物，三顺不听检，遂哄閧久之。三顺置盒于地，奔奏太后，言守门护军不听出。孝钦适病，大怒而哭。慈安来省，问状。孝钦曰：‘吾病未死，而护军目中已无我矣。’慈安曰：‘吾必杀此护军。’于是降旨尽取护军下狱。刑曹据祖制上陈，言门禁应尔，不宜杀。慈安曰：‘何名祖制，我死后非尔祖邪？必杀！’于是谏垣争上疏，言皇帝孝，故治护军宜严，太后慈，应格外加恩，以广皇仁，以彰圣孝，云云。疏留中三日，始以懿旨赦护军，杖三顺四十。”转圜之疏，非出于谏垣，实出讲官春坊也。所记犹有未谛，与王氏均未言及事缘未经照门而起。至护军罪名，末减而已，非遽赦免。

高树《金銮琐记》云：“楚粤兼圻誉望佳，门徒冤狱久沉埋。当年触怒中常侍，凛凛弹章蔡伯喈。”自注：“予在方略馆，见旧档册有一目录曰：‘左春坊庶子（忘左右二字）张之洞折一件。’下摘事由曰：‘抑近侍以防后患。’寻原折不见。是时在己卯、庚辰间（忘其年）。醇王与李莲英同作钦差，往天津阅兵，张公上书论之，莲英衔恨甚深。叔峤遇祸，莲英欲因此倾陷张公，太后不允。此闻荣仲华相国之言。后来张公入相，杨思尹缴呈密诏，冤狱竟未昭雪，或莲英之掣肘欤。”按：醇王奕譞检阅海军，孝钦遣李阉随行，事在光绪十二年丙戌，张氏早已历阁学而外擢封圻，是年正在两广总督任，何能以庶子论此乎？（论之者，御史朱一新也。缘是降主事。）此折盖即张氏庚辰与陈宝琛以左右庶子同上论午门案之疏耳。（至云忘张氏庶子之左右，则左春坊自是左庶子，以左则均左，右则均右，无左春坊右庶子之名目也。其以戊戌之狱不获昭雪，疑李阉掣肘。按：杨锐之子缴呈德宗手谕，为宣统元年己酉事。时孝钦既逝，李已失势，岂尚能干预及此？案未平反，别有原因。其后陈宝琛在资政院提议昭雪，亦不获请。）

陈、张之疏，均言及刘振生阑入宫禁暨禁中天棚发见火药事。刘振生案，事在十一月初八日。火药案，事在九月初三日。李慈铭十一月初九日日记云："闻昨日晡时，有人衣青布裘直入慈宁宫门，至体元宫西暖阁下，持烟筒吸烟。时慈禧皇太后将进膳，闻咳声，问谁何，应曰我内监。执之，询所来，曰自天上来。来何为，曰来放火。此异事也。先是，九月初，乾清宫彻凉棚，有火药铺席上，及藏引火具于架间者。有旨以内监进内务府慎刑司严鞫，尚未得实。今又有此事，其如陈持弓之犯钩盾刘思广之入含元邪，抑监竖之黠者诱乡愚以猲宫闱冀缓其狱邪，抑门籍过弛奸贾猾驵与宦寺市易狃于出入邪？"

翁同龢九月初四日日记云："昨日长春宫天篷内屋棱中有火药一二斤，洋取灯无数，奉旨发慎刑司严诘。"十一月初九日云："昨日午刻，长春宫缚出一人，张姓，本京人，住西城，直达配殿，咳唾。查究始得其人。问从何来，则满口胡说，类病疯者。交慎刑司讯办。盖自中正殿角门入宫也。（此门自小安开后，至今为若辈出入捷径。）"十一日云："派军机大臣，内务府大臣，会同刑部，审讯阑入宫禁之刘振生。"十二日明发上谕："内务府奏拿获擅入宫内人犯，请派王大臣会同刑部审办一折，本月初八日宫中拿获刘振生一犯，肯即解交刑部，派军机大臣，总管内务府大臣，会同刑部，严行审讯，定拟具奏。"十七日谕："擅入宫内人犯刘振生，供出系由神武门进内。宫禁森严，竟任令该犯走入，门禁懈驰已极，实堪痛恨。是日值班之护国统领载鹤，交部严加议处。其该班章京，着即革职。兵丁即行斥革。该犯进神武门后，所有经过之处，是日值班人员，均着查取职名，交部议处。”

二十八日谕：“军机大臣等奏会审擅入宫内人犯定拟请旨一折，刘振生素患疯疾，混入宫禁，语言狂悖，实属罪无可逭，着照所拟即行处绞。”（翁氏十二月初五日日记：“以刘振生阑入宫禁一案，护军统领载鹤又侍卫十人、内务府护军参领一人照部议均革职，余皆革留。”）至对阉人之惩处，未见明发谕旨。因张之洞疏中请明旨宣示，故于十二月初七日懿旨附及之。天棚火药案，则迄无明发也。

是年既有护军之案，而同为禁军声价特高之神机营，[神机营昉于明永乐时，为肄习火器之军。清则置自咸丰十一年（采文祥之议）。其制系选八旗、满洲、蒙古、汉军前锋营、护军营、步军营、火器营、健锐营、内务府圆明园护军营兵之精锐者别为营，以时演练枪炮技艺，领其事者为掌印管理大臣一人，于亲王、郡王内特简。又管理大臣，于王公领侍卫内大臣都统、前锋统领、护军统领、副都统内特简，无定员，体制极为隆重。同治间剿捻时，左宗棠、李鸿章诸统兵大臣，命由恭王奕䜣会同神机营大臣节制。]亦发生因案撤换掌印管理大臣之事，可连类而书。

醇王奕䜣（譞）同治间管理神机营事务，佩带印钥。德宗嗣统，解各职，乃代以伯彦讷谟祜（蒙古亲王，僧格林沁子），谕称：“醇亲王办理多年，经武整军，著有成效，仍将应办事宜，随时会商。”迨光绪庚辰十月，复以醇王奕譞代伯彦讷谟祜，（二十九日懿旨：“醇亲王奕譞着管理神机营事务，佩带印钥，宝鋆并着管理该营事务，伯彦讷谟祜毋庸管理。”）以伯彦讷谟祜因事被纠也。翁同龢是月二十二日日记云：“是日伯王奏：神机营马兵□□挟刃寻死，请即正法，抑交刑部。奉旨按军法从事。（未见明发。）”二十九日记管理神机营之更易，谓：“昨醇邸有封事，大略言正法马兵未免过刻也。”又李慈铭是日日记云：“此以南苑大操事也。自八月初都统穆腾阿等赴南苑秋操，至是月二十一日回京。二十六日闻伯彦讷谟祜奏请诛一已革骁骑校。或云：伯王主操过严，士多怨，此人以犯令革，复求见，搜其衣，中有小刀，疑欲行刺，（按：文廷式选录李氏日记，此处加批云：“盛伯希祭酒告余云：此人实欲行刺，非疑之也。”）杖而后诛之。或云：此人故刁悍，横于军中，而为朱邸所眷。（按：文氏批云：“伯希云：其母为邸中浣衣妇，其言得入耳。”）恃此屡忤犯，故被诛。不能详也。诛之次日，其母及妻子皆服毒，死于伯王之门。（按：文氏云：“此言恐不尽确。”）醇邸以闻，始有此谕云。”（李有《咏史》云：“貙刘五柞设和门，神策由来七校尊。虚说霍光搜挟刃，竟闻胡建劾穿垣。南军日造黄龙舰，东府亲持白虎幡。讲武骊山原故事，银刀组甲久承恩。”亦指此。）文廷式《闻尘偶记》云：“伯彦讷谟祜，僧忠亲王之子也，管神机营，持法严。有兵丁犯法者，革之。其人怀刃欲行刺，事泄，将戮之，而其人之母乃为醇府乳妪，因是求诉，遂得不死。俄而醇邸复莅神机营，人咸乐醇邸之宽而惮伯彦讷谟诂之严，醇邸亦由是恶之。及西边事亟，言官屡请联络蒙古，以卫边陲。醇邸曰：‘此不过为伯彦讷谟诂开路耳。’卒置不用。”所记情事，间有异同，大体可参阅。神机营为天子禁旅，领以亲贵重臣，视之甚重，而积久弊丛，整饬殊难。《闻尘偶记》云：“今神机营之制已三十三年，而甲午出兵，疲癃残弱，无异往昔。刚毅以广东巡抚初入枢廷，又请每旗择壮丁加以操练。上曰：‘汝习闻旧论，不知八旗之兵今日已无可练习。’圣明烛照，固深知积弊之未易除也。”又云：“甲午之秋，神机营出兵，有遇芦沟桥者，见其前二名皆已留髯，第三名则十一二龄之童子也。余多衣裈不周体，蹲踞道旁，不愿前进。遇之者口占一诗，有‘相逢多下海（京师呼髯为下海，海字疑颌字转音），此去莫登山’之句，盖兵出防山海关，故借点山海二字云。”醒醉生（汪康年）《庄谐选录》卷二云：“法越之役，醇贤亲王将命神机营出征以耀武。许恭慎公知其不可，而难于发言，因作书与王云，以王之训练有素，必所向克捷，惟虑南北水土异宜，且闻彼地烟瘴，倘兵士遘疠瘴，有所折挫，不特于天威有损，且于王之神武亦恐有所关碍。于是王大省悟。次日见恭慎曰：‘汝言大是，且兵士以战死，固其分，若以瘴死，使致损挫，岂不笑人，吾已止是命矣。’由是王益敬服恭慎云。”均言神机营之不可用。

沃丘仲子（费行简）《慈禧传信录》卷上第五章云：

“当捻窜近郊，后欲遣京营兵御寇。一日值神机营会操，遣内侍觇之。还报：罢操后，诸兵各手一鸟笯，已徜徉茶肆间矣。不信，更询之内务府总管春佑。佑对：‘京谚有糙米要掉，见贼要跑，雇替要早，进营要少。盖指旗营兵士言，谓领粮必刁难监放者，临阵则奔逃若恐不及，值操则预雇替身，平日复鲜有到营任差者也。’后震怒，遂令奕譞检阅在京旗、绿各营操。譞承命大校，则士弱马疲，步伐错乱，有马甲上骑辄坠，致折其股。诘之，对曰：‘我打磨厂货臭豆腐者，安能骑？’譞笑且怒，归以告枢臣，将重劾之。文祥谓：‘吾闻宿卫且然，此曹庸足责？’盖譞方为领侍卫内大臣，前锋护军则其属也。譞知讽己，然诸军亦疲敝，不得已，匿前事不以上闻，而微言操练宜勤，且陈巡捕五营尤疲弱，宜改挑旗兵练习。得旨如所请行，而责步军统领存诚等泄沓溺职。嗣遂并禁卫、旗、绿兵操，皆任之譞。后亦时遣内阉易装往察之。时崇纶方任左翼总兵，固富于资，惧干上谴，乃斸金易旗帜，备枪械，神机营兵亦排日肄习，六阅月而军容火荼（荼）矣。诸阉以状告后，后赐玺书奖譞。然废弛已七十余年，积习卒不可湔。尝校查城兵，有步军校后至，譞叱令鞭之，衣解而雕佩玉玩数十事坠地。问所由来，泣启曰：‘家十口，月糈五金，食莫能供，则领物于骨董肆，自盛小摊于庙市售之。今晨会隆福寺，故赴操独迟，无他也。’譞叹，挥令退。又火器营有弁锤炮使碎，而以废铁货之市肆，事发自尽，母妻亦缢以殉。譞知饷薄纪弛，整饬匪易，屡以各营习操成效渐著，请分别各归统率上闻，冀卸己责，后卒不允。然诸寇亦未尝逼京师，故春佑戏称诸都统为福将。独文祥持议，谓非兵不可用，特京师繁华靡丽之场不宜讲武耳。同官皆不之信。后祥衔命治盗辽沈，拣神机营兵千人从。逾年归，疲癃者皆壮悍，且耐劳苦。䜣譞大称异。祥曰：‘非有他术，特地无戏园酒肆博场，不耗资，不耗时，一月而放心收，三月而操演勤，然后示之以捕盗之赏，予之以奖功之牌，期年有成，幸如前论，王何诧为？’众皆服其论。”亦言神机等营之窳弛，而独许文祥之善于治军，缀录以备参稽。

小说中写及神机营者，我佛山人（吴沃尧）《二十年目睹之怪现状》第二十七回“管神机营王爷撤差”云：

>……子明道：“你真是少见多怪。外面的营里都是缺额的，差不多照例只有六成勇额，到了京城的神机营，却一定溢额的，并且溢的不少，总是溢个加倍。”我诧道：“那么这粮饷怎样呢？”子明笑道：“粮饷却没有领溢的，但是神机营每出起队子来，是五百人一营的，他却足足有一千人。比方这五百名是枪队，也是一千杆枪。”我道：“怎么军器也有得多呢？”子明道：“凡是神机营当兵的，都是黄带子红带子的宗室，他们阔得很呢，每人都用一个家人，出起队来，各人都带着家人走，这不是五百成了一千了么？”我道：“军器怎么也加倍呢？”子明道：“每一

个家人都代他老爷带着一杆鸦片烟枪，合了那五百枝火枪，不成了一千了么？并且火枪也是家人代拿着，他自己的手里，不是拿了鹌鹑囊，便是臂了鹰。他们出来，无非是到操场上去操。到了操场时，他们各人先把手里的鹰安置好了，用一根铁条儿，或插在树上，或插在墙上，把鹰站在上头，然后肯归队伍。操起来的时候，他的眼睛还是望着自己的鹰。偶然那铁条插不稳，掉了下来，那怕操到要紧的时候，他也先把火枪掠下，先去把他那鹰弄好了，还代他理好了毛，再归到队里去。你道这种操法不奇么？”我道：“那带兵的难道就不管？”子明道：“那里肯管他？带兵的还不是同他们一个道儿上的人么？那管理神机营的都是王爷。前年有一位郡王，奉旨管理神机营，他便对人家说：‘我今天得了这个差事，一定要把神机营整顿起来。当日祖宗入关的时候，神机营兵士，临阵能站在马鞍上放箭的，此刻闹得不成样子了。倘再不整顿，将来更不知怎样了。’旁边的人劝他说：‘不必多事罢，这个是不能整顿的了。’他不信。到差那一天，就点名阅操，拣那十分不像样的，照营例办了两个。这一办可不得了，不到三天，那王爷便又奉旨撤去管理神机营的差使了。你道他们的神通大不大？”

调侃语，特谑虐，虽形容过甚，语涉不经，而可见社会对神机营之诟病也。其言王爷撤差，即影指伯彦讷谟诂庚辰撤差之事，惟于其原委未能深悉耳。

又近见大林山人（汤用彬）笔记云：

> 余以丁酉（光绪二十三年）入京，所居为顺治门外教场口内。一日神机营传操，指定老墙根以南空地为操场，先期各兵士将附近各胡同口用帐幔遮掩。余等以为将禁止参观耶，讵届时观者蚁集。兵士每操一回合，即纷纷入幔。余等又疑休息固无须遮掩，绕道窃窥，则满地排列鸦片烟具，各兵士拼命呼吸，候令再出。如是者列三五番，日将暮矣。督操王大臣先归，彼等亦撤幔携具，呼啸而去。

情状类是。固无怪诟病之集矣。

——民国廿九年

一八　庚戌炸弹案

史料为治史者所注重，近代史料，为时未远，关系尤切，更应特加之意，从事搜集保存，以供镜览，而资史家之要删。乃往往徒知古昔史料之可贵，于近者则忽之；或知其足重矣，而以为得之可不甚费力，未若古昔史料之难于发见，因之不肯亟亟访求，孜孜辑录，不知斯固有稍纵即逝者，久且放失淹没，不易复睹。盖史料缘是而沉冥不彰者甚夥，可喟也。梁任公（启超）《中国历史研究法补编》分论一（《人的专史》）第二章（《人的专史的对相》）有云："研究近代的历史人物，我们很感苦痛，本来应该多知道一点，而资料反而异常缺乏。"此种感觉，当不仅梁氏一人为然，其过要在从事搜辑之不早耳。

清宣统二年庚戌春间，北京有银锭桥之案，哄动一时，即革命党人汪精卫（兆铭）谋炸监国摄政王载沣而被破获事也。此桩公案为近代史上极可注目者，双方之举措均可书。当时汪氏如何决心犯险，及与同志如何经营布置，破获暨被逮之情形，供词之内容，并清廷方面之从宽定案暨待遇各节，实为重要之史迹，而历年未久，此项事实，一般人渐多不甚了了。甚至语及银锭桥一地，亦复懵然罔觉其政治史迹上之重要性。从知史料散佚，若存若亡，倘再不亟事搜辑，后此更难着手矣。近张次溪君（江裁）以所纂《汪精卫先生庚戌蒙难实录》暨《汪精卫先生庚戌蒙难别录》见示，为之一快。

张君承其尊人篁溪翁（伯桢）之学，致力史乘，对于北京掌故，尤极究心。篁溪为汪氏同学友，当宣统三年辛亥九月汪氏出狱，篁溪迓诸狱门。其跋汪氏供词，言其情事颇悉。汪氏序《蒙难实录》亦有云："余于辛亥九月十六日出刑部狱。其时党禁虽弛，而同人方各有所事，秘其行踪，不能集狱门外相候。独张君伯桢来迓，遂同至泰安栈。君为留日法政同学，归国后供职法曹，平日与党人无往来，至是毅然不以指目为嫌，尽其周旋之雅，故人风义，有足多者。”可以概见。次溪纂述，其渊源亦可知也。

《蒙难实录》首述汪氏参加革命运动以至决心入都谋暗杀之经过，盖当时孙、黄与胡汉民皆力阻之，而汪志坚决，迄不之听。其争辩之语，如对胡汉民谓“若谓今非可死之时，弟非可遽死之人，则未知何时始为可死之时，而吾党孰为可死之人。凡为党死，死得其正”云云。迈往之情，有如是者。至到京后之计画暨实行，如所述云：“宣统元年冬，先生与黄复生、喻云纪诸君联翩入都，组织秘密机关于琉璃厂火神庙夹道，即今之太平桥也。尔时为避人耳目，即在此地开设守真照相馆，复在东北园赁屋数楹，以为会所。未几，诸同志偕来。二年元旦，守真照相馆开幕。……往来多断发青年，颇为当地警士注目。……先生初拟炸庆亲王，因北京街道宽阔，庆王侍从如云，戒备綦严，着手不易。时值载洵、载涛考查欧洲海军将归。（按：是年载洵以筹办海军大臣赴欧洲各国考查海军，冬间回京。载涛则掌军咨暨禁卫军，未尝与海军事，虽亦曾出洋，却非考查海军也。）乃携铁壶盛炸药至车站，候之竟日，及下车时，见无数戴红顶花翎之人同行，先生以辨别不真，未敢冒昧。是日雪盛，苦可知已。……先生与诸同志初探悉载沣每日上朝必经鼓楼大街，楼前故有短墙，伺其通过，若以铁罐由此掷下，则王以次悉可炸毙。讵计甫定，而载沣因鼓楼大街修筑马路，变厥行程，事遂不果。继虽访得路线，必取道烟袋斜街，顾因租房未得，计复作罢。最后始采定十刹海旁之银锭桥为适当地。其地三面环水，仅一面有居民数家，殊其幽僻，又密迩摄政王府，为王出入必经之处。桥之北有阴沟一，遂拟将铁罐埋置桥下。人则藏于阴沟，伺载沣过桥，即以电气发火。电流一通，则炸药轰然爆发矣。时众以东北园距十刹海太远，更即十刹海附近向清虚观道士分赁一庑，以为腾挪地，而埋药之计则赖此而决矣。埋药由复生、云纪任之，引放电机则先生自任之。二月二十一日夜午，复生、云纪同往桥下掘孔，因犬声四起未能竣事。次夜复往，始将铁罐埋置孔中，及敷设电线，则以铁线过短，不敷所用。第三日添购电线，至晚间十二时后续行敷设，忽见桥上有人窥伺。复生大惊，乃使云纪急赴清虚观，止先生勿来。己则匿大树后，察其究竟。初起一人持小灯笼下桥，且照且寻，移时始去。复生俟其去后，乃疾驰至桥下，将电线收回，因铁罐太重，非一人力所克携，拟仅将螺旋盖取去，以避搜检，惟以螺旋太深，仓卒不能拔出，只得将电线结为一束，随以砂土覆之，仍伏树后窥伺。旋见有三人，一警察，一宪兵，一常民，持灯笼二，下桥寻觅，良久始去。事后乃知桥上之人系一赶大车者，因其妻三日不归，出而侦访，见桥下有人，初疑为奸夫，后乃发见掘地埋物诸事，骇而奔报警察，而党人行炸载沣之计竟由是败露。此一说也。又有谓先生偕云纪来桥下埋弹，旋云纪出都后，则先生一人独往。二月二十三夜，先生怀弹至银锭桥，预备置弹桥下，并在桥西掘土预埋导线。适其线过短，修理需时。翌日拂晓，尚未讫工，乃将炸弹诸物，暗贮桥下，用草及土掩蔽，以待次日续修。不意居民刘某至桥旁溲溺，遂被发泄。”银锭桥之政治史迹，阅此即可略见梗概，固非徒尝以“银锭观山”厕八景，及如宋牧仲（荦）所咏“鼓楼西接后湖湾，银锭桥横夕照间”，足为雅流怀旧之资而已也。此案发觉时之情况，书中引《正宗爱国报》所记，亦可参阅。据云：“左翼委翼尉振林君，兼游缉管带，到差以来，于地面颇见留心，相机抽查，从无定刻。上月二十三日晚，摄政王府附近，居民刘姓在门外便溺，忽见桥旁一人，形迹可疑，以为必盗贼也。取灯往照之顷，适有官兵误为振林查夜，急来伺候，桥旁之人则乘间遁去。刘姓眼同兵丁搜寻沟内，见一铁丝钻入沟盖，（此沟盖上系民房。）沟盖下则置一匣，匣内为药葫芦诸器，丝之南端，则埋地内，谛视甚明，即报知振林，转禀朗贝勒，警区亦飞禀民政部。再经兵丁刨挖桥下，始得铜罐炸药，随移往西安门外游缉队公所大楼，经朗贝勒传刘姓回话。据刘自称为回民，名培贞，并陈述详情。贝勒极喜，随即赏银给差。……更特谕振林，奖以办事留心。”时毓朗官步军统领也。振林为民政部左侍郎兼左翼总兵乌珍（后官步军统领）之弟，民初任步军统领衙门要职者有申振林其人，盖即振林冠姓。

银锭桥事既败露，军警展转侦索之结果，汪遂被逮，同党被逮者并有黄复生、罗世勋二人。人皆谓其必死，而卒从宽办理，汪、黄均交法部永远监禁，罗则监禁十年，盖仅由民政部会审后，即经庆王奕劻（军机大臣领袖）、肃王善耆（民政部尚书）、贝勒毓朗（步军统领）等商由摄政王载沣决定，未交法庭裁判也。其时善耆主张尤力。法部待遇，亦较寻常犯人为优。书中所述，暨录载汪氏供词，均足资考镜。

《蒙难别录》作《蒙难实录》之补充，所收资料，亦多可观，尤详于汪在狱中情事。汪氏亲为订正数则，可免传误，并于昔在《民报》所作《革命之决心》一文之觅得辑入表谢意，谓“重温旧作，良不自觉其怦怦于中也”。又附录《汪精卫先生自述》（五十一岁时作）等，亦有关系之史料。

杨云史（圻）序《蒙难实录》有云：“夫子房之刺不中，何以书，盖天下震惊之矣。精卫之刺未就，然而天下震惊之矣。使秦大索得子房，则车裂咸阳市耳。先生就逮，自党人言之，不惜一身为革命先声殉，且出之文弱书生，其气勇志坚，义不返顾，难能可贵已。自清室言之，则狙杀天子父，革朝命，法当死，故人莫不为先生危，先生亦自分无生理。然而是狱也，竟得减罪监禁，复得优礼，终且特赦得保全，固由于肃亲王以先生美秀而文，动怜才之念，力为开脱，亦由清室用心仁厚，政尚宽大，较秦法之淫威，未可同日语矣。”盖两贤之。

肃王善耆于银锭桥案，力主从宽，为人称道。杨氏序中既及之，且述其为人暨昔年雅故云：“肃亲王善耆，字蔼堂，好文学，工书，爱才下士，每休沐必招余往，作文酒之会，间命丝竹，宾客满座，午夜始散，数载以为常。

其世子宪章，与余约为昆弟。丁未余随使英国，将行，王为饯别，从容曰：‘闻孙逸仙居英属，执政佥主刑戮弭革命，禁烟事将与英签十年禁绝之约，逾期自认赔偿，兹二事愚谬误国，幸君善佐李钦使，留意补救，诚益国家，不负此行矣。’遂别。及辛亥弃职归，王已徙居大连，数年而薨。子孙众多，流寓东京、大连间，贫困不得归。其府邸为债家所据。东偏有园曰偶遂亭，有池台之胜，余税居之至今。昔为王文酒之场，今乃为余燕私之所者数载矣。孤松片石，抚摩俯仰其中，追念灯火楼台，投辖欢饮，辄兴华屋山丘之叹。因述往事，遂感陈述。缅想风徽，能无腹痛?”感慨系之焉。此序作于丙子（民国二十五年），闻去岁杨氏亦已物故矣。善耆在清末亲贵中，有开明之目，兹亦就所闻，附述其事。庚子之变以后，清廷讲新政改革，善耆以亲贵而考求甚力，颇号新派。其接收京师警权，管理工巡局，用人以通时务者为主。后来之官民政部尚书，亦循此旨，在中国初期警史上，大有关系。（充崇文门监督，亦于积弊有所剔除。）留学生回国者日多，凡知名之士，必多方礼罗，肃府宾客称盛。银锭桥事发，清室仅以监禁定案，善耆之力居多，为世所称，亦以夙多接近新人物之故。闻当案解法部之前，善耆秘延汪等至邸会晤，待以宾礼，从容谈话，以政见相讨论，仅有顾鳌一人陪坐。顾亦以留学生见器于善耆者，时盖为外城巡警总厅六品警官云。（银锭桥案之从轻发落，风声所树，各省大吏对于党人亦多不肯过于为难，民国创建之机运盖益趋成熟矣。）各省请愿速开国会之代表，王公大臣罕与往还，善耆独招宴于邸，倾谈竟日，于宪政之实施，甚致惓惓之意，故代表咸许为亲贵中之有心人。武昌事起，清廷议起用袁世凯，善耆不谓然。（闻袁氏戊申之罢斥，善耆与其谋。）迨袁氏应召入京组阁，知大事已去，避地大连，后竟客死。其遗折云：

奏为赍恨哀鸣叩谢天恩仰祈圣鉴事：窃臣幸托宗枝，长沾门荫。拜爵之始，遭值拳祸，庐宇尽毁。荷蒙先朝哀怜，畀司崇文榷务。臣梳剔积弊，课入骤增。猥因见知，管理步军统领，充御前大臣，补民政部尚书，调理藩部尚书。辛亥兵变，各处蜂应，卒以召用非人，潜移国祚，疾首痛心，莫此为甚。臣力争不听，挽救无术，更不能与盈廷泄沓，共戴三光，遁之旅顺，偷延视息。潜抱艰贞之志，恨无开济之才，每伺再造之机，终亡一成之寄。瞻望觚棱，瞬逾十稔。憔悴就死，臣罪当诛。伏愿我皇上蓄德养晦，祈天永命，重光郅治，比隆康武，微臣虽在泉壤，蒙袂含欣。……臣久误觐贺，罪过实深，敢请纳还爵士，即日停袭，少赎臣愆，以毕臣志。伏枕呜咽，不知所云。

词甚激楚，足见其意志之一斑。此折为其友奭良代草，见《野棠轩文集》卷三。（奭良字召南，素有文名，称八旗才子，清季历官奉天东边道、湖北荆宜施道、江苏淮扬海道，与善耆稔交。庚子后之肃王府，在北新桥船板胡同，本其产也。入民国后，曾任职清史馆。折中叙仕历，有理藩部尚书一项。按：宣统三年辛亥，庆内阁成，尚书均改称大臣，善耆为民政大臣，旋调理藩大臣，皆国务大臣也。时已不称尚书矣。）清季新贵多嗜戏剧，一腔一调，极深研几，颇成一时风气。王公府第，大抵皆有票房，肃府其尤著者也。善耆自幼即好此，其随从太监率能登台奏技。府中每月必演戏数次，每演，善耆必自饰主要脚色，祁寒盛暑不以为劳。除普通皮簧戏外，并自编成本新戏，有《郑成功》一剧，尤喜演之。自饰郑，文武唱做悉备，全本约演六小时，善耆精神抖擞，始终不懈，伶人多自称不如。其弟善预（字仲谦，清季以镇国将军任京旗副都统）亦同此嗜，兄弟或合演一剧，互相谐谑以为乐。（民初肃府箱底曾出演于东安市场，所演本戏有《请清兵》等。北京盛行皮簧，肃府箱底则高腔也。）间作书画，每自署偶遂亭主，亦落落有致。府中内书房，颜其额曰“如当舍”，属汪荣宝（时官民政部参议，亦以留学生受赏拔者）书之。见者多不得其解。或叩之，善耆曰：“君未读《孟子》乎？‘如’欲平治天下，‘当’今之世，‘舍’我其谁也！”闻者解颐，亦可瞻其抱负非凡也。又善耆忠于德宗，尝密图自效，事详王小航（照）《方家园杂咏纪事》。

次溪成兹两种，在史料上可谓有重要之贡献，而其意犹欿然不自足，对于此项史迹，方更有所搜辑，其致力之勤如此。似可与前二种汇为一书，再加精密之校理，则有裨于治史者尤不浅矣。

——民国卅一年

附识：张君对于此项史迹，续经考证，谓其地实为甘水桥小石桥，详所撰《北京庚戌桥史考》。曰庚戌桥者，张君主张定新名以资纪念也。

一九　岑春煊

西林岑春煊近卒于上海（寿七十有三），其人亦一代英物也。清光绪乙酉举人，曾官工部，以父毓英恤典，赏五品京堂，洊至兼圻，于清季疆臣，崭然露头角，庸铁之中，无愧铮佼焉。少年为贵公子，尚有纨绔之风。汤用彬《新谈往》云："春煊少跅弛，自负门第才望，不可一世，黄金结客，车马盈门，如宴也。以狎优之暇识（何）威凤，间接识（张）鸣岐。鸣岐后来事业，俱发轫于韩潭之间，而世人不知也。"又云："光绪中叶，京师有三恶少之称。三恶少者，岑春煊、瑞澂、劳子乔也。春煊夙根较深，反正亦早。"少年时代之岑西林盖如此。

戊戌，光绪帝变法图强，甄擢臣僚，春煊受知遇，以开缺太仆寺少卿骤用为广东布政使。（前引疾开缺，时到京请安，尚未补缺也。）庚子之役，以甘肃布政使率师勤王，护驾西行，遂邀西后特赏，迁任封疆。相传其时春煊初拟助帝收回政权，或以孝治及利害之说动之，乃不敢发，而益自结于后，论者多病其不能见义勇为，然封疆重臣，统兵大将，多戴后，帝则势处孤危，举事不慎，将有奇祸，春煊纵欲建非常之业，其力亦苦不足耳。

光绪末叶，庆王奕劻长枢机，为朝臣领袖，袁世凯督畿辅，为疆吏领袖，并承后殊眷。二人深相结纳，势倾全国，而内则军机大臣瞿鸿禨，外则两广总督岑春煊，独深不直之，显树异帜，虽势力不逮，然亦差相颉颃，为所忌惮，以鸿禨、春煊清勤负重望，帘眷亦隆也。丙午，春煊在粤督任，称病请开缺，冀内用。调云贵，不就，坚请入对。翌年（丁未），复使再督四川，仍不愿往，遂北上。行抵汉口，电奏即日入京陛见，于三月抵京，未候朝命也。既召见，后慰劳甚至，勖其勿遽言退，并问所愿。对曰："如蒙准臣开缺养疴，自属天恩高厚，倘不获俞允，则留京授以闲散之职，亦深感鸿慈。"后因指帝而谓之曰："我常同皇帝说：'庚子年若无岑春煊，我母子焉有今日？'你的事都好说，我总不亏负你！"于是授为邮传部尚书。命下后，复召见，命即行到任。春煊曰："臣未便到部视事。"问以故，曰："以侍郎朱宝奎之恶劣，臣岂能与之共事乎？"因言宝奎劣迹，宝奎盖夤缘庆、袁以进者也。后曰："尔言当可信，俟到部后查明奏参，当加罢斥。"春煊曰："此等人臣不能一日与之共事，必先去之，臣始可到任。"后曰："吾非惜一朱宝奎，总须尔到部具折奏参，乃有根据以下上谕耳。"曰："皇太后果以臣言为不诬，则臣今日面参即可作为根据也！”后诺之，而宝奎即日罢斥矣。上谕云：“据岑春煊面奏：‘邮传部左侍郎朱宝奎，声名狼藉，操守平常。’朱宝奎着革职。”侍郎于尚书为同官，非属吏，而以未到任之尚书一言而褫本部侍郎之职，著之谕旨，实故事所无，当时后于春煊眷遇之隆，足见一斑。后知春煊与奕劻水火，欲调解之，因问以到京后曾否往谒奕劻。对曰：“未尝。”后曰：“尔等同受倚任，为朝廷办事，宜和衷共济，何不往谒一谈？”曰：“彼处例索门包，臣无钱备此。纵有钱，亦不能作如此用也。”后乱以他语而罢。春煊屡为后言奕劻贪劣诸状，蕲早斧逐，以澄清政地。后虽不能从，意盖不能无动。奕劻自危，以瞿、岑互为声援，亟与世凯谋去二人，于是四月春煊奉旨再督两广，（费行简《慈禧传信录》云：“……春煊复荐桂抚林绍年清亮，后亦信之。世凯睹状，知己亦将为岑党所摇。适粤寇更作，乘入觐时为后言：‘周馥，臣姻家，知其人虽忠诚，而年已及耄，粤寇再起，而其地革命党尤烦，恐非馥才力所能制。臣过蒙慈眷，虽事非职掌，而不敢不闻。’后曰：‘此尔爱国忱，吾方嘉之。如言知兵及威望，固莫加岑奏煊，而虑其不愿再任粤事，奈何？’世凯对：‘君命犹天命，臣子宁敢自择地？春煊渥蒙宠遇，尤不当如此。’后颔之。翌日命下。时春煊方将续疏论劻罪，而不虞己已外简矣，知为劻党所排。陛辞日，涕泣为后言：‘朝列少正士，风气日坏，国本可危，乞后省察。’后曰：‘尔言直，非他人所敢出，吾行召林绍年矣。'……绍年果奉召入值军机。"可备参考。惟林绍年由桂抚内召，入军机，为前一年事，是年六月即又出为豫抚，费氏殆误记其出军机之时为入军机之时耳。又周馥自著《年谱》丁未叙及罢粤督事有云："传闻某枢奏：'广东匪多，周某年衰，恐筋力不及，可以某某代之。'实挤某某出京也。"其中情事复杂，不便叙述。）五月鸿禨放归田里，政潮告一段落矣。

春煊辞不获允，赴任过沪，托病不前。至七月，将赴粤矣，忽奉旨开缺，仍庆、袁辈中伤也。《慈禧传信录》谓系江督端方所媒孽。其说云："春煊方居沪上，联络报馆，攻击庆、袁无虚日。方乃以密书达枢廷，称春煊近方与梁启超接晤，有所规画，以二人合拍影相附之。后览相片无讹，默对至时许，叹曰：'春煊亦通党负我，天下事真弗可逆料矣！虽然，彼负我，我不负彼，可准其退休。'于是传旨准春煊开缺调养。而相片实方以二人片合摄之，以诬春煊，后不及知也，说者谓：'岑、端亦结昆弟交，而方甘为世凯报复，心诚险矣。'"可广异闻，未知其审也。（罢岑之谕云："岑春煊前因患病奏请开缺，迭经赏假。现假期已满，尚未奏报起程，自系该督病尚未痊。两广地方紧要，员缺未便久悬。岑春煊着开缺调理，以示体恤。"与戊申世凯奉开缺养疴之谕，颇相映成趣，均"以示体恤"也。）

声讨洪宪之役，春煊就两广都司令职宣言有云："春煊将言，先不能无大惭。使春煊而才者，袁世凯岂能篡满清三百年之业？辛亥则既篡矣，又岂能叛民国四万万人之国？今兹则既叛矣，于彼著其为篡与叛之才，于此则著我无才以制此篡与叛者，乃使其竟篡且叛！”又云：“春煊不敢必此役之必胜，然而必有以答天下之督责不负两广之委托者，惟有两言：‘袁世凯生，我必死；袁世凯死，我则生耳！’”特有一种口气，以光绪末叶同为总督，袁、岑两宫保本齐名也。宣言盖都参谋梁启超代草。（嗣读温钦甫先生函云：“当时肇庆组织都司令部时，梁任公先生虽为都参谋，然岑公当日就职文系出周孝怀先生手笔，而非梁先生手笔。梁、周皆鄙人好友。周先生为此文时，鄙人在座。”）

宋平子（恕）于光绪末叶谈督抚优劣，谓：“陶子方、岑云阶，果敢有风骨，第一等也。徐菊人、杨莲甫，虽无大作为，而和平宽大，亦尚不失为第二等。张香涛、袁慰廷，均负盛名，然张皇欺饰，宜考最下。”不惜深贬张、袁，而推重春煊若是。

当春煊罢粤督后，侨寓沪上，颇以游宴自遣。会后、帝逝世，上海道蔡乃煌上书责之。书云：

> 宫保大帅钧座：敬禀者，窃职道以尘冗纠纷，久疏趋谒。襜帷伊迩，轸结为劳。伏承珍卫适宜，动静多预，闳祺硕望，允惬颂忱。昨遭两宫大事，薄海震惊，方遏密夫八音，动哀思于兆姓，环球各国，唁电纷传，使馆输诚，半旗志悼，亦足征非常之变，无内

> 无外，率土同悲。宫保世受国恩，遭兹巨痛，攀龙髯而莫及，怅鸾辂之已遐，自较寻常，尤深感怆。乃者中西士商，纷腾口实，竞谓宫保左右，不废宴游。夫少陵落拓，凭杯酒以说生平；小杜疏狂，对樗蒲而陈心事。才人寄兴，无足深论。惟念我宫保生而忠爱，素具血诚，身在江湖，心依魏阙，必效陶公之运甓，忍师谢傅之围棋？况国恤方新，人言可畏。上海为中外具瞻之地，宫保为苍生属望之人，伏望勉抑闲情，用资矜式。追温公于东洛，资治成书；媲卫国于平泉，筹边储略。谨献刍论，聊备鉴裁。肃禀恭请钧安，惟祈垂鉴。职道蔡乃煌禀。

词婉而意甚峻厉。春煊为之愕眙不置。费行简《近代名人小传》传柯逢时有云："……游匪事棘，移广西巡抚。时岑春煊以桂人督两粤，治寇西省，用吏皆专决，侵抚臣权。逢时不能堪，闻春煊演剧，即以时值用兵，宜禁戏剧，勒诸伶还。"二事可合看。盖春煊少年余习，犹未尽湔，致贻人口实耳。乃煌故党于庆、袁者，其简授上海道，或谓实承旨伺察春煊云。后春煊等在两广声讨洪宪，乃煌竟死于粤。虽其时乃煌有取死之势，不得谓由春煊修怨，然相值亦巧矣。

章士钊与春煊有旧，其《孤桐杂记》有云："……西林言：粤人之赂，均明白致之，号曰'公礼'。与人计事，以不收公礼为无诚意。彼开藩时，为米案接商人禀词，中夹票银四十万，骇而还之。继询知为公礼，与最常行贿有别。商人以是大戚，以藩台无意助己也，而西林卒右商。与总督谭钟麟互讦，清廷两解之，彼得调往甘肃。米商遮之，不听其行。自大堂以至东西辕门，皆为米包填咽，举足不得。西林朝服出迎，长跪与众商对话，称朝命不可迕，重来有日，暂不必噪。商尽泣，知不收公礼而肯为民任事者尚有人也。未数年，西林果督粤。”此言其清。又云：“西林曩为愚言：川有大盗某，屡捕屡释，浸玩于法，而释每由良民切保，词情恳挚，若不忍却。彼督川时，下车即密令捕盗。捕得而所谓良民之尾于后者且数里，随奔督辕，切结环保，势汹汹，不出盗且变。西林遣使慰众少待，立升大堂，鞫未数语，斩盗堂下。既令悬首辕外，西林且出面众，问民意安在。众哗骇，骤无以对，忽涕泣不可仰，且跪且言：‘吾侪之累于盗也至矣！历宪畏事，无敢卒戮之者。捕时民不立为之地，盗出且施酷罚。在势小民不得不保，保犹不得不力。今宫保毅然为吾川除害，此青天也！民感且不暇，而又何怼焉？’且跪且言，涕泣不可仰。”此言其果。惟春煊后在两广总督任，始以剿平广西匪乱功加太子少保，督川时宫保之称嫌早。

庚子春煊随护两宫西行，其督办前路粮台，据吴永所云，盖永所推让也。《庚子西狩丛谈》（永口述，刘焜笔录）谓永在怀来县任迎驾后，奉旨“办理前路粮台。……予念身无一文之饷，手无一旅之兵，来日方长，何堪受此缠扰。私计岑春煊现携有饷银五万，略可暂任支应，且彼带有步骑兵队，弹压亦较得力。观其人似任侠有义气，不如以督办让之，而吾为之会办，相与协力从事，于公于私均裨益，然此情将以何法上达得邀俞允？遂往见庄亲王，告之以故，请其挈予面奏。顾哓聒许久，彼竟茫然不省，曰：‘我记不起这许多。这外官规矩乃如此麻烦。我带尔同往，尔自陈奏可也。’即携予同入，至东大寺行宫，由内监通报。须臾，李监自角门出，低声问曰：‘此时尚须请起耶？’庄邸曰：‘他有事面奏。’曰：‘然则我为尔通报。’须臾叫起，太后立于佛殿正廊，皇上立于偏左。庄邸即前奏曰：‘吴永有事陈奏。’即回顾曰：‘你说。’予奏曰：‘蒙恩派臣为行在前路粮台，本应竭犬马之劳，惟臣官仅知县，向各省藩司行文催饷，于体制诸多不便，即发放官军粮饷，布发文告，亦多为难之处。现有甘肃藩司岑春煊，率领马步旗营随驾北行。该藩司官职较崇，向各省行文催饷系属平行。可否仰恳明降谕旨，派岑春煊督办粮台，臣请改作会办。所有行宫一切事务，臣即可专力伺候，不致有误要差。’时太后方吸水烟，沉思良久曰：‘尔这主意很好，明晨即下旨意。’……晨起召见军机，即降旨：‘派岑春煊督办前路粮台，吴永、俞启元均着会办前路粮台’。予方喜可以分卸重责，讵以此事大为军机所不惬。是日驻跸宣化所属之鸡鸣驿，王中堂呼予往见，即诟曰：‘尔保岑三为督办，亦须向我等商量，乃径自陈奏耶！此人苗性尚未退净，如何能干此正事？将来不知闹出几多笑话，尔自受累！尔引鬼入宅，以后任何纠结，万勿向我央告，我决不问！’予闻语愕然。噫！少年卤莽，轻信寡虑，至以此开罪于军机。不意以后沿途轇葛及一生蹭蹬，乃均坐此一事。此亦命宫磨蝎，数有前定，本无所用其追悔，然掘坎自埋，由今回忆，可恨尤可笑也。……岑一见予即相诟怨曰：‘谢尔厚意，乃以此破沙锅向我头上套，令我无辜受累！’其实彼固十分欣愿，求之而不得者，只以出于我所保奏，似乎贬损身分，且恐向之市恩，故佯为不悦以示意，以后乃节节与我为难，不德而怨报之，洵始料所不及也。……自共办粮台后，接触渐多，意见日甚。彼自以官高，与予比肩并事，似觉不屑，又以督办名义出予上，遇事专断，不复相关白。凡有陈奏，皆用单衔独上。王中堂谓体制不合，应以会衔为宜。彼执不可。王曰：‘否则于牍尾叙明臣会同某某云云，夹入名字。’彼亦不允。曰：‘再不然，惟有于奏后列衔，如京官九卿奏事体例。’岑始终持不可。中堂一日曾对予微笑曰：‘我知道岑三必与尔捣乱，今果然矣！但尔自取之，于人无尤。我早已声明，不能过问，恐以后笑话尚多也。’”其间情事，盖言之历历如绘，可供参考，广异闻。永后屡为春煊所厄，衅怨颇深，《丛谈》中于春煊每致恨恨，或不无过当处。春煊勇于任事，时望甚隆，而亦不免以学养未足、气质近粗见病。

——民国廿二年

附志：岑氏有《乐斋漫笔》，自叙生平颇详，近见于

《中和月刊》四卷五期，可与拙稿所述相印证。

二〇 林开謩

长乐林开謩（字贻书），清光绪甲午、乙未连捷，以二甲前列选庶常，戊戌散馆，授编修。是年政治上起大波澜，所谓戊戌政变也。翌年己亥，孝钦立溥儁为穆宗嗣，号大阿哥，命在弘德殿读书，实为废立之准备。时有以林父天龄穆宗旧傅，拟令林直弘德殿者。林闻之，以此局叵测，不欲置身其间，因谒其师军机大臣廖寿恒，蕲寝其议。甫语以所闻消息，廖遽大呼曰："佳话，佳话！"不得竟其词而出，复往谒军机大臣启秀，亦其师也。既申其意，启秀问以何故，对曰："去年甫经留馆授职，尚未放差，家计颇难周转，如遽直内廷，实赔垫不起。廷议及此时，惟求师以资浅为说即可。"启秀以所言亦实情，诺之，惟谓："汝既不愿，宜有代者，试言何人可代汝，以备为汝辞却时易于置词。"曰："翰林前辈中，如高熙廷（赓恩）、高勉之（钊中），学望颇优，似均可胜任。"（二高均丙子进士。）启秀颔之。林得摆脱此席，高赓恩则由陕西陕安道内召，以候补四品京堂直弘德殿矣，盖大学士徐桐（翰林院掌院学士照料弘德殿）重高，亦力荐之云。（高氏夙称端谨，而被命不辞，论者颇以为惜。）

庚子，林奉派甘肃副考官，以时局关系，乡试展期，中途召回，偕正考官沈卫谒两宫于西安行在，获简河南学政。（沈简陕西学政。）任满回京，旋以道员用简署江西提学使。出京之前，例须遍谒军机大臣，接晤后始启程，时庆王奕劻领袖枢垣，往谒三次未见，林语阍人："各大臣均已谒晤，一见王爷，即可成行，究竟何时可以得见?"阍人乃微笑而告以尚有应纳之门包，（据闻凡三种名目，共银七十二两。）林指壁间所贴奕劻严禁收受门包之手谕曰："王爷有话，吾何敢然?"阍人曰："王爷的话不能不怎（这）么说，林大人你这个钱也不能省!"正在此际，徐世昌（军机大臣）来，林迎晤之，徐曰："老世叔何尚未动身耶?"（徐丙戌会试房师支恒荣为林父同治庚午典试江南所得士，故长称林一辈。）林曰："谒王爷已三次，犹未得见也。"徐因嘱其稍候而入，旋即传林氏入见，林乃得出京，盖藉徐面告其来谒，而越过司阍一关。（赴任时，曾至日本考察教育一次。）之官后，值巡抚更动，藩司沈瑜庆护理抚篆，林兼署藩司数月，迄新抚莅任。新抚冯汝骙与林本旧友，而林屡以公事相诤。（藩学臬三司兼禁烟局总办，冯据禁烟局提调候补知府某之手折，以吸烟奏劾某令褫职，而三司未与闻。林乃与藩臬司上两院，询冯以某令被劾何所根据。冯曰："某守有手折禀揭，事非无端也。"林抗声曰："司里并无详文!"冯默然。此其一事也。公事而外，犹有一小事可记。冯、林曩在京师稔交，内眷亦互相往来。冯妻到赣，尝示意欲林妻往见叙旧，林不可，谓："官有堂属，内眷无所谓堂属，冯夫人如愿相晤，则'行客拜坐客'，宜先到学司署也!"）宣统间林不能安于位，有谓与冯之态度有关者，然冯氏闻命之后，固力表嗟惜，慰藉甚至，且坚留俟新任至省始交卸，其事殆难明也。

林在赣提学使任时，京中忽有人致书，索银八千两，谓当代图补授此缺，且言此系优待，他人须两万也。林置之不理。旋接友人在张之洞（大学士，管理学部事务）左右者来函，告以学部甄别各省提学使行审核成绩，品第甲乙，其名在第七，考语颇佳，张已准备入奏。以所云，有真除之望矣。乃未及奏上，而张氏病逝。未几林即奉旨开去署缺，以道员发交两江总督张人骏委用，盖庆王奕劻欲位置汤寿潜，示延揽名流。会有媒孽林氏者，因以是缺畀汤（后未就）而罢林。闻摄政王载沣，对于林之开缺，未甚谓然，故虽罢而犹有此下文。

林与那桐（大学士，军机大臣）有世谊，（那桐叔铭安与林父天龄同治庚午同典江南乡试），夙相稔，交卸赣学篆到京时往谒。那桐谓："君中暗箭矣！"林氏从容论及朝政，致慨于纪纲之不振，因谓："某在任时，惟知直道而行，京朝势要，不欲浼渎，而居然有人致书索贿，以代谋真除为言，此等事非某所屑闻，故置之不理，不久即有开缺之命，此何说耶！"那桐亦为扼腕，而谓朝政实大可忧，且论亲贵擅政之非，言次伸二指相示，谓洵、涛两贝勒也。林氏正色曰："他人姑不论，中堂有匡济之责，亦可随波逐流乎！"那桐亟曰："老三，不用说啦，我请你喝酒罢！"（林氏行三）

江督张人骏前官河南巡抚时，林为学政，夙相引重，于其至，甚示优遇，初欲使充盐务督销之差（官场所号优差也），林以不惯此为辞。会江南盐巡道荣恒告病开缺，张电军机处请援旧例由本省遴员请补，覆电许之，遂拟以林补此缺，林系特旨发往，例可尽先补缺也。请补之疏将上，忽有上谕简放徐乃昌，闻者颇以为怪。时载泽长度支部，兼领鹾务，方事中央集权，谓盐道补缺应由盐政处主政，不能由疆吏奏补，因以徐氏请简，事出两歧，政府不遑顾及矣。实则江南盐巡道之盐，名存而已。张旋委林署徐州道。

徐州兵备道，虽仅领一郡，而地居要冲，为“冲繁难”要缺，兼受江北提督节制。林到任后，值辛亥革命起于武昌，江北提督（驻清江浦）段祺瑞即赴彰德谒袁世凯，（道出徐州，林迎谒，赠以诗，有“举棋早觉空余子，借箸谁能副盛名”之句）。提督篆务由淮扬海兵备道奭良护理，未几清江浦所驻新军哗变，变兵窜徐州一带。林氏惧其扰民，从权招抚，编成三营，申明约束，与所统驻徐防营一体待遇。一日忽有新编军六人以抢劫被执，解送道署，林一见即曰：“此非吾收编之新军也！吾新军皆守法者，乌有是？”乃下令斩之，而以他处逃兵徇于众。时官绅莫喻其旨，谓：“道台何以不察？”旋知新军三营以六人被执，人人自危，已汹汹欲动，及闻林所示，乃帖然，始服其应变之智焉。其后地方绅民推为民政长，未就，而革命军已得南京，遂入都辞职。内阁总理大臣袁世凯犹强使任事，力辞乃止。

入民国后，却征不出，而亦未尝以遗老厚自表襮。晚年久居北京，与陈宝琛结邻。民国二十六年春南游赏梅，得病而归，五月间卒，寿七十有五。有自挽一联云："固知无物还天地，不敢将身玷祖宗。"坦荡之怀可见。

杨钟羲挽以联云："居旧京历七十余年，所见所闻所传闻，挥麈都成梦华录；并吾世多二三其德，同学同官同知足，辍弦老失素心人。"寄慨遥深，老年师弟，情怀若揭也。杨为己丑翰林，甲午分校顺天乡试，林出其门，中第五名举人，师弟感情至厚。辛亥革命，林在徐州道任，杨则江宁知府，均弃官高隐。同居北京，每逢年节，林必诣师门叩拜尽礼，不以年老而稍改，风义可风末俗。（林长于杨二龄。）陈三立联云："改世掷勋名，揽胜飞吟，淡泊襟期完独行；余生接师友，佐谈联酌，绸缪歌哭恋同居。"深警酷炼，此老固不肯一字落于平凡也。下联有其师陈宝琛在，（宝琛为三立壬午乡试座师，先林两年卒。）情致尤为切挚。周善培联云："莫为听，歌亦绝，谁与赏，花正开，境中梦然，虽余生，只余恸；将大显，时已非，方健游，倦而返，公知命者，无所阙，何所哀？"戛戛独造，矫健不群。王人文联云："知命其神，早识厄年真有数；处世譬奕，常留余地与人思。"陈夔龙联云："时局无可言，廿年早遂初衣，尽消受北海酒尊，东山棋墅；故人入我梦，一生当著几緉，最难忘西湖夜月，南浦朝云。"周学渊联云："谈笑得春多，廿载闲缘接杯酒；

衣冠经劫在，一流遗韵冷湖山。”杨寿枢、寿枬联云：“用则行，舍则藏，毕生月抱风襟，真趣任鸢鱼飞跃；没吾宁，存吾顺，此去云装烟驾，灵踪追鸾鹤翔游。”沈卫联云：“清望在宣南，教泽在中州，治功在江左右，虽声华藉甚，实未尽君之才，只老来意气犹豪，多子多孙夸晚福；善奕若支公，健啖若廉颇，好游若宗少文，而囊橐萧然，惟以吟诗为乐，到此际死生无碍，看山看水了余年。”张元济联云：“海东问俗，江表宣猷，回首几沧桑，宦迹都随春梦去；荷榭留诗，茅亭索茗，赏心共晨夕，足音还盼故人来。”与左列林灏深等挽诗，多写其身世性行及余事，可参阅。

林灏深：

修夜胡不旸，朝露倏已晞。年命嗒然谢，贤愚同所归。
顾惟鸾鹤姿，顾盼生光辉。又维真挚谊，历久弥见思。
景皇岁在未，王国贡羽仪。与君试明光，春殿同摛辞。
三策对天人，平步凤凰池。吾舅亦上第，君家旧门楣。
吾弟颇竞爽，骖靳还相随。尔时盛意气，走马长安陂。
君家好兄弟，列骑佩金龟。堂上太夫人，爱日方逶迟。
子姓各振振，顾之颜色怡。前导崔邠舆，闲居潘岳词。
命驾游西山，戏彩为娱嬉。韬光与秘魔，周览搜其奇。
以兹通家谊，累举上寿卮(卮)。年少好高论，屡颔长者颐。
事往四十年，光景如飙驰。白日谢昭质，非复春草晖。

金昆与玉友,次第蕙兰萎。追怀舅与弟,沦谪天南陲。
蓬转各赍志,一官何数奇!曩者同游侣,幽明异路悲。
仅存两人耳,述之辄涕洟。重以黍离感,玉步忽改移。
子山江南赋,臣甫杜鹃诗。十年走南北,空存骨与皮。
一见饭颗瘦,再见杨彪羸。今春君南来,憔悴面目黧。
症结在肺腑,疾已不可治。扶病旋北辕,执别在临歧。
握手拳拳意,晤言恐无期。强作达观语,迟君梅花时。
骊驹声在门,摇摇凄心脾。颇闻属纩辰,神明初不衰。
自作生挽语,晚节幸无隳。达人外生死,此语良不欺。
痛君殊自念,孑立谁为依?平生家国恨,宁徒哭其私?

陈夔龙:

平生一掬亲朋泪,哭罢蒿庵又放庵[1]。
荔子乡心隔闽北,梅花春信断江南。
生前名列神仙府,没后魂归弥勒龛[2]。
冯叟九原如可作,残棋应向橘中谈[3]。
接武蓬山世德求,识荆忆共柳庄游。
功名我未图麟阁,才望君推造凤楼。
沧海横流空击楫,黄河远上快同舟。
年交寅好兼婚媾,弹指光阴五十秋。
频年北雁逐南鸿,载酒题襟处处同[4]。
天目看云钟梵外,匡庐观瀑雨声中。
谪仙楼上捞明月,西子湖边唱晓风。

愁对宋梅迎望久，超山烟树太空濛[5]。
几时翦烛共论文，一霎人天袂竟分。
愿着麻鞋追杜老，惭无宝剑赠徐君。
江东有客嗟迟暮，日下何人述旧闻？
就菊重阳虚后约，薤歌先唱鲍家坟[6]。

原注：

①仆一生交谊，以梦华与君为最笃。

②佛诞前一日怛化。

③往岁二老对奕，余每作旁观。

④成句。

⑤超山探梅，旋返旧京，竟赋游仙。

⑥临别尚有九月南来登高赏菊之约，而今已矣。

陈衍：

街西曾作对门居[1]，弹指年光六十余。
看著荷衣能隐重，笑拧红颊一轩渠。
马周命相经推算[2]，籍福称呼自督书[3]。
不道七年痴长者，诩令北望几欷歔。
自许平生食肉飞，吾衰犹共沈家脾。
方忧面减团团样[4]，尚喜诗无格格词[5]。
鄂渚师门让座位[6]，申江甥馆便追随[7]。
三庵宿草春明梦[8]，一念前尘一涕洟。
告君一事定欣然，名宦吴中续百年[9]。

力疾衡文南社老[10]，忧劳行水忍庵贤。

沧浪亭上添图象，拙政园中缺简编。

我是座间提议者，欲招魂魄此留连。

原注：

①君幼自都归里，在西门街，与余居对门。

②君自精相法，而甲午年使余推八字，余决其廿年佳运，后果然。

③君使余书屏对，要余称以老弟。

④去夏见君面颇有陵谷变迁之异，既而复原。

⑤君诗欢娱能工。

⑥君提赣学过鄂，杨雪桥太守觞君黄鹤楼，请余作陪，雪桥余局提调而君房师也，让余首座。

⑦君至沪，住其女夫沈昆三处。

⑧弢庵、忍庵、鲜奄，君戚友，皆余至好。

⑨时吴中方议推广旧祀五百名贤，延余提议，举君尊人锡三年丈及王忍庵同年。

⑩锡三年丈督学江苏，扶病按临松江，殁于考棚。

夏仁虎：

海内名公子，皤然一老身。韦贤汉经术，元亮晋遗民。

晚福诸昆裕，行仙陆地春。论交在三世，岁暮独相亲。

频岁看花约，今年愿复乖。雪寒燕市酒，风落超山梅。

自识龙蛇谶，终看鹏鸟来。陈朱凋谢后，又作寝门哀。

林氏别号放庵，希陆游也。得一扇，为改琦画“一树梅花一放翁”，画中放翁，恰与林神情宛肖，亦一佳话。纪昀《滦阳消夏录》卷二有云：“海阳李漱六，名承芳，余丁卯同年也。余厅事挂《渊明采菊图》，是蓝田叔画。董曲江云：‘一何神似李漱六！’余审视信然。后漱六公车入都，乞此画去，云生平所作小照都不及此。”两事相类，可云无独有偶，而林事尤为巧合。陈宝琛题诗云：

放庵闲放师放翁，得画神貌适与同。
平生任天无宿物，不假战胜颜常丰。
年时比舍聚姻娅，我甫逾冠君方童。
何期垂暮挈子侄，还与割宅居西东？
顾我负重濒渤碣，君尽日饮看霜枫。
杞忧届问亦一哂，天纵不堕终梦梦。
昨来瞻觐退就我，寒雪璀璀继以风。
围炉话旧间星相，寿夭一视无穷通。
家山烽火勿复问，藏酝开瓮联一中。
重游邓尉恐无分，且共酒面灯前红。

此诗盖民〔国〕十五六年间旅津作。陈林僚婿至交也。

余挽林联云：“清望同昭，平生雅故陈听水；高风宛在，旷世襟期陆放翁。”

——民国二十八年

二一　吴佩孚与郭绪栋

吴子玉（佩孚）遽作古人，盖棺论定，自是一非常人，其性行尤多可称，宜各方咸表悲惋。余因之思及其在洛阳时之秘书长郭梁丞（绪栋）事，觉颇可述，爰就所闻，志其概略。

吴之初从军也，尝隶段日升部下，未露头角。时郭氏为段幕僚，会卧病久之，吴服侍极尽心，郭感其意，痊后与谈，知为秀才，言于段，拔充司书，旋稔其有大志，为谋肄业武学，异日功名，实基于斯，故吴对郭深怀知遇之感，以师礼事之。郭识吴于微时，可谓巨眼也。吴氏既贵，郭耻有挟而求，未尝通竿牍有所干乞。吴在洛阳，值秘书长缺人，即敦邀郭氏赴洛，蕲其相助。郭由济南商埠局局长兼市政公所总办解职后，方在济索居无俚，感于吴意之谆切，乃至洛而任秘书长。吴待之致敬尽礼，不与他幕僚等视。吴恶鸦片，对幕僚申禁特严，而以郭多病难祛旧嗜，破格听其自由吸食，将公牍随时送阅，即在室内核定，不令到办公厅办公，俾可将养，且每亲莅烟榻，商榷机要。虽曲法以相宽假，不可为训，要见待遇之优厚。郭为吴谋甚忠，持议侃侃，吴恒降意相从，而服其擘画之当于事情焉。民国十三年，郭卒于洛幕，吴伤悼不胜，挽以联云："国尔忘家，公尔忘私，遽抛老母孤儿，有我完全担责任；义则为师，情则为友，此后军谋邦政，无君谁与共艰难！"语极切挚，并厚恤其家，请于政府，赠以上将之阶，其投分之深，可见一斑，而终始之际，尤见风谊之笃也。此闻诸柯燕舲君。柯君先德凤孙先生为郭撰墓志铭云：

君讳绪栋，字梁丞，山东胶县人。少孤贫，然沉敏有大志，自力于学，不肯汩没于帖括，尝曰：“世变日亟，吾欲以文学自奋难矣。”是时张勤果公领军，君闻张公善待士，乃至军中求自效，为中营文案，张公大器之。张公卒，君去为天津巡警总局文案，陆军第三四镇书记官。民国肇建，擢济南商埠局局长兼市政公所总办。君综核精密，遇事持大体，声名藉甚。两湖巡阅使吴公素知君，至是开府洛阳，请君为秘书长，倚之如左右手。君感国士之知，遇事有可否，驳难往返，必得其当而后已。吴公之知人，君之酬知，当世以为美谈。民国十一年，简授济南道道尹，吴公留君幕府，不赴任。是时君佐吴公已六七年，因劳勋患喘嗽，又以太夫人春秋高，乞假归，为太夫人八十寿，遂欲养亲不出。而吴公调任直鲁豫巡阅使，幕府事益剧，招君返洛阳，敦促再三，君不获已而行。比至洛阳，病日增，弥留之际，神识湛然，处分公事如平日，惟以不能终事老母为憾。呜乎！其可悲也已！吴公上君勋绩于政府，赠陆军上将，异数也。君生于同治十年九月八日，卒于民国十三年四月七日，年五十有四。配黄夫人，无出。戈夫人，生子二，愈焜、愈炳。孙一，盛坚。予与君葭莩之谊，君之葬也，愈焜兄弟来乞铭。铭曰：齐桓用管仲而成一匡九合之勋，旷世相遭，岂无其人？君之才可以尊主而庇民，奄然没世，不究所施，犹能垂不朽于贞珉。

不言识吴于微时情事者，或体其不欲以此相矜襮之意欤？

——民国廿八年

二二　李汝谦

济宁李汝谦，号一山，喜诙谐，玩世不恭，而优于文学，甚有藻思，与谐谑之性相济，遂为滑稽之雄。

其文学之优，可以挽张之洞诗为代表作。诗云：

惊传元老竟骑箕，海水吞声日色微。
邻国且然闻太息，学人尤甚失归依。
攀髯自慰鼎湖痛，握发难禁斧扆悲。
总是两宫垂眷切，召随天上赞纶扉。

天将时局故翻新，万种艰危试一身。
有福方能生乱世，无疵转不算完人。
直兼新旧将焉党，最凛华夷却善邻。
甘苦要听公自道，调停头白范纯仁①。

原注：

①用公旧句。

余事怜才意独钟，费辞总不尽形容。
宝山直发千年藏，学海能朝万派宗。
莲炬当时曾荷宠，谷圭奕世好酬庸。
不须守墓除多户，定有门人为种松。

横绝晴空有绛云，今无论定后何闻？
易名恪靖惭同调，合传江陵讵足云？
将相不关能殖产，孙曾难得尽从军。
荣衰终始谁工诔，那更如公议礼文？

感恩知己今羞道，施者无方受者隆。
魏野才能传寇准，李纲原不识陈东。
黄花惨淡逢愁里，丹幡依稀见梦中。
到第九年公始慰，暂将私祭告元功。

沉挚精湛，实为杰构，文学造诣，可见梗概，固非徒以诙谐见长者。所引张氏旧句“调停头白范纯仁”，按：原诗（题曰《新旧》）云：“璇宫忧国动沾巾，朝士翻争旧与新。门户都忘薪胆事，调停头白范纯仁。”（为光绪季年在京所作，感慨颇深。其时朝局，可以略见。）

“自成一家”，语非不佳，而李姓用之，则遥遥华胄，有上攀闯王之嫌。其传为笑柄者，如吴妍人（沃尧）《妍（趼）廛笔记》有云：“书画家例多作闲图章，以为起首押脚之用。其图章之文，或取古诗，或取成语，无一定也。画士李某，倩人作一闲章，文曰‘自成一家’，见者哗然。细思之，实足发人狂噱也。”此画士李某以“自成一家”语作印章，致贻笑柄，其事为无心之失。李汝谦亦有“自成一家”之小印，则系故意为之，以寄其玩世之态，尤足令人发噱也。又有印章曰“诛潜德于既死，发奸雄之幽光”，用韩愈文“诛奸谀于既死，发潜德之幽光”语而反之，且改“奸谀”为“奸雄”焉。（并好搜集号为奸臣者之书画，闻所得颇不少，极加欣赏，每以夸耀于人。）所撰文稿，每盖用“中虚得暴下”之印章，亦借韩语为诙谐。

李虽滑稽玩世，却又为仕宦中人。民国元年尝任山东泰安府知府（时山东尚未裁知府），故又有一印章曰“太山太守”，用汉郡名也。

张宗昌督鲁时，李为黄县知事，因事被名捕。其同乡潘復方为国务总理，乃弃官逃至北京以投之，以潘之援，得为法制局参事，清末尝留学东瀛习法政也。当其逃亡在途，冒姓为潘，携有预印之名片，姓名为潘德，字为馨庵，惟籍贯仍山东济宁。沿途自称为潘復之兄，出名刺示人，言及潘復，即曰“舍弟”云云。人以其既系济宁口音，名字又均与潘復排行，咸信其真是现任总揆之兄，故一路安然度过，且极受尊敬。其为人机变亦可见。潘復字馨航，“德”与“復”同偏旁，尚无足奇，妙在有刘禹锡《陋室铭》之“惟吾德馨”成句（语本《左传》），“馨”“德”适相关合。

李之友人有万其谊者，李为联以谑之曰：“一十百千，尊姓应登流水账；乡寅年戚，大名常见报丧书！”万意甚恚，而无如之何也。醒醉生（汪康年）《庄谐选录》卷三云：“蜀李芋仙，有才名，工诗词，集成句对，不烦思索，脱口而出。尝客游河南，周翼廷太守方居祥符，因述在都时集句赠诸伶，皆暗藏其名。翼廷曰：‘若吾号不易对。’李曰：‘何难！’即举《长恨歌》一语曰：‘在天愿作比翼鸟。’良久不言。客亟询之，李以手拍其股曰：‘尚有一句：隔江犹唱后庭花。’翼廷不悦。后李行时，所赠甚薄。李告人曰：‘为一联巧对，换我三百金也。’”联亦甚趣，可以并观，所谓同工异曲耳。此李亦曾官知县而以玩世不恭著称者。

——民国三十一年

二三　梅巧玲

清季北京名伶梅巧玲，誉噪一时，领四喜班，众情翕服，其为人尤任侠尚义，轶事流传，颇见诸家记载。如孙静庵《栖霞阁野乘》卷七云：“梅巧玲，字丽芬，貌极丰艳，演青衫花旦，皆极尽能事。工汉隶，略能诗画。咸丰末，有某太史者，故世家子，以挥霍倾其赀，极眷巧玲，尝负巧玲债二千金，未能偿，以病卒僧寺中。其同乡某君者，为折柬召诸乡人集殡所，谋集赀送其丧。诸乡人各道贫苦，无肯先下笔者，日晡所集不及百金，某君舌几敝矣。忽门者报巧玲至，诸人相顾愕眙曰：‘是殆为索逋来欤？彼若见吾辈醵赀状，或即向吾辈索取，可若何？’言未竟，巧玲已素服入，哭尽哀。移时，始辍涕向诸人曰：‘太史生前尝负我二千金，今既亡矣，母老子幼，吾尚忍言旧债耶？’即出券怀中，向柩前一揖，就烛焚之。徐又出一纸授某君曰：‘闻太史丧归尚无赀，谨赙金二百，为执绋之助，恨所操业贱，未能从丰以报知己耳。’语毕拭泪而去。诸人者乃相顾无人色。巧玲卒于光绪辛巳、壬午间，生平以姓梅，故酷嗜梅，葬于京东某村，墓上树梅三百株，其遗命也。巧玲少子肖芬，亦工画兰，今都下诸伶，色艺以梅兰芳为冠，即肖芬子也。”盖佳话流传，有如此者。（梅谓所操业贱，在当时可如此说，今则伶不贱矣。）《栖霞阁野乘》于民国二年出版，其时梅氏孙兰芳在伶界已大红矣。又民国五年出版之《中华小说界》第三卷第六期，载《思茎馆笔记》（撰者署跛公），亦有一则，与《野乘》所述相同，盖出一源，惟肖芬作幼芬，若然，是与尝与梅兰芳齐名之朱幼芬同名矣。至墓上树梅三百株之说，疑传闻附会之词，北京少梅树，风土不甚相宜也，植三百株于墓，若能成长如南中，颇非易易耳。梅氏卒年，此云在光绪辛巳、壬午间，未能确指。按：梅实卒于壬午（光绪八年），今岁又为壬午，相距恰为甲子一周，亦伶界之一纪念也。

六十年前，当梅氏卒后，李莼客（慈铭）于其出殡日有所纪，见其《荀学斋日记》丁集下，光绪八年壬午十一月初七日云："孺初来，敦夫来。是日四喜乐部头梅蕙仙出殡广慧寺，闻送者甚盛。下午偕两君出大街至其门首观之，则已出矣，遂雇车归。蕙仙名巧龄，扬州人，以艺名，喜亲士大夫。余己未初入都时，曾一二遇之友人坐上，未尝招以花叶。及今二十余年，解后（邂逅）相见，必致殷勤。霞芬其弟子也，余始招霞芬，蕙仙戒之曰：'此君理学名儒也，汝善事之。'今年夏，余在天宁寺招玉仙，玉仙适与蕙仙等群饮右安门外十里草桥，蕙仙谓之曰：'李公道学先生，汝亦识之，为幸多矣。'此曹公议，远胜公卿，然余实有愧焉。自孝贞国恤，班中百余人失业，皆待蕙仙举火，前月十七骤病心痛死，其曹号恸奔走，士夫皆叹惜之。蕙仙喜购汉碑，工八分书，远在其乡人董尚书之上，卒时年四十一。"又云："蕙仙后更名芳，字雪芬。"对梅氏，盖甚称其善，且颇寓知己之感。（其辞若有歉焉，其实乃深喜之。）一腔牢骚，亦借此略一发摅之。李氏擅文学，通掌故，浮沉郎署，沉冥廿载，久以知音者稀不获大用自伤也。如所云，梅对李固甚推崇，而"理学名儒""道学先生"之头衔加之李氏，未为甚合，或仅梅氏之世故词令耶。要之，梅自为伶人中雅有书卷气者，年甫逾四十遽卒，宜士夫同声叹惜焉。梅盖江苏泰州（今泰县）人，故扬州府属也。董尚书谓董恂，甘泉（扬州府附郭邑，今并入江都县）人，夙以工八分书著闻者。（久官户部尚书，是年正月以京察罢官。）梅名巧玲，久称于世，此曰巧龄，又曰更名芳，当非无根之谈。龄、玲音同，或本作巧龄欤？其字蕙仙（或作慧仙，以音同而通用也），亦人所习知，更字雪芬，则知之者较少矣。《栖霞阁野乘》谓字丽芬，未知是否即由雪芬传误，抑并有丽芬之字也。李氏未言焚券致赙之义举，惟书其于国丧停止演戏时赒济班众事，亦略见其为人。

李氏门人樊云门（增祥）《梅郎大母陈媪八旬寿序并诗》（民国八年旧历三月初三日，兰芳在北京织云公所为其祖母祝八十寿）云："……余丁卯计偕，郎之王父慧仙，有盛名于鞠部，艺之精不必言，其任侠好义，往往为朋辈所称述，佥谓得于内助为多。盖媪以笄年适梅，同筹江南，气含烟水，北地燕支慕慧仙者十人而九，而高柔匹敬贤妻，未尝涉平康一步。既长四喜部，同部百数十人，并受约束，若子弟畏父兄然。以吾眼见，两遇遏密，它部伶人星散，唯四喜全部衣食于慧仙，百日之内，尽出所蓄以赡同人之穷乏，媪亦搜箧助之。及歌馆重开，所部诸伶皆感其德施，毕力献艺。先师李会稽叹曰：'使今之将帅驭兵如梅伶，则万众一心，发捻不足平也。'同治初，有选人与慧仙善，券贷二千金，未到官而殁于京邸。举殡之日，亲宾云集，而慧仙亦至，众疑其索逋来也。慧仙敬拜讫，出券就烛焚之，挥涕出门而去。归语媪曰：'曩贷金时，假汝条脱以足之，今并汝金亦罄矣。'媪曰：'君能行谊，吾独不能舍此戋戋者耶?’兹事五十年前都下盛传，今知者鲜矣。……长言不足，继以永歌。其诗曰：荆十三娘有后身，仙姝节侠旧普闻。一双萼绿金条脱，都向冯驩券里焚。（其一）……”述梅氏义行，因及内助之贤焉。所谓两遇遏密，指清穆宗（同治帝）及孝贞后（慈安太后）两次大丧（同治十三年及光绪七年）剧场停演，时发捻早平矣。（陈慎言《天和阁联话》云：“名伶梅畹华之祖母陈，为名伶陈金爵之女，梅巧玲之妇，以相夫焚券夙著义声。生二子，雨田、竹芬，皆有时誉，早逝，晚岁抚育孤孙，遂使负盛名，为梨园之冠，于甲子五月十一日卒，年八十五岁，一时海内名流题挽，颇多佳构。……王书衡联云：‘相夫义行高焚券，修禊嘉辰罢举觞。’樊山老人则填《金缕曲》一阕，推崇备至。”可参阅。）

又梁溪坐观老人（张祖翼）《清代野记》卷上云：“咸丰季年，京伶胖巧玲者，江苏泰州人，年十七八，姓梅，面如银盆，肌肤细白，为若辈冠，不甚妩媚，而落落大方，喜结交文人，好谈史事，《纲鉴会纂》及《易知录》等书不去手。桐城方朝觐，字子观，己未会试入京，一见器之，自是无日不见，非巧玲则食不甘、卧不安也。其年方之妻弟光熙亦赴会试，同住前门内西城根试馆，方则风雨无阻，日必往巧玲处，虽无大糜费，然条子酒饭之费亦不免。寒士所携无多，试资尽赋梅花矣，不足则以长生库为后盾。始巧玲以为贵公子，继乃知为寒酸，又知其衣服皆罄，遂力阻其游，不听，然思有以报之。会试入场后，巧玲驱车至试馆觅方，方仆大骂曰：‘我主身家性命，送一半与□□了，尔来何为？’巧玲曰：‘尔无秽言詈我，我来为尔主计，闻尔主衣服皆入质库，然否？’仆悻悻曰：‘尚何言，都为你！’巧玲曰：‘质券何在？’仆曰：‘尔贪心不足，尚思攫其当票耶？’巧玲曰：‘非也，趁尔主此时入场，尔将当票检齐，携空箱随我往可也。’于是以四百余金全赎之，送其仆返试馆而别。次日方出闱，仆告之，感激至于涕零，及启笥，则更大骇，除衣服外，更一函盛零星银券二百两，媵以一书云：‘留为旅费。如报捷后，一切费用，当再为设法。场事毕，务须用心写殿试策，俟馆选后再相见。此时若来，当以闭门羹相待，勿怪也。’方阅竟，涕不可仰，同试者皆咄咄称怪事，即其仆亦眙愕不知所云，第云：‘真耶，真耶，真有此好□□耶？’方大怒曰：‘如此仗义，虽朋友犹难，尔尚呼为□□耶？’场事毕，方造访，果不见，无如何，遂闭户定课程，日作楷书数百字而已。榜发中式，日未暮，巧玲盛服至，跪拜称贺，复致二百金，谓方曰：‘明日谒座师房师及一切赏号，已代为预备矣。’方不肯受，巧玲曰：‘尔不受，是侮我也，侮我当绝交。’乃受之。方仆一见巧玲，大叩其头，口称：‘梅老爷，小的该死，小的以先把尔当个坏□□，那晓得你比老爷们还大方。’巧玲闻之，笑与怒莫知其可也。及馆选，巧玲又以二百金为贺。方曰：‘今真不能再领矣，且既入词林，吾乡有公费可用，不必再费尔资。’始罢。孰知馆选后未匝月即病故。巧玲闻之，白衣冠来吊，抚棺痛哭失声，复致二百金为赙，且为之持服二十七日。人问之曰：‘尔之客亦多矣，何独于方加厚？’巧玲曰：‘我之客皆以优伶待我，虽与我厚，狎侮不免，惟方谓我不似优伶，且谓我如能读书应试，当不在人下，相交半年，未尝出一狎语，我平生第一知己也，不此之报而谁报哉？’从此胖巧玲之名震京师，王公大人皆以得接一谈为幸。……方之仆名方小，族人之为农者，乡愚也，故出言无状如是。”写来兴会淋漓，颇饶趣致，其情事有写得似《品花宝鉴》之写苏蕙芳（影指李桂官）与田春航（影指毕秋帆）处，亦可作小说读。（张氏并述及其子乳名大锁者，为京师胡琴第一，谭鑫培深倚之。大锁即雨田，为兰芳之伯父，兰芳幼时曾受抚育。）

关于梅氏此项义举，既多见称述，事当有之，乃诸家所述不一致，樊孙之言相近似，亦颇有异同，张氏则另是一种说法，无所谓焚券矣。（张记似另是一事。）大抵一事而经众口辗转传说，每致互歧，他书似尚有记此者，未暇细检，或歧中又有歧也。此事情节，并不复杂，而亦易歧若是。醒醉生（汪康年）《庄谐选录》卷二云：“西人状传言之易错云：使十余人围坐，甲与乙耳语一事，乙又耳语告丙，丙又告丁，如是辗转，复至于甲，则其言必大谬误。此语最为切当。”虽说得不免太过，而传衍小异或至大异，理固有然已。（方朝觐，咸丰己未顺天乡试举人，同治癸亥进士，未膺馆选，张氏所记有误。）

梅氏卒于光绪壬午十月十七日，予告刑部尚书桑春荣

（字柏侪，道光壬辰翰林，本浙人，宛平籍。）亦于此数日内卒于京邸（有诏赐恤，予谥文恪），寿八十有二，适倍于梅。桑、梅二人，一贵官，一名伶，均属京师有名人物，同时逝去，好事者为合撰一联，颇工巧，一时传播都下。十余年前，友人尝为余诵之，今竟不克举其词，垂老健忘，衰征可喟也。（嗣读赵叔雍先生文，承见告联为“瘦岭一枝先折，成都八百同凋”。并云：“先公官粤东时，有铨粤之散馆翰林李君，……每告先公曰：……在京清苦，此行并资斧亦付阙如，友生筹措，殊不足敷。不得已以告之梅巧玲，巧玲假吾三百金，始治行装。今来此半载，尚未及还，弥为怅歉……因此知巧玲豪侠，对于京朝士夫，每多倾助。”）桑氏为道光二年壬午举人，至光绪壬午，乡举再逢，鹿鸣重宴，其孙隽恰又以同治庚午优贡中此科举人，甲子一周，祖孙为先后同年，谈科名者乐道之，并附及焉。

——民国卅一年

二四　柳敬亭

于上海《时事新报·青光》栏，见胡怀琛君《捧柳敬亭》一文，举《桃花扇》及吴伟业、周容、张岱诸人之为敬亭表彰，更引王士祯之说，而断之曰：“平心而论，柳敬亭的说书的艺术，也有相当的可取之处，然当时的左派文人实未免捧之太过。王渔洋是文人习气太重，不能了解民众化的说书的艺术的好处，这也是事实。然他说当时的文人因左良玉讨马士英而看重左良玉，又因左良玉而看重柳敬亭，这话也在情理之中，我们不能否认。”所论颇允，而敬亭之为一时名流所称扬，盖亦藉以寓对故明之思，士祯为有清显宦，其心理有不同耳。

诸家之言敬亭，除孔尚任《桃花扇》传奇体裁有殊，合观伟业等及黄宗羲所记，敬亭要当为艺人之杰出者。伟业《柳敬亭传》云：

> ……或问生何师。生曰：“吾无师也。吾之师乃云间莫君后光。”莫君之言曰：“夫演义虽小技，其以辨性情，考方俗，形容万类，不与儒者异道，故取之欲其肆，中之欲其微，促而赴之欲其迅，舒而绎之欲其安，进而止之欲其留，整而归之欲其洁，非天下至精者，其孰能与于斯矣？”柳生乃退就舍，养气定词，审音辨物，以为揣摩。期月而后诣莫君，莫君曰：“子之说未也，闻子之说者，危坐变色，是得子之易也。”又期月，曰：“子之说几矣。闻子之说者，危坐变色，毛发尽悚，舌挢然而不能下。”又期月，莫君望见惊起曰：“子得之矣！目之所视，手之所倚，足之所跂，言未发而哀乐具乎其前，此说之全矣。”于是听者傥然若有所见焉。其意也，恤然若有亡焉。莫君曰：“虽以行天下，莫能难也！”……与人谈，初不甚谐谑，徐举一往事相酬答，澹辞雅对，

一座倾靡。诸公以此重之，亦不尽以其技强也。……客有谓生者曰："方海内无事，生所谈皆豪猾大侠，草泽亡命，吾等闻之，笑谓必无是，乃公故善诞耳。孰图今日不幸竟亲见之乎？"生闻其语，慨然。属与吴人张燕筑、沈公宪俱，张、沈以歌，生以谈，三人者，酒酣，悲吟击节，意凄怆伤怀，凡北人流离在南者闻之无不流涕。未几而有左兵之事。左兵者，宁南伯良玉军噪而南，寻奉诏守楚，驻皖待发。守皖者杜将军宏域，于生为故人。宁南尝奏酒，思得一异客，杜既已泄之矣，会两人用军事不相中，念非生莫可解者，乃檄生，进之。左以为此天下辩士，欲以观其能，帐下用长刀遮客，引就席，坐客咸震慑失次。生拜讫，索酒，诙啁谐笑，旁若无人者。左大惊，自以为得生晚也。居数日，左沉吟不乐，孰视生曰："生揣我何念？"生曰："得毋以亡卒入皖而杜将军不法治之乎？"左曰然。生曰："此非有君侯令，杜将军不敢专也。生请衔命矣。"驰一骑入杜将军军中，斩数人，乃定。左幕府多儒生，所为文檄，不甚中窾会，生故不知书，口画便宜辄合。左起卒伍，少孤贫，与母相失，请贻封不能得其姓，泪承睫不止。生曰："君侯不闻天子赐姓事乎？此吾说书中故实也。"大喜，立具奏。左武人，即以为知古今识大体矣。……其善用权谲为人排患解纷率类此。……逮江上之变，生所携及留军中者，亡散累千金，再贫困而意气

> 自如。或问之。曰："……且有吾技在，宁渠忧贫乎？"乃复来吴中，每被酒，尝为人说故宁南时事，则欷歔洒泣。既在军中久，其所谈益习，而无聊不平之气无所用，益发之于书，故晚节尤进云。旧史氏曰：予从金陵识柳生。同时有扬生季蘅，故医也，亦客于左，奏摄武昌守，拜为真。左因强柳生以官，笑弗就也。……

言之颇详。宗羲《柳敬亭传》云：

> ……云间有儒生莫后光，见之曰："此子机变，可使以其技鸣。"于是谓之曰："说书虽小技，然必辨性情，习方俗，如优孟摇头而歌，而后可以得志。"敬亭退而凝神定气，简练揣摩，期月而诣莫生。生曰："子之说能使人欢咍嗢噱矣。"又期月，生曰："子之说能使人慷慨涕泣矣。"又期月，生喟然曰："子言未发而哀乐具乎其前，使人之性情不能自主，盖进乎技矣。"由是之扬、之杭、之金陵，其名达于缙绅间。华堂旅会，闲亭独坐，争延致之，使奏其技，无不当于心称善也。……宁南以为相见之晚，使参机密，军中亦不敢以说书目敬亭。宁南不知书，所有文檄，幕下儒生，设意修词，援古证今，极力为之，宁南皆不悦，而敬亭耳剽口熟，从委巷活套中来者，无不与宁南意合。尝奉命至金陵。是时朝中皆畏

宁南，闻其使人来，莫不倾动加礼。宰执以下，俱使之南面上坐，称柳将军，敬亭亦无所不安也。其市井小人昔与敬亭尔汝者，从道旁私语："此故吾侪同说书者也，今富贵若此！"亡何，国变，宁南死，敬亭丧失其资略尽，贫困如故时，始复上街头，理其故业。敬亭既在军中久，其豪猾大侠，杀人亡命，流离遇合，破家失国之事，无不身亲见之，且五方土音，乡俗好尚，习见习闻，每发一声，使人闻之，或如刀剑铁骑，飒然浮空，或如风号雨泣，鸟悲兽骇，亡国之恨顿生，檀板之声无色，有非莫生之言可尽者矣。马帅镇松时，敬亭亦出入其门下，然不过以倡优遇之。钱牧斋尝谓人曰："柳敬亭何所优长？"人曰："说书。"牧斋曰："非也。其长在尺牍耳！"盖敬亭极喜写书调文，别字满纸，故牧斋以此谐之。嗟乎！宁南身为大将，而以倡优为腹心，其所授摄官，皆市井若己者，不亡何待乎！

自跋云："偶见《梅村集》中《张南垣》《柳敬亭》二传，张言其艺而合于道，柳言其参宁南军事比之鲁仲连之排难解纷，此等处皆失轻重，亦如《弇州志》刻工章文，与伯虎比拟不伦，皆是倒却文章架子。余因改二传。其人本琐琐不足道，使后生知文章体式耳。"宗羲虽极轻其人，而亦未尝不重其技，写技之优，有胜于伟业处。

容《杂忆七传》传敬亭云：

……以滑稽说古人事，往来缙绅间五十年，无不爱柳敬亭者。儿童见柳髯至，皆喜。其技传之华亭莫生。生之言曰：“口技虽小道，在坐忘，忘己事，忘己貌，忘坐有贵要，忘身在今日，并忘己何姓名，于是我即成古，笑啼皆一。所恨楚庄未见叔敖不能证优孟，然史迁、班固下逮贯中、实甫笔墨为证，如已见之。”予每叹近世人材衰飒，私疑往史多诬，未必有如某某其人。癸巳值敬亭于虞山，听其说数日，见汉壮缪，见唐李郭，见宋鄂、蕲二王，剑棘刀槊，钲鼓起伏，髑髅模糊，跳踯绕座，四壁阴风旋不已。予发肃然指，几欲下拜，不见敬亭。

推崇盖至。

余怀《板桥杂记》云：

柳敬亭……善说书……盖优孟、东方曼倩之流也。后入左宁南幕府，出入兵间。宁南败亡，又游松江马提督军中，郁郁不得志，年已八十余矣。间遇余侨寓宜睡轩，犹说秦叔宝见姑娘也。

则言其暮年之侘傺。

钱谦益《为柳敬亭募葬疏》云：

……柳生敬亭，今之优孟也。长身疏髯，谈笑风生，亩齿牙，树颐颊，奋袂以登王侯卿相之座，往往于刀山血路骨撑肉薄之时，一言导窾，片语解颐，为人排难解纷，生死肉骨。今老且耄矣，犹然掉三寸舌糊口四方，负薪之子溘死逆旅，旅榇萧然不能返葬，伤哉贫也！优孟之后更无优孟，敬亭之后宁有敬亭？此吾所以深为天下士大夫愧也。三山居士，吴门之异人也，独引为己责，谋卜地以葬其子，并为敬亭营兆域焉。延陵羸博之义，伯鸾高侠之风，庶几兼之。余谓梁氏生赁伯通之庑，死傍要离之墓，今谋其死而不谋其生可乎？平陵七尺，玉川数间，故当并营，不应偏举。敬亭曰："此非三山只手所能办也。士大夫之贤者，吾侍焉游焉；章甫韎韦之有闻者，吾交焉友焉；闾巷之轻侠，裘马之少年，轻死重义，骨腾肉飞者，吾兄事焉，吾弟畜焉。生数椽而死一坏（抔），终不今（令）敬亭乌鹊无依而鸟鸢得食也。某不愿开口向人，惟明公以一言先之。"余笑曰："太史公记孟尝君客鸡鸣狗盗，信陵君从屠狗卖浆博徒游。生之所称引者，冶游则六博蹴鞠之流，豪放则椎埋臂鹰之侣，富厚则驵蛤洗削之类。其人多重然诺好施与，岂龌龊阘茸两手据一钱惟恐失者？要离、专诸，春秋时吴门市儿也，岂可与裒衣博带大冠如箕者比长而较短哉？子姑以吾舌号于吴市，吴市之人有能投袂奋臂感慨而相命者，吾知其人可以愧天下士大夫者也。子当次第记之，他日吾将按籍而稽焉。"

亦述其暮年情事，而写其交游以寓感慨。

状其技之工最为有声有色者，当推岱《陶庵梦忆》。其说云：

> 南京柳麻子，黧黑，满面疤瘤，……善说书。一日说书一回，定价一两。十日前先送书帕下定，常不得空。……余听其说《景阳冈武松打虎》白文，与本传大异。其描写刻画，微入毫发，然又找截干净，并不唠叨。说至筋节处，叱咤叫喊，汹汹崩屋。武松到店沽（沽）酒，店内无人，謈地一吼，店中空缸空甓，皆瓮瓮作声。闲中着色，细微至此。主人必屏息静坐倾耳听之，彼方掉舌。稍见人咕嗫耳语，听者欠伸有倦色，辄不言，故不得强。每至丙夜，拭桌剪灯，素瓶静递，款款言之，其疾徐轻重，吞吐抑扬，入情入理，入筋入骨，摘世上说书之耳而使之谛听，不怕其齰舌死也！……

至士禛《分甘余话》，则云：

> 左良玉自武昌称兵东下，破九江、安庆诸属邑，杀掠甚于流贼。东林诸公，快其以讨马、阮为名，而并讳其为贼。左幕下有柳敬亭、苏昆生者，一善说评话，一善度曲。良玉死，二人流寓江南。一二名卿遗老左袒良玉者，赋诗张之，且为作传。余曾识柳于金

陵，试其技与市井之辈无异，而所至逢迎恐后，预为设几焚香，瀹岕片，置壶一杯一。比至，径踞右席说评话，才一段而止，人亦不复强之也。爱及屋上之乌，憎及储胥。噫，亦愚矣！

或亦不免因不满良玉而贬及敬亭乎？

——民国廿二年

二五　万寿祺

《中和月刊》登载万年少书画，其人明末遗老而以风操文采著者也。顾宁人诗有《赠万举人寿祺》云：

白龙化为鱼，一入豫且网。愕眙不敢杀，纵之遂长往。
万子当代才，深情特高爽。时危见絷维，忠义性无枉。
翻然一辞去，割发变容像。卜筑清江西，赋诗有遐想。
楚州南北中，日夜驰轮鞅。何人诇北方，处士才无两。
回首见彭城，古是霸王壤。更有云气无，山川但块莽。
一来登金陵，九州大如掌。还车息淮东，浩歌闭书幌。
尚念吴市卒，空中吊魍魉。南方不可托，吾亦久飘荡。
崎岖千里间，旷然得心赏。会待淮水平，清秋发吴榜。

其身世暨才调襟期，可于此略睹，并见同时名辈之推许焉。

兹考谱传等略叙其事迹。万氏名寿祺，字介若，一字若（一字字），一字内景，一字年少。原籍南昌，自其曾祖家于徐州。父崇德，字惺新，万历甲辰进士，由浙江临海县知县入为云南道监察御史，历巡〔视〕北城、按河东盐法、提督辽饷，转福建道监察御史，以魏忠贤用事托疾去，出为山东按察司副使。年少生于万历三十一年癸卯，天启元年辛酉入泮。三年癸亥，山东盗起，避难淮安。崇祯元年戊辰，以选贡入京试于廷，遂入国子监。三年庚午，南京乡试，中第五十九名举人。五年壬申，游沙室。六年癸酉，在京师，始刻诗集。七年甲戌，返里，就宅东旧屋葺治为五室，垒石于庭，名之曰青泥院，为文记之，以读书养志于其中。八年乙亥，遭母项孺人丧。是年集十年所积之文为《二两斋文选》，并为之序。九年丙子，与同志开文社于南京，数为大会，与会者沈眉生、冒辟疆、刘伯宗、陈则梁、张公亮、吕霖生、刘鱼仲、张芑山、顾子方、侯雍瞻、方密之、孙克咸、沈昆铜、麻孟璇、梅惠连、刘湘客、周勒卣、李舒章、顾伟南、徐闇公、宋子建、陈百史、陆子元等。复与同郡李孝乾、王先仲、雷汝逊、曹澹如、马空同、毕一士及门人王子克为文社，月三聚，以九为的，四时仲九日文七篇，余日文三篇。又令门人杜仁夫、杜子愚、王子穆、毕山令、黄子道、万子臣为小聚，随文多少。年少作文的，以立德立言相敦勉。十年丁丑，卜居吴门。十一年戊寅，卜筑淮阴之西湖。十二年己卯，至南京。十三年庚辰，流贼陷徐州。十四年辛巳，寓吴中。十五年壬午，返里门。书籍散佚，新旧本皆亡失。十六年癸未，寓居京口。集庚辛以来避乱奔走四方与同志唱和之作，得乐府五七言古诗、五七言律诗、七言绝句凡六十九首，为《内景堂诗》，序而刊之。未几复移寓云间。十七年甲申，移家吴郡。三月京师陷，赋《甲申诗》二章以志哀。五月南都建，赋《五月诗》以志喜。(是岁即为清顺治元年。）清顺治二年乙酉（明南都弘光元年)，五月南都破，江以南郡县皆不守。年少起义兵，其友沈君晦、钱开少、戴务公起兵陈湖，沈云升、陈卧子、黄如千起兵于泖，吴日生起兵笠泽，皆与之会师。八月兵溃，沈、黄等死之，年少被执不屈，督师重其人，得不死，劝之仕，坚辞，乃纵之。兵燹之后，数世之蓄都尽，濒死者十余次，伶仃北还，八口待食，乃卖书画以疗饥。三年丙戌，祝发为僧，名曰慧寿，自号明志道人，又称寿道人。五年戊子，游广陵。仲冬徙宅于浦西，去淮阴城三十五里，西近洪泽，南曰徐湖，北则河淮合流，东入于海，四区皆隰，筑其原（屋）为隰西草堂，赋诗以志之。六年己丑，暂返里门。旋由隰西出游，历邳、沛、滕、萧、砀等处，拜义士之墓，作烈女之碑，恤忠臣之孤。此行得诗五十九首，名之曰《己丑诗》，为之序。是年买圃于草堂之阳，取靖节诗语，名之曰南村，引泉树蔬之处曰平畴，畴北折有廊曰韵步，上有馆曰远游，其侧有榭曰春阴，作《南村记》。八年辛卯，游姑孰。九年壬辰，游吴郡。返隰西后未几卒，年五十。（乔子卓有《哭万年少诗》云："史笔千秋在，伤心万事非。途穷天地窄，世乱死生微。丹旐翻前驿，元乌送落晖。萧条徐泗远，白马故人稀。"）子睿（字渠客，能读父书，为名诸生。作字亦肖父，年少诗有"父子坚孤节"之句，盖能承父志者）、堂侄穆（字遐客）扶榇返葬于徐州之凤凰山。其事迹之可考者粗具于斯。所著有文稿数十篇，《隰西草堂诗》五卷，《印谱》一卷，《遁渚词》一卷，《墨论》一卷，《印说》数十则，《隰西禁方》一卷，《算天文法占》《周易》各一卷，余稿散佚。

年少与同时胜流，多相接纳，右惟叙丙子南京文社事，以略见一时人文之盛，余不备记。明亡以后，托迹浮屠，而饮酒食肉如故，其服则幅巾衲衣（或云儒衣僧帽），尝被市人谤为异服，盖祝发示逃禅于新朝，固与真为僧徒者有间。友朋款接，文字酬答，所不废也。上文所引顾宁人诗，为辛卯过淮上至草堂赋赠，翌年年少即逝世矣。年少遭国变，所为诗多寓悲感。如《偶成》云：

白杨黄棣满天涯，大陆晴风展玉沙。
北阙关心驰万里，南冠遗泪洒千家。
铜驼旧阙花仍发，金碗诸陵日易斜。
闻到云中新牧马，龙骧百队向京华。

《隰西草堂》云：

岂曰无家赋考槃，幽居坦坦采芳兰。
云山不尽关河急，哀乐无端风雨酸。
五夜丽谯归北地，十年沧海忆长安。
人间咫尺夔州道，虎豹当关行路难。

浦上老渔秋水明，小窗剪烛酌同倾。
不知今世为秦汉，莫向当途辨浊清。
丰草长林从此远，白衣苍狗太无情。
高原回首闻南雁，带到衡阳第几声。

可见一斑。罗叔言为撰年谱，序谓："先生一明季孝廉耳，非有一民尺土之寄，而怀抱忠愤，起兵草泽，天命已移，身遭囚系，颠沛隐遁，垂死而志不衰，千载以后，尚论之士，有余慕焉。即其余艺流传，亦足千古。每披览手迹，芳懿孤回，如见其人。辄自恨生晚，不及执鞭。"足彰其人也。（当明季海内乱兆隐伏未形，江南又佳丽地，年少与诸名士文宴纵横，酒旗歌扇间，跌宕自喜，见孙绣田所为传。其庚午举于乡也，名噪一时。好狭斜游，又甚工写丽人，坐上妓以此索之，辄为吮豪，诸妓之有声者，皆昵就之，风流豪迈，倾动一时，同辈谢弗及。沧桑后乃尽遣所买诸歌妓。见周栾园《印人传》。明季士大夫多纵情声色，亦一时风气。）

年少学富才赡，文采斐蔚，诗文书画，旁及诸艺，皆为人所称道。孙绣田《明孝廉万先生传》云："凡经史诸子百家之书无不读，礼乐兵农天文地理之奥无不究，且旁涉虚幰星卜书画之理，鸡牌雀箓缪篆之文，下笔成章，往往惊其坐人。……平生无艺不精，古文清回拔俗，诗擅大历十子之长，书由王内史入，后参用颜平原法，而胎息终在晋人。画法倪高士，兼工白描，佛像仕女，矜贵不妄作，片楮寸缣，获者宝逾拱璧。”罗叔言《万年少先生年谱》云：“先生于诗文书画外，凡琴棋剑器医药刻印鉴赏，下及刺绣女红之事，无不通晓。所为《印说》，谓印法根于书法，书法亡而印法亦亡，痛诋世俗所谓章法刀法，及文字杜撰补缀增减之弊，一洗前人之陋。周栾园谓其颊视文何，非虚誉也。”又云：“范石夫《朋旧尺牍》识语：万年少兄，诗文字画，著笔便隽，其易经制举艺，尤精于谭理，不落蹊径。是先生又工于经艺，而尤精于易义也。”阎用卿《题万年少书册》云：“万年少书法从天分中得来，往往于遒秀处作新姿，体气高妍，款行匀洁，譬美人初起，著轻素单襦，縠纹疏映，肌泽晶然，余尝推为本朝第一。吴门顾云美集其往来小帖数十幅为一册，皆行书也。嗟乎！万子捐馆十年矣。……嗟乎！六书辍讲，八法失传。读籀史之残碑，猜疑石鼓；发兰亭之真本，惋惜峻陵。古琴音稀，高山弦碎。钗脚钩银，凤阁之清毡已敝；刀锉切玉，鹤铭之绿字难搜。对此遗笺，潸然出涕。嗟乎！万子江北人也，铜章画粉，多艺多材，绣虎雕龙，不衫不履，可谓极才人之致、掇名士之长者。”观以上所述，年少之工书画、能诸艺，实有非常人所可企及者。其人其艺，均极可称。书画流传，洵如孙氏所谓“片楮寸缣，获者实（宝）逾拱璧”焉。

张勺圃君甲戌（民国二十三年）春得万年少松石幅子于铜山余氏，有诗云：“昔从无已斋中见，四十三年念未忘。（在老友陈璞完斋中见此，云假之余丽生明经者。璞完与董柚岑校刊《隰西草堂集》，去秋因病南归。）内景老仙遗迹少，来禽新馆有缘藏。故人卧疾今经岁，挂壁精图犹几张。买画倾囊更嫁女，营营两事一春忙。”画幅中秋装成再题云：“集序刊成画本来，故人惊说已寒灰。（柚岑属予为隰西集，刊就而璞完不得见矣。）展观蜀素图三尺，猛忆君平绘八开。（罗叔言语予，内景赠徐君平书画册在开封，因属崔海帆内侄物色得之，往岁竟以易米弃去。）合者竟离谁得主，贫犹未死不须哀。伴予燕北来禽馆，暂别城南戏马台。（余氏所居在戏马台前。）”“崔泉山足接榆庄，我是邻村田舍郎。（内景崔泉山庄，去敝居约五里。）诗品人称如靖节，笔精今更见河阳。躬耕郭北犹遗族，（内景诗云：“子孙不受北朝官。”终清之世，其裔无仕宦者。所居在城北之万家寨。）避地隰西何处堂？（隰西草堂在清江、淮城之间，曾偕张慰西访遗址不得。）珍重一缣三百载，守贫敢与古贤方？［章一山同年赠诗，以万孝廉为比，非所敢常（当）也。］”《中和月刊》二卷七期所登即此帧，并行书墨迹一幅，亦由张君假以制版。

——民国卅年

二六　邵子湘等书札

偶得一钞本，不知出谁氏手，系选钞名家书牍。内有二十余通。钞者弁言云：“家藏尺牍手卷，自邵青门以下，凡十人二十七札，皆与商丘宋牧仲者，备录于此，以便览观。”宋牧仲（荦）于康熙间扬历中外，晚由开府而长六卿，虽起家任子，不由科第，而诗文负时望，以名卿享大年（寿八十），主持风雅，宏奖士类。（夙友王阮亭，当时名亦相亚，并以耆宿居高位，士林奉为辞宗。）此二十余通，为清初胜流笔札，足供浏览，因移录于左，用广其传。标题及次比，悉仍之。鄙见所及，则缀识篇末。

武进邵子湘（长蘅）六首

受业门人邵衡谨禀老夫子老大人函丈：即日骄阳苦旱，残暑犹蒸，伏惟老夫子老大人钧履兴居万福。辱示新诗，敬识数语归案。蒙续发诸子诗，一并阅竟纳上。大抵大江以北，宫李标胜；吴会之间，徐顾擅场，余子亦各一时之杰，自足行远。老夫子会城旋旆，亟宜成此胜举，岂第苏门增重，于本朝诗运，所关尤非小小。门衡欣然作壁上观，亦大愉快也。未审老夫子以为然乎否？天水驳苏注一条，便间乞查示。世上不少蚍蜉，方成大树，群儿哓哓，知不满大方一捧腹也。所恳想蒙记忆，伏冀老夫子赐之终始栽培，感且次骨，恳祷恳祷。因困暑偶患末疾，故遣力迟迟。至今委顿中，强自捉笔，幸赐宥涵。临禀可胜瞻跂悚惶之至。七月朔日，门衡再百拜具禀。

受业门人长蘅谨禀老夫子老大人函丈：昨奉到诲帖，夜漏下人定矣，亟起篝灯启缄。恭念老夫子老大人点勘十四子诗竟，且于门蘅拙评曲加奖藉，雒诵至三，以欣以愧。诸子故是骏材，而伯乐一顾，长价十倍，翱籍秦晁，方之殆庶，洵本朝艺林盛事，非仅仅乡邦之光也，何快如之！《古香集》暂留，拟于人日专力报命。门蘅老饕不慎，偶患河鱼，即辰体中小极，后叙之诿，尚望展期，然名山大业，不敢过迟，大约在孟陬月内也。晨起率复，搦管手颤，攲斜不能成字，幸惟老夫子格外宥原。临禀可任屏营。嘉平小除夕，门蘅再百拜禀。

宪治沐恩受业门人邵衡谨禀老夫子老大人函丈：衡杪冬抠谒芜城，获亲色笑，温文优礼，铭刻五中。忽忽奉别台颜，放擢寒江，转增萦恋耳。献岁发春，恭谂老夫子钧祉骈蕃，端揆伊迩。开篆以来，日引领麾旆南还，而望又不至。二十二日小力郡归，始传闻宪驺尚不驻淮上。心旌摇曳，跂望为劳。恭遇老夫子岳诞昌期，未能躬祝，虔修寸禀，遣叩崇阶。微物二种，真是野人芹献。敝邦贫薄，舍此更无土物可将意也。仰冀老夫子恕其猶亵，赐之哂存，幸甚感甚。台衮渡江何时，乞明以示我，容星趋谒候铃下，大慰调饥也。贱体托庇，幸未即践妖梦，春间可望复元，然亦大得服参之力矣，并此鸣谢。顾赤方《白茅堂诗》，阅竟上套先呈。椒峰《史论》序，望教甚切，后月可得脱稿否？递中有便，渴跂嗣音。临禀可胜瞻驰结恋之至。门衡再百拜具禀。

门衡敬禀老夫子老大人函丈：前月衡肃寸禀，附使者虔候兴居，计已尘台览。江介绪风，秋凉较蚤，恭审老夫子以君民倚毗之躬，当髦倪畏垒之祝，自尔三辰集祉，想惟钧候动定清佳。苏诗校雠毕役，门衡寂无一事，兼之喘疾作辍频频，顷商之八世兄，以八月三日暂归草堂。专擅之愆，仰祈台宥。屈指老夫子武闱竣事，麾旆还吴之时，门衡儿女俗累，亦可粗了，大约中冬上浣，准得趋侍绛帐，晨夕诲言也。《白茅堂集》携归草堂卒业。未既愿言，统希崇照。临禀可胜瞻驰结恋之至。八月朔后一日，门衡再百拜具禀。

已缮禀矣，忽奉到《九老图》大作，朗咏再过，不觉惊喜叫绝，必传高倡也，率尔点笔，聊识向往。附禀商者，七人五百七十岁，此香山句也，益以方外二人，须得二百四十六岁，方合大作八百十六之数，恐难得此高年，得确查注明出处尤妙。禀请台裁。衡再拜禀。

门衡敬禀老夫子大人函丈：昨晤八世兄，略得倡捐梗概，便极相钦叹，以谓能为今人所不肯为。即日奉读大疏，仰窥老夫子轸恤之殷擘，擘画之精详，不觉俯首下拜。可见宇宙虽大，实心任事者原少，一有其人，则天下无不可济之事，无不可集之功。此是圣贤真实学问，真实经济，当代所绝无而仅觏者，今幸得于老夫子见之，私心踊跃，诚喜诚忭。恭审宪辕所驻，群力毕趋，加之老夫子至诚感人，人乐为用，转瞬舳舻相衔，庾积充溢，但令分账得员，俾颗粒皆充饥腹，淮阳百万户，旦晚出沮洳而熙春台，鲰生惟有合十膜拜，颂大菩萨功德无量而已。辱委校苏诗，将续交三本详加订雠修补讫呈上。其不必从者，仍留原候览。门衡得失寸心，自问颇无遗憾，似不须更寄耳目，徒乱人怀。大抵庸碌者既无足取，而矜奇者又未免多事。如封翁徐宾尚未是好奇，已有改刊拟陶之请。将来一二振奇之士，勇于自信，好讥弹前人，保无请改刊施注者乎？多歧之亡，三年之筑，未必非良规也。徐翁语详别报，并尘清览。门衡愚直，久在老夫子台鉴中，故敢率臆罄吐狂谈，干冒清严，仰祈老夫子格外宥原，幸甚幸甚。山老一札附呈。门衡于闰月十二喘疾复发，今幸小愈，夙蒙垂注谆切，并此奉闻。临禀可胜驰恋之至。门衡再拜禀。

宁都魏和公（礼）一首

旌节驻白下，遂历三载矣。西江之人，颂戴益腾，殊倍万于临莅之日，此乃足以征实德实思也。礼羸疾纠缠，学植荒落，两目眵昏，几如雀瞀，一宵辗转，有似鸩鸣。往者覆冒兹土，贱子虽不敢厕迹梐枑之间，而尺一时被圭荜之舍，今超遥三千里外，江流浩荡，声问修辽，自致无由，筋驽肉缓，仰怀俯念，盖不胜其蕴结耳。兹五月十八日承张镇台递至示札，捧诵数四，欣感交深，且为先叔兄曲赐表彰，俾蓬累之子，顿上碧霄，草茅之言，一经清涤，奚啻皇甫之序，幸登昭明之楼，子弟激戴，沦肌浃髓，莫有穷纪。向缘先父临终戒诸子不得以行状请志传，故两先兄之没，皆未敢行。兹谨次先叔兄行略，以应明命。太史公即货殖日者亦成绝世文章，先兄得附以不朽矣。恭率兄子世侃顿颡遥谢。即当匍匐棨戟之下，因世侃岁试在秋冬间，诘岁定图走叩台阶也。剞劂若成，得蚤赐一本下示，以为世世之宝。附上细芥贰瓶，先兄《左传》半部，统祈台鉴。闰五月初四日，礼九顿首。

华阴王山史（弘撰）一首

老年台先生以文章伯为社稷臣，海内学者有泰山北斗之仰。弘撰本生考与先相国老年伯同登天启乙丑榜进士，则虽不才之人，与先生忝为世谊。亡弟弘辉，昔在楚中，曾奉教左右，归以语弘撰，又读《壮悔堂集》，见所称诩，益切向往。亟思一侍函丈，就正所学，而草泽偃蹇，未遂所愿。铅椠之暇，每以为恨。比于竹西晤泾阳刘子，述接对之。顷蒙询及，知贱子姓名为记室所不遗，不揣愚陋，辄敢以妄所梓稿具呈尊览。又两年来作《周易筮述》凡八卷，同里员氏慨付剞劂。兹谨以小序与目例并呈，祈为政之余赐一序弁首，虽非太冲“三都”，实欲藉士安以传，倘与其进，不胜幸甚。山川无改，日月时迁，不审竟能一识荆州否也？弟弘撰再顿首。

石门吴孟举（之振）八首

东涂西抹，春蚓秋蛇，作正书竟不成点画。今奉尊谕，不敢藏拙，望弗以草率不恭见督也。藉此博得老先生手书，装潢交游册中，寸幅同于拱璧矣。二章二扇，月初报命。使还率复未既。之振再顿首。

双丸荦驶，不可把捉，忽忽已逼岁除。语溪去金阊一衣带水，经年止得一候棨戟，友朋良晤之艰如此，可叹也。远辱注存，并惠珍果，举家饱德矣。谢谢。买得白纸扇柄，涂抹请二正。犀章亦制就，并前二扇完上。一芹非云报瑶，引意而已。惟笑存之。春王抠贺新祉，以悉种种也。草复未既。之振再顿首。

昨扰庖厨，并聆教益，醉酒饱德，感难言喻。适舍下寄到便面二册，计四十幅，足供老先生赏鉴者，择取不吝也。内董容台赠别景雍二幅，较平日笔墨更精妙，文衡山写树点平皋绝句一幅，亦咄咄逼子昂，十州人骑恐系摹本，幸一一教示之。外蜀道难图卷，祝京兆书稿，附览。俗事尚未了，放船之日当走谢种种也。妙墨不减方程，锦囊八丸，足办一生矣。并此附谢不既。晚名另肃。外朱渐画本颇精细，宣和御书及郝御史跋皆伪造无疑。朱渐系北宋画苑侍史耶？《图绘宝鉴》有其人否？

奉别扺舍，村庄丛桂正开，而儿女辈疾病相缠，日亲药裹。中秋日得句云："时傍药炉煨半夏，久抛酒盏负中秋。"意绪可知矣。桂花开时，老先生曾杖策一游山中否？承委题《西陂鱼麦图》，谨录稿呈政，乞老先生斧削论定，净写上卷。老先生文章勋业，流传后世，拙句恐反为此卷之玷也。第二句东汇隋渠，东字亦虑未当，并祈示知。至行数太多，春蚓秋蛇，便苦敧侧，恳署中友一画乌丝，须算字之多少，略宽一二行为妙，平阳天岳和尚为心壁上人本师，今持钵吴趋，寓阊关外积善庵。方外诗文，近当推为第一，渠欲奉谒棨戟，握晤时定有箭锋函盖之合也。《松园诗老扇图册》一，《项孔彰山水册》一，附供清玩。孔彰用笔细入，为董华亭赏拔，画苑中备人数可耳。余续候，未既。晚名另肃。

村庄丛桂，尚有余芬，把卷支门，忽闻剥啄。捧接芳函，兼读新句，顿挫沉郁，味之不尽，如游名胜之区，山川云物之状，玄览鸿廓，犇轶句下。久不见石谷笔墨，老年定益高妙，惜未及展阅此卷，为恨事也。属和章，当澡雪氛垢，捃拾枯涩，以应台命。构就先录一通呈教，明春抠谒棨戟时写上卷子可也。使去匆匆，未竟缕缕。晚名另肃。

天气晴和，梅花尽放，侍高斋茶香酒洌，舟行傲兀之余，味之不尽也。卓氏《唐诗类苑》，又购得一册，奉供清览。想刷印无几，故流传不多耳。至《张氏玄超》，原在校订之列，后添补十之二三，竟删去明卿，同郭象之注庄，可叹也。《汉上题襟集》，若靳二府处借来，千万转假一抄。蚶饼一盒附贡，统乞照存。余再候，未既。晚名另肃。

老先生光膺异数，峻长六卿，出胸中之冰鉴，权衡百司，从此内外得人，海宇蒙福，晚亦得与帡幪，菰芦中人不禁欣幸而色喜也。忆旄钺镇东吴时，晚缘文字得托末契于节下，独蒙物外之赏，兵卫画戟之森严，时容跅弛狂生掉臂出入其间，此段佳话，今不可再得矣。客冬看除目，即拟绝江过维扬，一瞻芝宇，用慰离思。传闻京口作堰，天堑难渡，致旌节启行，不获一至河干拜送，深用怅然。日来履兹春和，遥想老先生台候万顺。过家上冢事毕，计应已践宅揆之席。慰彤庭之渴饥，得耆寿之在服，诚千载一时也。纶扉铃阁，计日望之。小儿宝林候补入都，特遣肃谒阶下，诸凡惟垂慈提挈。小儿素叨庇荫，以通家子侄相畜，谅无烦晚之谆渎也。敬奉芹私，补申贺悃。文休承山水一幅，汪海云花鸟一幅，附供清玩，统希鉴存。良晤未期，唯冀为国为苍生珍爱。临楮瞻恋，无任依依。晚名另肃。

客冬接台教后，又及一年矣。前小儿在都时，种种拜德，感何可言。兹复荷注存，兼示《筠廊二笔》及《郊馆诗》，开函志喜，古云千里神交，今则真如面语矣。履长届节，转盼春回，伏惟台候万安为慰。札中惓惓欲赋遂初，足征老先生旷怀远致，然黄发元臣，休容大度，明农择箧，尚须俟之他年也。晚键户村居，自日课儿辈读书外，都无一事，但时时翘首京洛，企想清光耳。《郊居诗》谨次韵奉政，藉使祇候台履。家绵四斤，毫笔二帖，惟照存之。浙省诸当事，恳祈老先生便中以贱名见属，道义关切，谅必能鉴此鄙衷也。临池瞻溯，不尽欲言。晚名另肃。

宁都曾君友（先慎）三首

癸酉之秋，七月望日丁巳，宁都治民曾先慎谨再拜上书大中丞大君子宋公阁下：慎闻古之君子，实至而名归，虽欲逃之，有所不得也。爰及中古，实至而名归者有之，实未至而名归与实既至而名不归者亦有之。后世之名，求则得之，不求则弗得也。其间非无实至名归之君子，而容悦饰行阉然媚世之徒，类多鸡鸣而起，孳孳以修名为先务之急。夫志不能两有所务，是故外有余者中恒不足，实之遂者其收名也小，故夫称名之小大不足为君子重轻，而自重之君子或不愿知于人。然不愿知于人，亦贤者过之之事，非中正之行，若慎者所谓志于学而未能者也。惟其志于学，则必竭致其力以求之，求之而未能，故其精神才力恒不能以他及。非能无求于名，徒以其才之不足，是以退然伏处，不敢出而与四方盛名之下相为驰驱。大人先生或有式庐而下问者，非其情之所专，惟相与一尽往来之礼。过此以往，即一书之问，不敢彻于其隶人之听。虽其疑于容悦佞世者之所为，亦其力有所不及。惟昔年阁下出榷赣关，不以慎之困穷无当当世，礼遇之隆，恭下之诚，倍出寻常。窃以为阁下知人之鉴，本于睿知，由其于圣人之道自得之深，故卓然独能知人所不能知，与世俗徒采声闻附和要誉以为豪举者迥异。知己之感，比于覆载，到今未能一日忘。尝为文二篇，献之左右，盖不敢以后世之君子望阁下，而以古大君子忘势好善仁义道德以为己任者深望之于阁下也。其后阁下秉宪通永，伏蒙贬损手教，远念不遗。念虽草野，礼无不答，于是齐宿修函，因前赣都督姚公之子昌平参将讳尚伦者上之左右。前年阁下秉节建牙，开府豫章，郡县父老与西江庶士，同沐天地生成之德，靡有底极，所以不敢同于当世之士一进拜手阶下，又不敢同于当世之士拜进一函于隶人之侧，诚以知遇之感，逾于罔极，苛礼不足报盛德，空言不能输欲报之实。念惟有守身执礼，笃志肆力于道德学问之途，以求无负于阁下礼下之意、知人之明，如此而已。不图阁下于荣晋之日，遽然颁锡缟纻，重以鸿文家刻之赐。拜赐之日，感怍横集，虽天地不责其谢生，即草木敢忘于雨露，日月不穷，勤企之心，报德之诚，正未有量也。慎之为文，所欲博其传以就正天下有道者，其说在慎文刘百荷寿序言之甚详。家贫不能尽刻，谨献近友生所为慎代刻文六篇、诗六十八章，通前所旧刻为一册，上之左右。文虽不工，然亦可即此以观其志之所在，学力之所及，而教诲之。罗山民来谒，齐沐拜书，谨属呈进。盛德之感，勤企之心，思报之诚，非言所及，伏维原察。渎冒威尊，惶恐无已。慎再拜。

趋候数次，皆不得值，怅然而返。昨册头奉赠诗，不韵不工，惟先生幸有以教我。尊事料理完否，岁前果必返豫章否？十七日弟即携豚儿入三巘山完娶，此时山妻未来，百事须弟亲为之经理。先生若岁前启行，即不及趋候江干送先生矣，奈何。入会城当谒宋君，得便烦为弟一致企勤（勤企）之意。所不造谒者，正欲以古人之道望大君子，然知己之感，固未能一息忘也。先生二十余年方得一归父母之邦，何妨迟迟其行？若能少留过岁，正月弟亦载媳入郡，吾两人方舟而行，不亦可乎？惟先生其裁之。前札求山水真迹，曾已慨然面许，即此数日间得便贻赠，更感高义，使豚儿完娶宴宾客时得悬之草堂，真如对名贤，若迟迟则必须或留或寄，便恐有浮沉矣。昔倪高士作画，惟以赠贤者贫士，若势利之夫，虽持千金求之累年，终不可得，人到于今称之。以先生高发，讵出倪云林下，正不欲弟陋巷中独无先生得意真迹耳。惟先生留意。廿二或尚在县，有间希为邀二三知友入巘山来。此间多怪石危峰，悬崖绝壁，巍然远望，长川如带，云树缥缈，种种奇观，颇足浇人胸中块磊，与知己相把臂作二三日饮，亦韵事也。跂予望之。饭牛先生有道。教小弟曾先慎拜。

过真州晤宋贞翁先生，幸为我叱名道意。远念不遗，慎何足以当之。感佩之诚，非言所及，此时多事，卒卒未遑裁答，返郡日当寄敝宗鼎臣翁处，必得邮致也。再启。

歙县汪于鼎（洪度）一首

恭惟老夫子阁下储精嵩岳，孕秀睢阳，岧峣贤相之门，文正有忠宣之子，赫奕真儒之里，子瞻以明允为师，仗钺洪都，聿著荡平之绩，建牙吴郡，弥恢底定之猷。甫下车而迅扫鲸鲵，户无警柝；一莅境而奠安衽席，人饮醇醪。惟南疆屡著神明，故北阙频隆眷顾。凡夫望归身洁，忠结主知，无非以圣人之清，任天下之重，固已旗常著绩，讵能笔舌扬徽。惟是秀韵餐霞，清标映玉。生能赋雪，早传绝调于梁园；气已凌云，更探奇书于禹穴。一麾楚泽，因吞云梦胸中；奉使处州，尽揽蕙兰腕底。化波澜为筋骨，蕴馥郁成烟云；窃窥汉魏以还，以迄元明而止。代多山斗，世有凤麟。要之亮节高风，首推彭泽；清词丽藻，独让苏州。久称亘古孤行，何幸得公鼎足。浔阳庐阜，重闻采花篱下之谣；林屋洞庭，载和宴客雨中之韵。并杜苏之雅健，兼韩陆之沉雄。断集大成，岂阿私好。乃单门寒畯，悉荷甄陶；缝掖素流，皆蒙培植。所以楷模在望，咸思恋元礼之舟；奇字盈床，群愿入子云之室也。洪度菰芦下士，樗栎庸材，艺林耻事虫雕，学海终同蠡测。十上不遇，风侵苏氏之裘；一饱无时，尘满范生之甑。小园一亩，破屋三间，窗迎松叶夕阳，楼号杏花春雨。拟囊萤而继晷，甘学蠹以穷年。然而背负青云，时仰垂天之翼；口吟白雪，仍耽刻羽之音。生逢名世代兴，更以作人已任。闻风能立，睹海思归；况复鲁柝闻邾，吴云入越。身依棠荫，从四民赓蔽芾之歌；居近杏坛，借多士沐菁莪之化。敢藉司成介绍，一通下走悃忱。或者明镜高悬，妍媸普照；洪钟待叩，大小咸鸣。恳从退食之余，慨锡惊人之句。瑶天笙鹤，岂同山水之音；碧海云霞，永焕林泉之色。洪度自得大集，日诵鸿篇，见有西陂之吟，知多郢中之和，因之技痒。辄妄效颦，自愧潘鬓将凋；江花就落，譬草虫之吟雨壁。真布鼓之过雷门，伏冀老夫子大赐钳锤，不遗葑菲，排沙简石，点铁为金，得一字之指南，即终身之面北。草思雨化，惟凭一瓣香通；葵向日倾，伫冀三台霁照。肃瞻风采，冒渎霜威。临禀无任悚息待命之至。

上虞尹山书（鋘）一首

间阔三载，寤寐怀思；北企燕云，迢迢岙岳。晚归抱肺病，却扫杜门。且家居乡僻，鲜羽绝少，坐此遂成疏节，歉仄良深。唯遥闻圣眷益隆，明良一德，即日黄扉懋绩，霖雨苍生，三不朽盛事。山泽之夫，引领属望，恐西陂鱼麦，再迟十年耳。龙父母抵任，忽接瑶华，不啻天堕云锦，盥披未竟，感极涕零，何老先生忘云泥之分而笃故旧之情，若此其至耶！读便面新什，纯乎唐音。少陵云"晚节渐于诗律细"，洵亲历境界语也。并《筠廊二笔》，敬列案头，日诵一过，如奉光范于几杖之侧，快何如之。晚承龙父母推爱垂青，一晤遂成文字知己，非荷九鼎，曷克有此！然不敢以片纸只字恩渎也。兹有徐孝廉超，其尊人为晚受业师，乘渠需次入都，敬泐寸槭，上候元公钧履万福。粗箑病余，腕弱愧不成字，李卷亦非佳品，聊将野人微意，幸勿讶其鄙亵。晚与徐孝廉情关世谊，万祈老先生于自公之暇，进而教之，仰荷荣光无既矣。余怀覼缕，喻糜莫罄，临池可胜依驰之至。二先生、八先生、十先生，暨诸位令孙世兄，吴荆山先生，因便羽促迫，不遑遍札申候，惟深惓念。晚名另肃。

南昌罗山人（牧）一首

山人罗牧再拜顿首敬叩大师相阁下万安：窃牧穷壑朽株，厚蒙育植，数十年间，饫膏泽至深远矣。每辱鼎芬，存注殷切。顾兹迟暮，安得更仰亲道履，一吐感衷。惟早晚默祝，长佐圣天子，赓万年有道之章已尔。近来衰拙益甚，多病不灵，偶事笔耕，多因饥迫。今春避静湖斋，水明花丽，作小幅山水，颇能称意。念阁下高倚层霄，无由驰献，兹有至戚邓君驼远入都之便，附呈尺幅，特请钧诲。邓君为建武旧家，文章世德，久重乡评，独恨身被恩光，未遂瞻仰，常颂至此，如有所失，敢冀公余赐以一见，进而教之。门墙自是高峻，知阁下必不以葑菲见遗。山野微言，妄希崇照。临禀可胜悚注。牧再拜，六月十五日禀。

盘山拙庵禅师（智朴）三首

山深阳缓，迟平原春色倍旬日。朴每坐山崖，看红杏百千树，疏密横斜，累累欲绽。竟不知人间世为何如耳。即日履兹清和，台候万福。窃想人世百年，如石火电光，瞥然便过，回思从前，总属梦境。伏愿先生清政之暇，诗赋之余，宴坐华屋，屏其所有，看是什么，更是什么。辱爱之深，敢言及此。他人见之，将谓者老秃头腐面筋气未除也。呵呵。野蔬持纳，聊以鉴意。会晤有期，惟冀若时珍育，弗备。衲名另具。外山刻呈览。

还山心重，游兴索然，恐修途炎蒸，舟行濡滞也。拟于诘朝就沧浪亭与先生话别，后会难期，言之惋叹。惟冀及时颐养，以慰众望。昨承竹垞作八分书卷子，并集唐句见贻，敢请先生跋一言，携之北上，留镇山门。倘不吝即示下也，伫俟回音。牧翁老先生教下。方外弟智朴顿首。

承赐御书手卷，拜首展阅，希有难逢，奉之北上，永镇山门，何幸如之。屡蒙嘉惠种种，铭刻铭刻。霖雨沮泥，不能行动，十六日准拟发舟。玄德渐远，道契情亲，无时放下。每想先生官至如此，寿至如此，德业才华，亦复如此，可谓足矣。然于本命元辰，必期讨个落处，从上诸大老于莫年间究心此事者居多，如苏、黄、杨、李皆可作榜样也。古所谓生死事大，无常迅速，真切之言，绝无装饰，先生是必见信也。后会有期，珍重珍重。外有念头（珠）十六颗，留以作别，幸存之是望。智朴再顿首。

案：原钞曾君友第二札，词气殊不类致牧仲者。细按之，盖致罗饭牛（牧）书耳。罗氏亦宁都人，侨寓南昌，故书中有“二十余年方得一归父母之邦”之语。其人工画山水，笔意空灵，在黄、董之间，江淮间祖之者谓之江西派。曾氏殷殷求作山水，于情事正合。牧仲于绘事虽自负精鉴，［《筠廊偶笔》卷上云：“合肥许太史（孙荃）家藏画鹑一轴，陈章侯题曰：‘此北宋人笔也，不知出谁氏之手。’余览之，定为崔白画。坐间有窃笑者，以余姑妄言之耳。少顷，持画向日中曝，于背面一角映出图章，文曰子西，子西即白号，众始叹服。后此事传至黄州，司理王俟斋（丝）犹未深信。一日宴客，听事悬一画，余从门外舆上辨为林良画，迨下舆视之，果然，即俟斋亦为心折。”其自道如此。］却非画家也。书中称曰饭牛先生，自系罗氏无疑。山人达官，境状有异，书中之语，固亦合于罗而不合于宋耳。藏者或未审饭牛为罗字，（题罗致宋札，不著其字，惟就自称山人而山人之。）因之误收误题。若牧仲，则余不忆有谓其别字饭牛者也。至书中所谓“入会城当谒宋君”云云，此宋君当即指牧仲，语可与曾氏第一札合看。意者致罗一札，罗尝转示牧仲，即存牧仲所，后与诸札一并流出，遂被误认亦致宋者欤。（曾氏第三札似亦未必为致宋者。）又邵子湘六札，除第二札外，余长蘅均作衡，未详所以，或以衡可通蘅（杜蘅亦作杜衡），因遂通用，而径书邵衡，若单名者，当更有说，六札语气，即固属一律也。子湘与牧仲之关系，诸家记载，大抵言略分而为平交，［如李次青（元度）《国朝先正事略》

“名臣”中传宋，谓：“吴中邵长蘅与公为布衣交，客公所最久，以文史相切劘。”“文苑”中传邵，谓：“客宋牧仲中丞所最久，谈道论文，敦布衣昆弟之好。”又如《清史》列传邵传（“文苑”）谓：“苏抚宋荦，礼致幕中，讲艺论文，敦布衣之好。长蘅亦觥觥持古义，无所贬损，时论贤之。”〕而观此数札，则作师在称谓，似子湘实尝执贽宋门矣。（或以牧仲年辈较高之故。）当更考之。又罗山人一札，称以师相，宋未入阁，不应有相称，或以其官吏部尚书，由冢宰之称而待以宰辅之体耶？师则似以其加太子少师之故。（考宋氏康熙四十七年于吏部尚书任以衰老乞罢获允，五十三年春入京祝嘏，诏加太子少师，九月卒于里，罗札殆致于是年宋在京时乎？）管见略如右，姑附缀之，以质当世，尚望通人匡其未逮也。

——民国卅一年

二七　李审言文札

（一）遗札

兴化李审言（详），文坛老宿，去岁逝世（寿七十有三）。张次溪君藏其前岁所与报书数通，谈论文事，评骘诸家，均直抒所见，足供研讨李氏学术者之考镜。第一函有云：

晋卿王先生，以儒者之学，能为经术文字，绝非桐城薪火所系。走久知有晋卿，在叔节之外，重其善读书，兼工于修词。余子翩翩相竞，与走平日所持议论不合，虽重其名，不敢与之通声气也。今贤父子既礼普老，复师南海，为再传弟子。南海昔与接谈数次，盖传龚魏之派，而猖狂妄行，变而加厉。龚魏之学，受之刘礼部逢禄，走观礼部之集，不如是也。因此虚与委蛇，戛然中止。范伯子亦故人也，其文思极深湛，而规模少狭，不免为濂亭挚父所囿，大都有义法二字涵于胸中，固结不解，似尚不如叔节出之从容且具兀傲之气。往时坊肆有《近代十家文钞》之选，走常以为不伦，听其自为风气而已。走文从甬东全庶常入手，而衍为杭大宗道古之余绪，实皆出钱受之、黄梨洲。词繁义缛，而汰去其排偶及明季八股俗调。考据词章，又未尝不寓其内。常与石遗言，共为子部杂家之学，亦即为子部杂家之文。以故好逞己说，间有谤及桐城处，为众所不喜。

第二函有云：

贵师王晋卿先生，北方老宿，经训小学，史家别裁，曾经研究，故其为文咸有根柢。见姚叔节之文，推重晋卿，又于他处见晋卿文，不觉叹服。足下所刻百篇，尚未见也。既许赠我，尤为钦企。北江先生，向所未习，既为吴冀州子，宜为胜者。亦曾见其文数首，似批点家能手。弟素不好批点之学，归方之评，心常厌之，而所重者在考据一途。既论文章，宜究典实。如《赤壁赋》“徘徊斗牛之间”，业已不确；“诵明月之诗”，为孟德诗之“月明星稀”，“歌窈窕之章”，此出何诗？“客有吹洞箫者”，客为何人？皆不审究。而自谓古文家，谬种流传，一枝一叶，点缀排比，起伏钩勒，指为神秘，不肯轻语他人，必待执贽门下，始露微旨，弟实羞之，故平生兀傲自憙，于宗派者不轻许可也。

又云：

弟为文蚤从永嘉甬派入手，桐城派不喜用事，不喜色泽语，不喜用偶字，弟皆犯之，且好考据之学，宁有冗长不检处而不可不通。足下前书，甚重南海之学，今观尊甫所记，又及卓如。康、梁皆定庵派，又习佛家语。弟向未研究佛乘之学。令祖道德中人，自有可传，而援儒入释，尊甫又超过寻常什百中，委撰为文，无从附会，敢谢不敏，窃无柳子厚才识也。且弟卖文为活，每首皆三百元，题诗皆五十元至百元，今年略可得七八百元，海上逐臭夫，具有其人。门生辈集赀欲刻弟之诗文笔记。

又云：

江苏学问，由阮文达创学海堂，嬗于广东，本属一家。今之广东梅县古公愚先生直乃吾江苏的（嫡）派，所印诗文杂著，无一非通儒语。

第三函有云：

今承寄晋卿先生文集，附江宁管君所为生传，乃知足下疏宕粤侠奇男子。昔许梅县古先生公愚为海南明月珠，又援杜陵语谓为服领（岭）南之“梅县精”。新得足下，喜有夜光，可配明月，（夜光、明月一也，见李善《文选》注。）而“梅县精”外复有“东莞精”矣。刘彦和言：璿璧产于崇冈。足下有篁溪先生为父，而以儒学与佛学相参，南朝经师多修白业，足下父子，皆足自豪，不觉叹服，作长安之西笑也。传中诸友，太侔侍其父官苏，渠锢于耳，曾以沙盘画字，对语竟日。通伯为文字交。晋卿先生，素致敬慕，前书已稍言之。传言宿儒师事，兼及下走，惶骇无似。详为子部杂家之学，诗文亦如之。尝笑今之为文者多不读书，且揭某派为帜，徒侣附和，妄自尊大，观所为文，特一变相之八股耳，叩其中枵然也。晋卿先生，妙涉韩境，意其从挚父濂亭上溯湘乡，与通伯叔节不同，信为读书探道之君子。叔节与详同为嘉兴沈子培方伯所聘，从事安庆存古学堂，历一学期，各罢去。伯子读书少，文为义法所限，不及叔节有雅人深致。细读管君之状，足下笃于师友，表章学术，意气感激，言行奇贼，无一不具，仿佛追摹成容若、龚定庵一辈人，不意世间有此，老夫因之倾倒，欲纳足下于不朽，而有所白于后。详年过七十，小小著述，亦自可观。昔时在位通人，处逸大儒，无不知有详之姓氏。而写定鄙集，杀青未竟，唯待刊刻。京师剞劂之工，为董授经所训练，南方绝无此手。亦有佳者，则江宁姜文卿，可附昔之刘、穆二姓，而在近校雠亦便，虽欲慕晋卿先生，托于足下，有所不能。别有敝县先辈，由明以来未经复刻者，一为《宗子相集》，一为陆西星《南华副墨》，二书俱著录《四库》。《子相集》为当时福建刻本，最劣，传世亦稀。陆书数十年前里人募刻，为省费起见，将标点、凡例，一例削去，又取宋人议论，如《盗跖》《让王》《渔父》《说剑》四篇，缀不附入，驴非驴，马非马，此为《南华副墨》选，不得谓之全书。《副墨》旧为寒家先世万历时刻本，仅有存者，若不重刻，世遂不见原本。今之黠贾，取新本装饰，陋儒复弃而张之，以为在是，皆不知本末者。详之文集约十二卷，骈文在内。《愧生丛录》八卷，《药裹慵谈》八卷，《世说笺》两卷，《李杜集》《姑溪集校记》各一卷，《选学拾沈》二卷，《庾子山哀江南赋集注》一卷，《江容甫文笺》一卷，《杜诗证选》《韩诗证选》各一卷，《杂著》四卷，合之宗、陆两书，约二千五百元，刷印具备。见有贵省主席陈真如君助赀五百，足下再能假二千元，则诸书可举，而详之愿毕矣。古云非常之事必待非常之人。昔晋郗嘉宾好闻人栖遁，为造精舍，比之官府。此出人意表行事，眼前蹑革履，驾高车，戴晶镜，吸巴菰，问太史公为何科，诘邺都无王粲之黄吻年少，若道以此事，适资其骂死。揣君必大异于人，微管君言，吾犹将以飞钳捭阖之术撼之，今幸直其时，故以说进。足下观吾之言，其如阿难涕泪悲泣而受薙邪？抑谓暂立无义以救饥，遂负如来邪？

第四函有云：

前书以足下粤侠明月东莞精称者，乃欲撼之借刊私著及乡先辈著述，不意足下有所推托，处以世俗游移之说。仆蚤知有此一举，而深悔轻相天下士也。赵尧生先生，定交四五年，所诒诗札至数十通。渠损一目，诸郎不能承其文学，意常郁郁。今年有诗寄讯，数月未得一复，意有不讳事，入之梦寐。若果有变则蜀雄（二字出《韩诗》）丧矣。石遗往来书札最夥，渠《福建通志》粗就，仆以三十元购读，摘其佳处，且多商榷，自谓为王胜之，石遗亦谓舍我无第二人。

即以论诗一道，石遗亦云唯有尧生与仆也。文章为天下之公器，师弟居在三之一。足下无效流俗故习，轻相结纳，由燕都津门流寓诸贤，推及吴会淮南一七十老公，俾受之有愧也。今为足下计，如能为仆刻书，以毕素愿，察其诚信无欺，足为奔奏先后之选，然后再修弟子之分，暖暖姝姝，奉命唯谨，仆始可以诗文真诀授之。如泛泛以声气自通，广援当代知名，挂名骥尾，仆诚不愿与数子并。请语管君，毋遽揭仆姓氏于通伯诸人中，而足下所可传者自在也。

又云：

鹤亭子部杂家之学，与石遗等，信缪艺风、沈乙庵后一人，独与仆昵，形诸赞叹，不以布衣白望见蔑，厕诸先朝文学老辈，掖之使上，此十余年来极可感事。

李氏学术交游，略见于此，其不满桐城派处，可与所作《论桐城派》一文参看。张君重其宿学，虽刻书之请，以力有未逮，未能遽应，而意极惓惓，于其卒，深致惋悼。

——民国廿一年

（二）遗文

孙思昉君由安庆来书，谓：“费润生《当代名人小传》语多违实，窃思有所弹正。如谓李审言（详）以樊诗得名，实属子虚。李有《书樊云门方伯事》，足资辨诬。以有关掌故，傥先生所乐闻欤?”承示李文，甚有致，因移录于次：

> 樊云门方伯官宁藩，甫视事，缪艺风先生劝余谒之，曰：“子老且病，须赖人吹嘘，盍以骈文稿示我，当为先容。”后月余，余往谒之。问乡试几次，对九次。曰：“沉屈矣。”又问受知系何学使，余曰：“入学为瑞安黄侍郎，补廪为长沙王祭酒。”曰：“俱是名师。”又云：“前见大作，骈文甚古；谭世兄尚在我署内。”盖见余骈文前有谭复堂先生序也。又曰：“江北有顾清谷先生善骈文，见过否?”余曰：“方宦酬世丈见过。”又曰：“顾耳山先生是兄弟荐于鹿芝轩中丞者。”余起谢云：“顾为姻亲。渠奉母讳留陕，不得归。当时只知陕西主考泰州同乡黄君葆年所荐，不知为方伯也。”又曰：“此时不尚风雅，但知阿比西地字母耳。”余因进曰：“江宁藩司自许仙屏先生升任去，尚未有讲求文字者，方伯可以提倡提倡。”樊唯唯。余出告友人王君宗炎。曰：“子称谓太抗，当称大人。”余笑曰：“渠大人，我小人耶?”后友告：“樊方伯好收门生，不见某君齿逊樊二年，新经拜门，委办南洋官报局，岁可得数千元。”余曰：“缪艺风先生可谓知己，余尚未执贽门下，何况樊

山？”某君既办官报，果获数千，存储宝善源，折阅泰半。余告友人：“若如君言，得钱亦不可保，门生名湔洗不去矣。”余见樊后，樊有诗寄艺风，末句“可有康成腻帢无”，盖用《世说·轻诋篇》。“著腻颜帢，逐康成车后”。戏艺风即以戏余，遂薄之不往，而索回文稿甚亟。樊弃之，不可得。艺风一再函问，不复。艺风复余书云：“前日方伯谈次，寻大作未获，杂入文书中矣。昨又函催，亦未复也。”余复作书求之，亦未答。因知樊忌前害胜，善效王恭帖笺故事，且复仿吾家昌谷中表投溷之举，益太息，谓有夙憾。改革后，樊遁上海，余复馆沪。徐积余观察谒樊出，问何往，云将候李审言，樊似有眷眷意。徐劝余往见，余不可。艺风又告：“云门知君在此，曰李是行家，称之者再，君可趋樊一谈。”余又不可。后沈乙庵语余：“云门约我及散原打诗钟，君可同往。”余以事辞。樊名满天下，后生小子唯樊为趋响，友人官京师，钞示樊山近诗，有“新知喜得潘兰史，旧学当推李审言”语，以是为重。数年后，上海有《当代名人小传》出，其文人一门，有李审言、潘飞声同传，云往樊某有诗，潘兰史、李审言上各空方口四字，即京师友人钞示二语也。下云“二人因得名”。余之得名非由樊始，海内先达，可以共证，然亦见世上拥樊者多，若以余一穷秀才，樊由庶常吉士官至藩司，一言之誉，足为定评，岂知余素不嗛于樊耶？樊今年八十有五，余今年七十有二，各有以自立，亦各不相妨。恐读《当代名人小传》者不知余与樊山本末，故备书之，亦以见江宁藩司，自许仙屏先生去后，驯至亡国，无一人可继也。庚午四月。

沃丘仲子（费行简）所撰《当代名人小传》等书，不乏中肯之记载，文笔尤犀利可观，而亦时有失实之处。至李氏所叙文稿入不复出一节，读之益令人念及增祥持去其师李慈铭日记最后数年者，使永不得见，为可憾也。（增祥卒后，知交为理后事时，遍觅卒不可得，殆毁之矣。）

续承孙君钞示所存李氏最后遗文《蒯礼卿观察金粟斋遗集书后》一篇，足资阅览，更录如左：

礼卿观察既没之后，余友合肥殷君孟樵搜其遗著，奇零琐屑，不足成集。其学博而识精，识论奇伟。在同治光绪初元，名都会胜流所集，君多预其列，成一谈士之魁，而名特闻。诗文为其绪余。余馆君家五年，自言有笔记数十册，可名《三十年野获编》，余请观之，则言语多时忌，不敢遽出。君没已二十年，又值易世，无所为讳。君之夫人李氏，颇知重君手泽。今君从子寿枢字若木者，列其诗文，大都不外殷君集录之本，而未向其叔母求君笔记刻之，是失其所重轻也。集中《文王受命改元考》为与梁星海辨难之作，亦本经生旧说而立一为干，余皆政治家言。君好谈诗，自为诗乃不越昌谷、义山家数，且不多作。但有一事可纪。昔在光绪甲辰，张文襄奉朝命与江督魏午庄会勘湾沚工程，留江宁月余，遍游名胜园林，得诗数十首，门生故吏争写其稿。张子虞太守录副，遣一干送君处属和。君请馆师山阳段笏林及余和之。段谦不敢任，余为和其《金陵杂诗》十六首。君自仪栈回扬州，揖余曰："承和张宫保诗，音调遒亮，部居秩然，足为鄙人生色。"会补淮阳海兵备道，与江北提督刘永庆不合，欲投劾归。缪艺风先生闻之，遗余书云："可怜跋扈桓宣武，强迫兴公赋遂初。礼卿诗也，恐竟成谶。"此余代和文襄绝句中语。余意指袁世凯癸卯设计锢文襄，不令回鄂督任事。此诗余集载之，《国粹学报》《文艺杂志》并载之。余诗与君诗体绝不相似，盘拿劲折，挈与轻倩婉丽者比，一望而知为异。今乃定为君作，误甚。且系十六首，而删去五首，不知何意。余之末一首云："诗吟佳丽谢玄晖，临水登山更送归。收拾六朝金粉气，庾公清兴在南畿。"此结束语，所以尊文襄，今乃无此，有识者固知其未竟也。余为礼翁代作，亦可附渠集中，唯读若木君跋语有云："叔父所撰文字诗词，随手散遗，此编所录，寥寥无几，而搜辑则极慎，然非亲笔不敢录，亲笔而非确知其为自作仍不敢录，有得诸戚友者，非确知其非代作亦不敢录。"今当质于若木，余此和诗果得之礼翁亲笔邪？抑亲笔确知为礼翁自作邪？抑得诸亲友确知其非代作邪？又余所撰《礼翁别传》及《礼翁行状》，致于缪艺风，乞送之史馆者，乃不足登邪？抑或为审定编次之程先甲挟爱憎之见有所去取邪？夫审定当审定其误，如集中诗："篱刹狡谋犹未已，绳冲遗事极难忘。"篱刹抑即罗刹，冲绳应作绳冲邪？余不敢遽信也。抑闻之，古人编定师友文集，不欲录其誉己之作，恐涉标榜。今程君编次之本，载有礼翁致渠书，称其骈文，有："虽令屈原、宋玉、司马相如、杨子云、邹、枚、伯喈诸子执笔为之，亦不过如此，真可上抗周秦，奚止汉魏，更何有于六朝诸作本朝八家邪？"又云："自合肥与鄙人书一首，昔尝叹为建安神境。"又云："自来骈文家罕臻极则，贤竟登峰造峻，连夺前人之席。"云云。余友礼翁五年，与论并世诗文，未尝有此屹然裂断不顾嘲弄之语。若果有此，恐为礼翁一时风动（唐人谓郑畋语），或值病呓，失其常度，而余终不信者，往与礼翁评论同辈诗文，皆适如其分而止，或有过量之处，余必规之，如论俞理初、吴挚甫皆是。今乃徇一门生如俗所谓灌米汤者，使据为许子将月旦之定评，又或谢太傅作狡狯语，为人遽传，而礼翁因之不免有失听妄叹之玷，此余为故府主争此得失，不禁愤懑而长叹也。此等和诗，因若木君确字一说，乃谋收回，而礼翁于程溢美之言，又当执简而争。礼翁有知，宜陵云一笑，以余言为老宾客所当干涉。读此集竟，为

悲诧者久之。（辛未年稿）

附：李氏致孙君书

昨承复书，知随使节反扬。在前，菊坪寄视尊著《逍遥游释》，虚实并践，此支道林钻味所未及者。通敏之材，以余事治他书，无不造入深际，真可叹服。第一闻含光之言，重以菊坪所荐，亟思入郡，趋晤台教，奈疾痛萦娆（绕），先后踵起，扶杖槃散，艰于登陟。绿杨城郭，付公赏之。近文一首，略同白话，眼前岂有屈、宋、邹、枚、杨、马其人耶？伧人假师说自鸣，枕膝之伪，不可不为亡友辨也。作答附此，亦欲公诸海内硕流，助我张目耳。

李氏卒于民国二十年（辛未）五月，斯盖其绝笔也。所述蒯光典自言拟名《三十年野获编》之笔记数十册，李氏亦示得睹，果有之，自较其诗文为重要，其从子寿枢未刊，或仍以有所顾忌耳。此书倘得与世人相见，当为讨究晚清史实掌故之大好参考资料耳。

——民国廿四年

二八　对外趣谈

李鸿章历办外交，曾大蒙清议之纠责，媚外之诮，众口一词。其外交政策与手段，固有可议，要非有心媚外，且对外人词色之矜傲，尤其态度所特具。甲午之役，伍廷芳以议和随员赴日，日首相伊藤博文，为述十年前奉使至天津订约时鸿章态度之尊严，有追忆令人心悸之语（见王耀煜《中日战辑》卷四）。梁启超《李鸿章》第十二章，述其轶事有云："李鸿章接人常带傲慢轻侮之色，……与外人交涉，尤轻侮之，其意殆视之如一市侩，谓彼辈皆以利来，我亦持筹握算，惟利是视耳。崇拜西人之劣根性，鸿章所无也。"李岳瑞《春冰室野乘》云：

> ……文忠卑视外人之思想，始终未尝少变，……其对外人，终不以文明国人待之。……其晚年直总署也，总署故事，凡外国使至，必以酒果款之，虽一日数至，而酒果仍如初，即此项已岁糜数千金。公至署，诸使来谒，署中依例以酒果进。公直挥而去之，曰："照例，外宾始至，乃款以酒果，再至则无之也。"诸使皆色变，然竟不能争。法使施阿兰狡甚，虽恭忠亲王亦苦之。公与相见，方谈公事，骤然询曰："尔今年年几何矣？"外人最恶人询问年龄，然慑于公威望，（按：此语不无语病。）不能不答。公掀髯笑曰："然则是与吾第几孙同年耳。吾上年路出巴黎，曾与尔祖剧谈数日，尔知之乎？"施竟蹴踖而去，自是气焰少杀矣。丁酉岁暮，俄使忽以书来求见，公即援笔批牍尾曰："准于明日候晤。"时南海

> 张樵野侍郎在座，视之愕然曰："明日岁除矣，师尚有暇晷会晤外人乎？俄使亦无大事，不过搅局耳。不如谢却之。"公慨然曰："君辈眷属皆在此，儿女姬妾，团栾情话，守岁迎新，惟老夫萧然一身，枯坐无俚，不如招三数洋人，与之嬉笑怒骂，此亦消遣之一法耳。明日君辈可无庸来署，老夫一人当之可矣。"

其侘傺如此。

斯皆其对外态度见于记载，可供参考者。又甓园居士（刘焜）《庚子西狩丛谈》卷四下述鸿章在总理各国事务衙门事（此书多述吴永所谈，此即乃刘氏自写见闻）云：

> 予生平未见文忠，然无意中却有一面，至今印象犹在脑际。前清同文馆即设在总署，予一日偶从馆中偕两教习同过总署访友，经一客厅后廊，闻人声嚣嚣，从窗际窥之，见座中有三洋人，华官六七辈，尚有司官翻译，皆翎顶辉煌，气象肃穆，正议一重大交涉：首坐一洋人，方滔滔汩汩，大放厥词，似向我方诘难者，忽起忽坐，矫首顿足，余两人更轩眉努目以助其势，态度极为凌厉；说毕由翻译传述。华官危坐只听，面面相觑；支吾许久，始由首座者答一语，声细如蝇，殆不可闻。翻译未毕，末座洋人复蹶然起立，词语稍简，而神气尤悍戾，频频以手攫拏，如欲推翻几案者。迨翻译述过，华官又彼此愕顾多时，才

发一言，首座者即截断指驳，其势益汹汹，首末两座，更端往复，似不容华官有置喙余地，惟中坐一洋人，意态稍为沉静，然偶发一言，则上下座皆注目凝视，若具有发纵能力，而华官之覆答，始终乃只有一二语，面赪颜汗，局促殆不可为地。

予当日见此情状，血管几欲沸裂。此时忽闻传呼声，俄一人至厅事门外，报王爷到；旋闻足音杂沓(沓)，王爷服团龙褂，随从官弁十数，皆行装冠带，一拥而入，气势殊烜赫。予念此公一来，当可稍张吾军。既至廊下，则从者悉分列两旁，昂然而入，华官皆肃立致敬，顾三洋人竟视若无睹，虽勉强起立，意殊不相属，口中仍念念有词。王爷先趋至三客座前，一一握手，俯首几至膝上，而洋人傲岸如故，王爷尚未就座，即已厉色向之噪聒；王爷含笑以听，意态殊极恭顺。

予至此已不能复耐，即扯二人共去，觅所识友人，告以所见。吾友曰："中堂在座否？"予曰："吾不识谁为中堂。"曰："李中堂也。中堂在此，当不至是。"予乃约其同至故处。友逐一指认，告姓名，曰："中堂尚未至也；然今日必来，盍再觇之。"予亟盼中堂到；俄顷复闻呼报，予以为中堂至矣，乃另为一人。仍趋与洋人敬谨握手，即逡巡就座。予乃大失望。

至于此际，续闻呼报，一从者挟衣包，先岔息趋入，置于门外旁几。吾友曰：“此必中堂。”既而中堂果入门，左右从者只二人，才入厅数步，即止不前。此时三洋人之态度，不知何故，立时收敛，一一趋就身畔，鞠躬握手，甚谨饬。中堂若为不经意者，举手一挥，似请其还坐，随即放言高论，口讲指画。两从人为其卸珠松扣，逐件解脱，似从里面换一衷衣，又从容逐件穿上。公一面更衣，一面数说，时复以手作势，若为比喻状，从人引袖良久，公犹不即伸臂，神态殊严重，而三洋人仰面注视，如聆训示，竟尔不赞一词，喧主夺宾，顿时两方声势为之一变。公又长身玉立，宛然成鹤立鸡群之象。再观列坐诸公，则皆开颜喜笑，重负都释。予亦不觉为之大快，如酷暑内热，突投一服清凉散，胸间郁火，立刻消降。旋以促饭引去。始终不知所议何事，所言何词；但念外交界中必须有如此资望，方称得起“折冲”二字。自公以外，衮衮群贤，止可谓之仗马而已。

吾友因为言：“中堂一到即更衣，我已见过两次，或者是外交一种作用，亦未可知。”同人皆大笑之，谓如此则公真吃饭穿衣，浑身皆经济矣。语虽近谑，而推想亦不无理致。汉高踞洗而见郦生，亦先有以慑其气也。庚子难作时，予闻公被召入都，即向人庆慰，谓决有斡旋之望，当举此事为证；果如所料。予于文忠，亦庶几可谓之窥见一斑者矣。

写得甚为绚烂，容有渲染太过之处，要亦可资参阅。（王爷或指庆王奕劻。引汉高事，嫌比似失伦。）吴汝纶《李文忠公神道碑》有云："其交远人，谈笑漫骂，阴阳阖开；接见风采，知为盖代英伟人也。"旨与刘氏所写略同。

鸿章之更衣，或是外交一种作用，其说颇奇。更奇者，则有谓清代中国官之章服能使外人畏惧。汉滨读易者（辜汤生）《张文襄幕府纪闻》卷下云：

> 近有英人名濮兰德者，曾充上海工部局书记官，后至北京为银公司代表，著一书曰《江湖浪游》，所载皆琐屑，专用讥词以揶揄我华人。内有一则曰《黼黻为厉》，大致谓："五十年来，我西洋各国，因与中国通商，耗费许多兵饷，损失无数将士，每战辄胜，及战胜以后，一与交涉，无不一败涂地，是岂中国官员之才智胜我欧人耶？抑其品行胜我欧人耶？是又不然。若论其才智，大概即使为我欧人看门家丁，恐亦不能胜任；论其品行，亦大半穿窬之不如。如此等无才无品之人物，何我欧罗巴之钦使领事，遇之便觳觫畏惧，若不能自主，步步退让，莫之奈何，其故安在？余于此事，每以为怪，研究多年，始得其中奥妙，盖中国官之能使我西人一见而觳觫恐惧者，无他谬巧，乃其所服之黼黻为之厉也。鄙人之意，以为今日我西洋各国，欲图救交涉之失败，亟宜与中国商订

新约，以后凡外务部及各省与我交涉之大小官员，不准挂朝珠，穿黼黻，逼令改用窄袖短衣耸领高帽，如我欧制；如此，黼黻即不能为厉于我，则我西人之交涉，庶不致于失败矣。中国果能遵此新约，我西人即将庚子赔款全数退还中国，犹觉尚操胜算也!”云云。按如濮兰德以上所言，其藐视我中国已极，然君子不以人废言。其言我中国黼黻衣冠能使西人畏惧，虽系戏言，然亦未尝无至理寓乎其中。孔子不云乎：君子正其衣冠，尊其瞻视，俨然人望而畏之。且尝揆之人情，凡遇人之异于己者，我不能窥其深浅，则有所猜忌，故敬心生焉；遇人之同于己者，我一望而悉其底蕴，则无所顾畏，故狎心生焉。今人有以除辫变服为当今救国急务者，余谓中国之存亡，在德不在辫，辫之除与不除，原无大出入焉；独是将来外务部衮衮诸公及外省交涉使，除辫后窄袖短衣，耸领高帽，其步履瞻视，不知能使外人生畏敬心乎，抑生狎侮心乎？

其论奇而趣。辜氏就外人藐我之言中，看出一番道理，合于其主张中国文化胜于外人及尊崇有清之宗旨。此篇标题即曰《在德不在辫》，辜氏当清亡之后，至死不去辫，盖亦本于此种理论耳。前乎此，复有言以状貌慑服外人，以解决困难交涉者。袁枚《记富察中丞四事》，表彰托庸（满洲富察氏），第一事云：

东粤近海南诸夷，中国两戒之守，以广州虎门为限。乾隆八年，红毛国伐吕宋胜之，俘五百人，其众顺帆泊虎门，粤东大骇。总督策楞召布政使托公曰："外夷交攻，扬兵我境，剿之乎？听之乎？于国体奚宜？"公曰："当使进表称贡，献所俘五百人，请公处分。"策笑，有愠色，啨曰："君直戏耳！红毛虽夷，非痴人，其肯以万里全胜之师受驱使耶？君言之，君能之乎？"公曰："不能固不敢言。"策愈愠曰："君果能，恣君所请。"公笑曰："无多请也；请饬印知县杨参将听指挥，六日内复命。"印令者，才而敏；杨参将者，修干伟髯有将貌者也。策许之。公出，召印令曰："我欲使汝教红毛国进表称贡，献所俘五百人，请制府处分。"印令惊，如策所云。公曰："汝直未思耳。红毛伐吕宋，涉大海数千里，粮能足乎？船漂浪击风必损坏，不于此修篷舻，其能归乎？此如婴儿寄食于人，小加裁禁，立可饿死，何说之不能从？制军易吾言，不问，吾故未以此意晓之。"印令大喜，奋曰："如公言，足以办矣。"与参将杨领五（按：此字下疑脱一字，当再就他本校之）人，短后衣，持弹，据狮子洋而营焉；密令米商闭户遏粜。红毛人来探，告之曰："中国无他意，虑奸民欺汝外夷，以行滥物诱汝钱，故来相护耳。"红毛人不解意去；然望其炊烟渐缕缕希矣。居无何，红毛总兵求见。坐定未言，印令呵之曰："中国夙以虎门为限，条禁森严，汝两国交哄，不偃旗疾过，乃扬兵于此，大悖。我制府性暴，好用兵，我等未敢遽白。所以守此者，欲断汝粮，饿死汝，然后白制军。”红毛总兵意大沮，目参将。参将噤声，须髯怒张，叱嗟而已。总兵愈恐，伏地请曰：“诚然粮尽，然终非有心犯天朝也。公幸赦之，且教之。”令微露其意。红毛人泣曰：“若然，诚天幸也。请代申此言。”令曰：“不可。吾为汝告方伯大人，方伯大人为汝告制军，阶级尚多，通达尚难，汝一旦失信，则我等先为汝获罪，故不敢也。”曰：“红毛自具牒申请如何？”令为不得已而强应曰：“可。”红毛人抱弩负箙，手加额，匍伏进表，贡所俘五百人，乞制府处分。策公大悦，竟以五百人仍还吕宋，而赏赐红毛，听其还国。……

如所云，托庸请印令杨将于总督，任折冲，印令干员，杨将则惟仗“修干伟髯”之“将貌”，以“须髯怒张”怖外人，用使帖伏就范，状貌之关系外交，洵大矣哉！亦趣谈也。（袁氏纪事之文，易涉轻率浮夸，此节情事，可信之程度如何，尚是问题。《记富察中丞四事》，见《小仓山房文集》卷八；其卷三十四有《庆远府知府印公传》，为后此之作，即此印令也。传中《嘆夷与吕宋仇杀》云云一节，亦叙此事，而颇有异同，可参看，则只言印光任之能，不复道及此“修干伟髯”“须髯怒张”之杨参将矣。彭绍升《与袁子才先辈论小仓山房文集书》有云：“大集叙事文，腹笥既富，摹绘极工，其独到处，惊风雨，泣鬼神，不足喻也；顾其间传闻互异，多有淆讹，……惟望悉心考核，随手更定，俾毫发无所憾，而后即安，庶可为传世行远之计，不然，与为失实，毋宁阙疑，此即私心所深祷者也。”)

——民国廿五年

二九　西人之中剧观

前阅报载国民新闻社五月九日柏林电云：“今日宣传部部长戈培尔氏向德国戏院经理人演讲德国戏剧界将来之任务。戈氏盛称中国戏剧之艺术，谓德国应以中国为榜样。又谓：‘吾人为何而必研究中国之艺术，盖以其完整而不散漫，能拟成各种形式，将中国文化之各方面俱显示无遗也。’戈氏复称：‘中国之艺术，为中国国家之艺术，因在中国艺术与民族实不可分者也。中国因有其固有之文化，故能永久产生中国之艺术。德国实亦应仿效中国之榜样，使德国之艺术为德国民族之艺术，盖德国已往在艺术界之光荣，亦实因德国有其音乐戏剧上之杰作，在根本上完全为德国民族之精神者也。’”与《程砚秋赴欧考察戏曲音乐报告书》所云：“柏林一个远东协会，秘书长是林德先生。他为欢迎我而开了一个大规模的茶话会；……林德先生演说，对于中国戏曲艺术极尽夸耀；只是把我捧得太高，使我惭愧！”均见德人尊重中国戏剧者之表示，吾因之联想而及于庚子八国联军统帅德人瓦德西《拳乱笔记》(王光祈译）所言。其是年（一九〇〇）十一月二十三日日记记在北京观剧事云：

> 今日余曾到中国戏场之内。中国人极嗜戏剧。北京方面设有不少戏园。最富之人并往往筑有私家剧场。余曾被（中国）年老商人邀请多次。直到最后余将请帖领受之时，于是大演一次。余与随员人等备受优礼迎迓，并导入特设雅座之厢内；其中安置被有棹布之棹子一张，除了此地无时或缺之清茶以外，更有香宾酒，果子，糕点，雪茄烟，等等，以享余等。最初开演两折毫无意义之短剧。所有女角，皆以男子代之，盖因女子素来极少在公众之前露面也。同时并杂有音乐于其间，足使石头化软；或者说得切实一点，以便使人头痛。所有观剧之人，坐在小棹之旁，大抽烟筒，饮茶吃果，亦复同样喧哗不已。中国人常常高呼“好”字，以代替（我们）Bravo（按：即“妙哉”之意）一字。终场更以王侯、厉鬼、战士等等跳打一阵；此种跳打技术，实为余生平尚未见过者。当余挨过一点半钟以后，复坐余车之中，于是不胜庆幸（得离苦海）。

此一德人三十余年前所记对于中国戏剧之印象乃如是。瓦德西与戈培尔等，所见洵为大相径庭。《程砚秋报告书》

又云：

> 里昂中法大学以盛筵来款待我。在许多中国男女青年的热烈督促之下，我免不了是要唱几句的，却好，这次是有胡琴伴奏着。第二天，里昂《进步日报》有这样一段记载："……以一种高贵而不可模拟的吸力，应热心青年男女的请求，即由其本国青年用一种乐器名胡琴者奏伴着，以圆润的歌喉，圆润的心情，作尖锐洪亮而又不用其谈话的声音歌唱。……时而作急促之歌，时而作舒缓之调，为吾人向所未闻的声音。此种锐敏的歌声，在欧洲人初次听见是不很了解，但觉其可听；而在中国知音者听着，就不禁心旷神怡了。"这几句话，未免过奖，比前几次干唱，这次有胡琴伴着是自己也觉得顺耳得多。

盖中国戏剧中之歌唱音乐及动作等，不独外国人初次观听，"不很了解"，即本国人初入剧场未能领略者，亦复往往有格格不入之感也。（所引瓦德西笔记一节，其中括弧，均系译本原有者。）

吾又联想及于美国议员团之报告。民国九年夏，美国议员团游历中日及朝鲜。归国后，由团员加州议员沃斯本士H.Z.Osborns编成视察报告，于众议院大会宣读之。《申报》译载其文。其述在北京观剧事云：

某晚余等得一极盛之中国筵席，凡燕窝、鱼翅等珍品，应有尽有。食后观剧。天气甚热，故剧场即设于旷场之上，上遮以棚，旁围以篱。台上幕帏为绣缎所制，极华丽，惟无布景耳。演剧时，常有三五侍者奔走台上，搬移台椅，递送物件。彼等虽常在观客眼帘之前，实则当作不在论。及台上有剧战时，锣鼓喧闹，枪刀交击时，于是此等侍者奔走益甚。吾曹西方顾曲家对之甚为奇异云。是夜所演者为史剧。重要角色为梅兰芳，男子而饰妇女者也。据谓渠为中国价钱最贵、声誉最隆之伶人。彼饰妇女，体态声容无不酷肖。又一人状似强徒，貌极狰狞，声极粗厉，面涂黑色，一望而知为狡猾之人也。反之，善人之面则涂白色。故中国戏剧中，人之善恶可以其面色之黑白而衡断之。

此为美人初观中国剧者之叙述，亦可参阅。所云善人面涂白色、恶人面涂黑色之定例，稍解中国戏剧者自觉其误。醒醉生（汪康年）《庄谐选录》云："同治初两江总督马公被刺时，（按：马新贻被刺，是同治九年事，不当云初。）上海戏园撰成《刺马》一戏。藩司梅小岩方伯为丑角，而巡抚张公则装白面。闻后赂以金，乃改为黑面。"倘如美议员所云，则是以赂而获改善人为恶人矣！

美议员报告，述颐和园之游有云：

屋顶之脊饰有狮虎异兽之像，各作相逐状。最前为一鸡，背骑一人。此类装饰，中国宫庙官署屋脊之上皆有之。美国煤油大王捐建之北京医学校之房屋，系仿华式者，故亦饰有此类怪像。据谓此等兽像乃状一中国古时帝王之故事。该帝喜以虐民为戏，所有刑具务极新奇。常纵其军队，杀平民，毁坏居室，淫人妻子，伤残其子女。然犹觉乐未尽兴，乃屠戮村邑以纵其欲。民愤极而叛，卒被废逐，遁入荒林。废帝困居林中数年，然残酷之性不因此而稍杀。林中与之相邻而处者惟虎狼之属。帝遂诱致其子，虐弄之使其号叫。老兽闻声而至，帝即设计捕而杀之。嗣兽不胜其虐，乃亦群起而攻之，帝仓皇出走，群兽穷追不释。正惶急间，适遇一硕大无比之鸡，帝即跨之逃。屋脊所塑，即象此故事也。余以为此乃警惕暴虐帝王之寓言。若有身为一国元首而不知爱民者，其必见逐于民，卒致跨鸡以逃也。此帝究竟能否脱猛兽之险于鸡背之上，则述者未为余道，故未悉底蕴。虽然，鸡虽硕大善奔，终不能避虎狼。何华人屋脊之上皆有一鸡负帝奔于前群兽追逐于后之像也？

则更是奇谈矣。始招待者见其每事询问，因杜撰故事以告之，乃被报告于议院。是亦颇有一幕喜剧之意味，并附识之。

瓦德西观中国剧之百年以前，欧人记在中国观剧者，有一七九三（乾隆五十八年）英国对华首次所遣使马戛尔尼，时觐见清高宗于热河，参与庆祝万寿典礼也。《乾隆英使觐见记》（刘半侬译）有云：

> 九月……十七日礼拜二。今日为乾隆皇帝万寿之期，余等早晨三点中即起，仍由樊、周两大人，导往行宫中祝寿。……已而相国和中堂、副相福中堂及其兄福大人、松大人等四人，同向余言："前日与贵使同游万树园，只游得东边一半，今天不妨再至西园一游。……不知贵使亦颇有游兴否？"余亟向彼道谢，谓："既承宠邀，万无不奉陪之理！"于是吾辈四人（?）仍如前日之例，联辔游园。……未几，又至一处，见广厅之中，建一剧场，场中方演傀儡之剧。其形式与演法，颇类英国之傀儡戏，惟衣服不同。戏中情节，则与希腊神话相似。有一公主，运蹇，被人幽禁于一古堡之中。后有一武士，见而怜之，不惜冒危险与狮、虎、豹相战，乃能救出公主而与之结婚。结婚时，大张筵宴，有马技斗武诸事，以壮观瞻。虽属刻木为人，牵线使动，然演来颇灵活可喜。傀儡戏之外，有西洋喜剧一折。其中主要角色，乃本其夫妇及彭迪米阿、史加拉毛克四人所扮。（译者案："万树园中，何以能有西剧，原书并未明言其故。以意度之，当系乾隆重视英使，特命在华供职各西人会串以娱之；否则各西人自行组织，以为皇帝上寿，亦属近

理。")据云：此项傀儡戏，本系宫眷等特备之游戏品，向来不轻易演与宫外人员观看。此次华官因余到廷叩祝之故，请于皇帝，皇帝特颁恩典，始许送至宫外一演。故各华官观看之时，均兴高采烈。中有一场，各华官同声喝好，声震屋瓦。余就各华官神色间观之，知此项游戏品，皇帝及内庭各宫眷必甚爱之也。……十八日礼拜三。先是，余得华官通告，谓："皇帝万寿之庆祝典礼，虽已于昨日举行，而今日宫中尚有戏剧及各种娱乐之品，为皇帝上寿。皇帝亦备有珍品多种，亲赐群臣，且将以礼物赠诸贵使。贵使可仍于晨间入宫，一观其盛。"至今日晨间，余如言与随从各员入宫。至八时许，戏剧开场，演至正午而止。演时，皇帝自就戏场之前设一御座坐之。其戏场乃较地面略低，与普戏场高出地面者相反。戏场之两旁，则为厢位，群臣及吾辈坐之。厢位之后，有较高之座位，用纱帘障于其前者，乃是女席，宫眷等坐之，取其可以观剧而不至为人所观也。吾坐入座未几，皇帝即命人招余及史但顿（按：参赞也，清廷称之曰副使，待遇略同于马戛尔尼）二人至其前，和颜言曰："朕以八十老翁，尚到园子里来听戏，你们见了可不要骇异，便是朕自己平时亦以为国家疆域广大，政事纷繁，除非有什么重大庆典像今天一般，也总觉没有空儿常到此间来玩。"余曰："贵国治安日久，方有此种歌舞升平之盛况。敝使东来，适逢其盛，殊以为快。”……戏场中所演各戏，时时更变，有喜剧，有悲剧，虽属接演不停，而情节并不连串。其所演事实，有属于历史的，有属于理想的。技术则有歌有舞，配以音乐。亦有歌舞音乐均屏诸勿用，而单用表情、科白以取胜者。论其情节，即无非男女之情爱，两国之争战，以及谋财害命等，均普通戏剧中常见之故事。至最后一折，则为大神怪戏，不特情节诙诡，颇堪寓目，即就理想而论，亦可当出人意表之誉。盖所演者为大地与海洋结婚之故事。开场时，乾宅坤宅各夸其富。先由大地氏出所藏宝物示众，其中有龙，有象，有虎，有鹰，有驼鸟，均属动物，有橡树，有松树以及一切奇花异草，均属植物。大地氏夸富未已，海洋氏已尽出其宝藏，除船只、岩石、介蛤、珊瑚等常见之物外，有鲸鱼，有海豚，有海狗，有鳄鱼，以及无数奇形之海怪。均系优伶所扮，举动神情颇能酷肖。两氏所藏宝物既尽暴于戏场之中，乃就左右两面各自绕场三匝。俄而金鼓大作，两方宝物混而为一，同至戏场之前方，盘旋有时。后分为左右二部，而以鲸鱼为其统带官员，立于中央，向皇帝行礼。行礼时口中喷水，有数吨之多。以戏场地板建造合法，水一至地，即由板隙流去，不至涌积。此时观者大加叹赏。中有大老数人，座与吾近，恐吾不知其妙，故高其声曰：“好呀，好呀！”余以不可负其盛意，亦强学华语，连呼“好，好”以答之。演戏时，吾辈所坐厢位，作通长之式，不似欧洲戏场各厢互相分隔者，故坐客尽可自由往来，随意谈话。……下午一时，晨会已毕，余等退。至四时，复往观夜会。夜会地点在一广场之上，地在吾初次觐见皇帝之大幄之前。吾等到场未几，御辇即至。皇帝降辇后，自就一临时所设之宝座坐之，挥手发一起始开演之记号，于是广场之上即有拳术、跳舞、走绳、刀剑以及种种有趣之武艺，陆续献技。此项技师，均穿中国宽大之衣服，蹑寸许高之厚底大靴，而演技时仍纯熟活泼，似不见碍于衣履也者，吾乃不得不加赞誉。惟旗人好马，中国历史上殆无有不记旗人善于骑射者，而此种盛会乃未有马技列乎其间，令吾一观旗人之马技何若，亦憾事也。武技既毕，以花火为夜会之殿。此项花火，大有陆离光怪之奇观。在余来华后所见各项娱乐品中，当推此为第一。余昔在勃打维亚所见花火，虽变化之众多，火力之雄大，较胜于此，而以趣味言，则此胜于彼。花火之末一场，为绝大火景，有火山之爆裂形，有太阳与星辰之冲突，有爆火箭，有开花大炮，有连环炮。一时火光烛天，爆声隆隆，至光消声歇而后，余烟之缭绕于园中树木之间者，犹至一小时方散也。……此一夜会与晨会相较，其到场观看者及场中秩序大致相同，惟晨会则皇帝坐于戏场之前，而群臣咸坐于两厢，夜会则皇帝坐于中央，群臣分作左右二行，列于其旁，有坐者，有立者，有跪者。卫队及执旗持节之人，多至不可胜数，则站于宝座及群臣之后。其尤异之点，则晨会时观者可以自由谈话，喝采鼓掌，在所不禁，夜会则全场寂然，自始至终，未有一人敢发声谈笑者。

此为距今一百四十年前英人在华观戏剧及杂技所述之情形与印象。戏剧末出之大神怪戏，亦颇富于杂技之色采，有异通常之中国剧也。

距英使马戛尔尼观中国剧，更百年之前有俄皇大彼得使臣所述在北京观剧事，时一六九二（康熙三十一年）也。陈其元《庸闲斋笔记》引《中西见闻录》内俄文馆翻译俄国使臣义兹柏阿朗特义迭思所著《聘盟日记》十月十一日有云：

皇上特遣官二员，带领游历城内景胜，并马五十匹，为从人乘骑，余即备马同行。随至一处，似是戏园。房廊高大，内一高台，上多雕彩各画。台上正中有一方孔。周围有楼，楼上有栏。二官照料座位，款待茶酒。戏之佳不待言，兼有戏法，亦极敏妙。有从空中变出香桃、金橘、葡萄各鲜果，又变飞鸟、螃蟹各生物。其余亦有在西洋曾见者。又一技人以玻璃圈数枚，大者如人手，叠置木梃梢头，横飞竖舞，无一落地，真妙绝也。已而六人共升一竹竿，长约数尺，直立地上。一童舁升至顶，匍匐其上，转运如轮，盘旋不已。既而以一手执竹梢，徐蹑足立于梢上，拍手腾空，飞身而下。此外之技，不可枚举。剧佳甚。闻此伶人皆供奉内廷，无怪艺之绝耳。戏彩之衣，悉金珠晃漾。所演戏为一英雄破敌还朝，大似策勋饮至。并有多神下界。神内一人，赤面如朱，云是先皇帝也。戏之中间，忽出美妇二人，曲眉秀项，丽朋炫妆，各立二人肩上，翩跹而舞，应弦合拍，如履平地。又二童子衣奇异之衣，奏技如果斯提克。（此俄国戏，今失传矣，其详不闻。）尽日所观，无不入妙。

此为距今二百四十年前俄人所观，盖戏剧与杂技兼演也。甚赞戏剧之佳，而所言殊略，恐亦如里昂《进步日报》所云“不很了解”耳。（云是先皇帝而赤面如朱者，或关羽耳，羽称伏魔大帝也。）

俄使义兹柏阿郎特义迭思之来，在尼布楚和约订立之后，英使马戛尔尼之来，为英政府初通中国，均当有清盛世。德将瓦德西之来，则中国几不国，而清廷亦驯致倾覆矣。三人先后初观中剧，俄英二使称誉，德将诋諆，国势之隆替殆亦有关欤。

——民国廿二年

三〇　戏剧琐话

锤击宫门

《二进宫》剧中，宫门封锁，击之以徐彦昭之铜锤，盖此锤出自御赐，非同寻常也。昔观梆子班此剧，杨不肯负“保”幼主之责，徐以铜锤作欲击之状，杨惧而允，性质类乎八贤王之金锏。徐彦昭据说是徐达之后，其家之有此御赐之锤，齐东野语耳；惟与徐达同为开国功臣之刘基，蒙明太祖“击门椎”之赐，则见于明人记载。王文录《龙兴慈记》云：

> 圣祖赐刘诚意一金瓜，曰击门锤（按：“锥”应作“椎”，即锤也），有急则击之。一夕，夜将半，击宫门。乃洞开重门迎之曰：“何也？”曰：“睡不安，思圣上奕棋耳。”命棋对奕。俄顷报太仓灾，命驾往救，刘止之曰：“且奕。”圣祖遽起曰：“太仓国之命脉也，不可不救！”曰：“请先遣一内使充乘舆往。”遂如言。回则内使已毙车中。圣祖惊曰：“何知以救朕厄？”曰：“观乾象有变，特来奏闻耳。”曰：“何人为谋？”曰：“明早朝衣绯者是。”……刘诚意影神画中，有童子持金瓜随侍，即上赐也。

刘基以乾象预知有谋变者，事近附会。至击门椎之赐，亦似难遽信，特《二进宫》铜锤击宫门，或受金瓜击宫门传说之影响？即不然，亦可类观。

御赐武器

上方剑外，皇帝特赐武器之威力，每见于戏剧，如八贤王金锏等是也。事虽诞，而有类之者。《诚意伯文集》附刊刘基次子璟传（何人所撰，待考，总是明人手笔），叙其见重于明太祖，有云：

> 公伟貌丰髯，论说英侃。帝爱之，次日召公，谓曰："朕欲卿日夕左右，夜考宋纪，惟阁门使如仪礼司，立百官之上，为朕宣唤传递，处你无逾此官。"遂拜职。赐第马衣金带；书"除奸整佞"四字于铁简（按："简"即"锏"之本字）赐之，且命曰："百官敢有不法，卿持此简击。"于时袁都御史奏车牛事忤旨，公当殿以简击其项。上曰："正当如此。"自是举朝畏公。

刘璟当殿以锏打人，而为举朝所畏，不俨然一八贤王乎？从知小说、戏剧中有此，固附会有因，不尽凿空也。《明史》刘基传附传璟，记其为阁门使事，谓："帝临朝，出侍班，百官奏事有阙遗者，随时纠正。都御史袁泰奏车牛事失实，帝宥之，泰忘引谢，璟纠之，服罪。帝因谕璟：'凡似此者，即面纠；朕虽不之罪，要令知朝廷纲纪。'"仅言纠，未言打；惟明隆庆间张时彻所撰基神道碑铭，亦谓璟有除奸敌佞铁简之赐。

胭脂褶

《胭脂褶》（《失印救火》）剧，巡按失印，为知县所得，挟以与巡按为难，巡按之父画策，令巡按纵火于廨，藉救火匆匆以印匣交知县守护，知县不暇审虑而受之，旋悟中计，而不得不以巡按原印实其中，还诸巡按，演来颇有趣。清荆园居士《挑灯新录》有一则，言洛邑令某私通县尉某之妾，妾窃其印畀尉，令大窘，幕友贾某为之画策。

> 是夜令将上房一切移空，纵火焚之，俄而火光烛天，合城寅僚，以县署失火，咸集救护，尉亦与焉。令乘仓卒之隔，以空箧授尉，嘱白："此慎重物，烦公回衙守护。"言毕，急向人多处而去。尉于匆遽中受箧在怀，奔回己署，忽悟曰："吾为所弄矣，顷刻间必将赖印信也！"不得已以印贮于箧中，透晚赍回。令接启视，见印在，喜付于内，以为得计也。尉辞回署，愤恨殊甚，然实莫可奈何。……

与《胭脂褶》所演情事相类，惟失印者为知县，中计者为典史耳。凡此大同小异之传说，似出一源。

外国之失印救火

相传之《失印救火》故事，如《胭脂褶》剧所演之类，不独中国有之，英人倩伯司《诗人解颐语》（林纾译）中之《因火得印》一则云：

暹罗之制，官之印信，亲王金也，其次银也，小官则用铜制，无论何官，以印为信，无印则不成为官。一日有文官与兵官哄，兵官以术取其印。此官失印，当得罪，恒以病在告。众疑何以久假，即启之节使。节使召此官问之，官以实对，且疑为兵官所窃。节使颇知状，即曰："余为尔取印。尔今归署纵火，彼兵官必来应援。来时，尔以空匣托之保护。彼仓卒中不及备，悟时必纳印其中还尔，决不能投尔以空匣。火灭后，尔必得印矣。果以空匣相授，则尔当索印于彼，彼亦不可逃责。"此官如言，火发，兵官至，官如言授以空匣。迨火灭，印复其故处矣。于是节使以资助之，复造新署。

此英人所述暹罗之《失印救火》也。其情节与中国之传相的故事，大体亦颇合，或即由中国输入欤？

月下斩貂

昆曲有《月下斩貂》一剧，谓吕布既灭，曹操以貂蝉属关羽，关斩之，盖羌无所本，或即因《三国志》关传注语而附会以成此，欲为辨诬者。关传裴注引《蜀记》云："曹公与刘备围吕布于下邳，关羽启公，布使秦宜禄行求救，乞娶其妻，公许之。临破，又屡启于公，公疑其有异色，先遣迎看，因自留之。"俞樾《小浮梅闲话》谓："据此，则吕布妻必美，且又牵涉关公；杂剧有关公月下斩貂蝉事，即因此附会也。”提其附会之由来，不为无见。惟《蜀记》所云“其妻”之“其”字，指秦宜禄欤？指吕布欤？犹是一问题。

王士禛《香祖笔记》云：“胡应麟作《丹铅新录》《艺林学山》，以驳升庵，自负博辩，然舛讹复不自觉。如引《三国志》关某传注，谓‘羽欲娶布妻，启曹公，疑布妻有殊色，因自留之’，按此乃秦宜禄妻，与布何涉？元瑞岂未一检《陈书》耶？”胡解与俞同，王则主秦妻说，而于此处文义上两说均非不可通也。

《三国志》魏明帝纪，有秦朗事，裴注引献帝传云：

> 朗父名宜禄，为吕布使诣袁术，术妻以汉宗室女，其前妻杜氏留下邳。布之被围，关羽屡请于太祖，求以杜氏为妻，太祖疑其有色。及城陷，太祖见之，乃自纳之。宜禄归降，以为铚长。及刘备走小沛，张飞随之，过谓宜禄曰：“人取汝妻，而为之长，乃蚩蚩若是邪！随我去乎！”宜禄从之数里，悔欲还，飞杀之。朗随母氏畜于公宫，太祖甚爱之，每坐席，谓宾客曰：“世有人爱假子如孤者乎？”

又《曹真传》附传何晏，裴注引《魏略》云：“太祖为司空时，纳晏母，并收养晏。其时秦宜禄儿阿苏亦随母在公家，并见宠如公子；苏即朗也。”以斯相印证，关传注引《蜀记》所云“其妻”，自是秦宜禄妻明甚，胡俞解为吕布妻实误也。《月下斩貂》剧之编者，如因此而附会，亦属误解耳。

袁枚《读胡文简公传》，举其在广州恋黎倩事，谓："即此可以见公之真。"并以"苏武娶胡妇，关忠武请秦宜禄妻"作陪衬，谓："彼其日星河岳之气，视此小节，如浮云轻飙之过太虚，而腐儒矜矜然安坐而捉搦之，譬凤凰已翔云霄，而莺鸠犹讥其毛羽有微尘，甚无谓也。"亦言秦宜禄妻，不言吕布妻也。（至称关以忠武，未知何本。蜀汉谥为壮缪，清高宗谓壮缪非佳，诏改为忠义，未尝有忠武之谥也。即宋封崇惠公、武安王，明封协天护国忠义大帝，亦无忠武之称。袁氏殆误以岳飞之谥当之耶。）观袁氏所论，关纵有请娶秦宜禄前妻杜氏之事，不足为盛名之累；倘以误解为吕布之妻，遂拉上貂蝉，而编《月下斩貂》剧，欲藉效辨诬之势焉，斯诚多事已。

关张　关林

三国戏与水浒戏，在诸剧中均甚占势力，亦《三国志演义》与《水浒传》两书在小说中占势力而又适于编剧之故也。《三国志演义》中，蜀汉有五虎将，为关云长、张翼德、赵子龙、马孟起、黄汉升；《水浒传》中，梁山亦有五虎将，为关胜、林冲、秦明、呼延灼、董平。而水浒五虎将之前二人，与三国五虎将之前二人，状貌亦属相仿。

《三国志演义》中，关云长于第一回《宴桃园豪杰三结义》出场，其状貌："身长九尺，髯长二尺，面如重枣，唇若涂脂，丹凤眼，卧蚕眉，相貌堂堂，威风凛凛。”《水浒传》中，关胜于六十二（三）回《关胜议取梁山泊》出场，其状貌：“端的好表人材，堂堂八尺五六身躯，细细三柳髭须，两眉入鬓，凤眼朝天，面如重枣，唇若涂朱。”相似也。张翼德亦于《三国》第一回出场，其状貌：“身长八尺，豹头环眼，燕颔虎须。”林冲于《水浒》第六回《花和尚倒拔垂杨柳》出场，其状貌：“生的豹头环眼，燕颔虎须，八尺长短身材。”尤属相同也。

小说中关胜状貌与云长相似，戏剧中之脸谱，关胜三块瓦，虽与云长之红脸有异，然都是红脸，仍属略同也。

林冲在小说中，状貌与翼德相同，而在戏剧中之脸谱则大异，翼德自有其黑花图案，林冲乃素面不打脸。所以如是，以脸谱与各人之性情格位大有关系也。关胜“乃是汉末三分义勇武安王嫡派子孙，……生得规模与祖上云长相似。”（《水浒传》中宣赞向蔡京推荐关胜语。）“是上上人物……写来全是云长变相。”（圣叹评语。）宜其脸谱与云长虽有异（此因云长在戏剧中地位特高）而大端相类。至林冲与翼德，均为勇将，而性格相去甚远；翼德粗豪猛戆，一往直前，林冲则非其伦。圣叹评语，谓：“林冲自然是上上人物，写得只是太狠；看他算得到，熬得住，把得牢，做得彻，都使人怕。这般人，在世上定做得事业来，然琢削元气也不少。”此论不免近迂，然林、张性格大异，固彰彰也。由是林冲之扮相，可不管翼德之脸谱如何矣。（《三国志演义》写翼德状貌，缀以“声若巨雷，势如奔马”字样，《水浒传》写林冲无此八字。）

包黑

剧中包拯之黑，可为刚正之象征，所谓铁面无私也。其黑之见于小说者，如《七侠五义》第二回，写其初生，谓其“黑漆漆”，七岁“起名就叫黑子”，旋“改名为三黑”；“包黑子”之黑，亦可谓有书为证矣。

包拯尝官龙图阁直学士，（小说、戏剧因尊为“相爷”，乃曰龙图阁大学士。）故世有“龙图”之称，如《龙图公案》之类，几若“龙图”为包之专有名词，以其名震流俗也。沈括《梦溪笔谈》卷廿四有云：

> 漳州界有一水，号乌脚溪，涉者足皆如墨。数十里间，水皆不可饮，饮即病瘴，行人皆载水自随。梅龙图公仪宦州县时，沿牒至漳州，素多病，预忧瘴疠为害，至乌脚溪，使数人肩荷之，以物蒙身，恐为毒水所沾，兢惕过甚，睢盱矍铄，忽坠水中，至于没顶。及出之，举体黑如昆仑，自谓必死，然自此宿病尽除，顿觉康健，无复昔之羸瘵。

在此项谈柄中，宋代别有一龙图而黑者，“举体黑如昆仑”，不可谓非“黑漆漆”矣，特梅黑而非包黑耳。剧台上则惟见龙图包黑，不见龙图梅黑。

包“文正”

包拯字希仁，而剧中往往自称“包文正”，则以俗传包字文正耳。（《七侠五义》第三回：“宁老先生……给包公起了官印，一个‘拯’字，取意将来可拯民于水火之中，起字‘文正’，取其‘文’与‘正’，岂不是‘政’字么，言其将来理国政，必为治世良臣之意。”）此外，又有包字希文之传说。《元曲选》中包拯杂剧，包拯报名，皆云“老夫姓包名拯，字希文”；又金元好问《续夷坚志》云：

> 世传包希文以正直主东岳速报司，山野小民，无不知之。庚子秋，太安界南征兵掠一妇还，云是希文孙女，颇有姿色。倡家欲高价买之，妇守死不行。主者利其财，捶楚备至，妇遂病，邻里嗟惜而不能救。里中一女巫，私谓人云：“我能脱此妇，令适良人。”即诣主家，闭目吁气，屈伸良久，作神降之态。少之瞑目咄咤，呼主人者出，大骂之。主人具香火，俛伏请罪，问何所触尊神。巫又大骂云：“我速报司也，汝何敢以我孙女为倡！限汝十日，不嫁之良家，吾灭汝门矣！”主者百拜谢过，不数日嫁之。

亦称希文，更在元曲之前矣。盖希仁早变而为希文，后又变而为文正也。《续夷坚志》所写，亦颇有戏味，《变羊计》之流亚。所谓速报司者，《天雷报》剧张继宝受雷击之所也；报而且速，宜为流俗所惊惮。

包龙图　范龙图

“希仁”为包拯之字，始而被传为“希文”，犹留一

“希”字，继而又被传为“文正”，并“希”字而去之，遂与原字全异。今剧中包拯自称“包文正”，说者多谓不应自称身后之谥，盖以“文正”似谥耳，然包拯实谥孝肃，不谥文正也。与包拯同时之范仲淹（长包十岁），字希文而谥文正，包之演变的两字，一同其字，一同其谥，而范之宦历，亦做过开封府，并且亦是个“龙图”，（史称其以龙图阁直学士副夏竦经略陕西，羌人呼为“龙图老子”。）尤妙者，包以史载“京师为之语曰：关节不到，有阎罗包老”，后来遂即传为实任阎罗，流俗共知，（包之实做阎罗，剧中尚未睹及，惟游五殿、探阴山、铡判官，已大显权威于阴曹地府，压倒阎罗耳。阎罗而外，曾传主东岳速报司，见前引《续夷坚志》。）而宋袭明之《吴中纪闻》谓范以聪明正直而为阎罗，何又相同耶！在历史上，范之声望及事迹过于包，在小说、戏剧上，则包独翘然杰出矣。（小说、戏剧所演包之门生范仲禹，似有意影射范仲淹，然不伦。）

木兰从军

《木兰从军》一剧，编制尚不恶，其本事由古乐府《木兰篇》（亦称《木兰辞》）。至孝女木兰之时代，说者不一，或谓隋唐，或谓南北朝，亦有谓出于文人假设，不必真有其人也。而事有类之者，清人朱象贤《闻见偶录》云：

> 古之木兰，以女为男，代父从军，十二年而归，同行者莫知其为女子；歌诗美之，籍传之，以其事空

前绝后也。偶阅黄标《平夏录》：“元季蜀之保宁城中韩氏女，年十七，遭明玉珍兵乱，虑为所掠，乃伪为男子服，混处民间。既而果被虏，居兵伍中七年，人不知其女子也。后从玉珍兵掠云南还，遇其叔父，赎归成都，以适尹氏，犹然处子，人皆异之，称为韩贞女。”此与木兰事仿佛，可见天下之大，岁时之久，奇异非常之事，岂无同于古人乎？

时代、姓氏、籍贯，言之凿凿，较木兰为近真矣。加以点缀渲染，亦可入剧也。

又，梁溪坐观老人（张祖翼）《清代野记》卷中，有一则，亦相类。据云：

清同治初年，有皖人朱某者，读书应试，年逾冠不能青一衿，忿而从军为书记。展转数年，随大军度关陇，隶统领陈姓麾下；统领者，记名提督巴图鲁也。朱年少美丰姿，为人亦和蔼，统领甚倚重之，诸同僚不如也。一日者，统导忽独召朱夜饮，留与同榻。朱不肯，提刀将杀之，不得已，从之。及登床，孰知统领乃女子，犹处女也，大乐。朱由是夜夜皆宿统领所，同僚皆鄙之，皆以朱为统领龙阳矣。久之，统领腹渐大，将产矣，大惧，无策，又不敢冒昧堕胎，商于朱。朱怂恿直言禀大帅，时左文襄公督陕甘，朱且举木兰故事，谓必不见斥，从之，文襄得禀，大惊异，将据实奏闻。幕僚曰：“事涉欺罔，恐朝廷见罪，不如其已。”于是命朱袭陈名，统其军，而陈于是易弁而钗矣。

如所云，一清季之木兰也，特未能守身至离军耳。

《野记》续云：

> 后朱从征请归宗，更纳二妾；陈大怒，挟其赀财与所生之子，居甘肃省城，遂与朱绝。考陈之由来，则当同治初元间，将军多隆阿由湘入陕时，道出荆子关，军中募长夫，有童子应募而来，面黧黑而多痘瘢，且硕大多力，人不料其雌也。初入营牧马，继拔为兵，屡建奇功，得洊升至记名提督巴图鲁。雄飞十年，一旦雌伏，奇矣！此江夏范啸云游戎为余言；范其时亦从军关陇间也。此事若付之管弦，播之声歌，安见红毡毹上不演出一刚健婀娜之佳人哉？谁复忆其为黑而且麻蠢女也？

亦谓事堪入剧。貌陋蠢女，入剧则不妨为佳人。纪昀《如是我闻》卷三纪一婢之姻缘离合，述《边随园征君》之语云：“《西楼记》称穆素晖艳如神仙；吴林塘言其祖幼时及见之，短小而丰肌，一寻常女子耳。然则传奇中所谓佳人，半出虚说。此婢虽粗，倘好事者按谱填词，登场度曲，他日红氍毹上何尝不莺娇花媚耶？”此惜已先发之，在黑而且麻之“陈统领”，使演上舞台，正不妨刚健婀娜如《木兰从军》中之木兰；至未著其貌如何之“韩贞女”，更无论矣。

西施

近见一“西施”剧本，越既灭吴，越王勾践命范蠡与西施配为夫妇，向来本有西施归范一说，虽事未必果确，而杜牧已有“西子下姑苏，一舸逐鸱夷”之句矣。

范蠡曰：“……今日西施已作过吴王之妃，岂可配于臣下？”勾践曰：“范卿之言差矣！当日周武王灭了纣王之后，曾以妲己赐于周公，周公受之不辞。那是史书所载，……范卿不必推辞了。”甚怪，却亦非无所本。《三国志》崔琰传，附孔融事，裴注引《魏氏春秋》云：“袁绍之败也，融与太祖书曰：‘武王伐纣，以妲己赐周公！’太祖以融学博，谓书传所纪；后见问之，对曰：‘以今度之，想其当然耳！’”又《后汉书》孔融传云：“曹操攻屠邺城，袁氏妇子多见侵略，而操子丕私纳袁熙妻甄氏，融乃与操书，称‘武王伐纣，以妲己赐周公’。操不悟；后问出何经典。对曰：‘以今度之，想当然耳。’”此剧遂以斯“想当然耳”之诙谐语作勾践引史书为证之用焉。

四进士

戏剧中属于奖善惩恶者居多，《四进士》亦为此类，惟此剧特含有重要意味，耐人玩索。顾读，受贿枉法，有应得之罪也，而赃非入己之手，则似有可原矣。田伦，行贿挠法，有应得之罪也，而事由遵母之命，亦似有可原矣。案制胞姊之死命，生身老母以下跪求（且胁）其必从，从则不法，国有常刑，不从则不孝，家之大逆，情与法不能兼顾，田伦之左右为难，其情形更较顾读严重多多也。

事既大明，毛朋与田顾有极可味之对白：

田：父母恩情重。

毛：朝廷法度严。

顾：不听恩师语。

毛：王法大如天。

田、毛之白，双峰对峙，成一问题，而毛以执法者之立场折田，亦所谓“情有可原，法无可恕”也。顾白在此处似不相称，盖借着本剧缘起耳。毛更申言法，作一总结，所以示法之尊严伟大。

至本剧情节有情理欠合处，兹不赘。

连环套

戏剧多取材于小说，而有在小说中无甚意味，至编为戏剧，乃大出色者。《施公案》非佳小说，其戏则颇有佳者，如《恶虎村》及《连环套》，均编得甚好，盖一经点染，精采可观矣。

就《连环套》一剧而论，《拜山》一场最重，黄天霸、窦二墩，均身分恰合，相形之下，倍见精采，而窦二墩之气象，尤写得出。

天霸观马，以诚惶诚恐之态度，白："见马犹如见主，愿太御梁千岁千千岁！"二墩则在旁作冷嘲之白："乡下人！"此三字轻轻道出，重若千钧，可谓绝妙好辞，有包扫一切、吐弃一切之神理，大盗口吻，恰到好处。此类戏剧之编者未必为文人学者，而妙处则为文人学者所百思而无以易。

海会寺

曩观富连成社小翠花等演《海会寺》（《双铃记》《马思远》）于广和楼，觉阎喜林饰汉都老爷，最有神气。五城察院，每城满汉都老爷各一（御史或给事中），掌其事，满都列衔在前，而办事实权多在汉都之手。汉都虽多状似穷酸，然势力不可侮也。在此剧中，亦可见大致。阎喜林演此，颇能将"穷都"之状态表出，故为可取。剧中满、汉二都互称前辈，或以为误，盖因都老爷既有前后辈之分，当然一前辈一后辈，不应两俱前辈也；然实际未尝不如此相称。陈恒庆（清末历官科道，且曾任巡城之差）《归里清谭》（又名《谏书稀庵笔记》）有云："汉御史以入谏垣之先后分前后辈，……满御史不分前后辈，彼此以前辈相呼，汉御史亦统以前辈呼之。"可知编剧者于此实非错误。

杀子报

《杀子报》一剧，清人笔记中，有与之甚相似者。景星杓《山斋客谭》云：

方山之民，有商于外者，其妻与人通。一子方九岁，中夜醒，忽肩旁有一足，询其母曰：“父归耶?”其母恶之，且诫曰：“苟泄吾事，当寸脔之!”其子旦入小学，至午不敢归饷，及暮亦然。其师穷问，乃述母诫。师强送之，及门乃返。次日其子不赴学，呼之。其母曰：“昨儿未尝归，方欲向师求儿；何事久藏乎?”师知其故，遂宣儿语于众，因讼于县。令不信，督师出儿。师归，遂率徒众登妇楼穷索之，不得；将下楼，已蹑数级，正见二瓮于妇床下，血腥逼人，取视之，儿果碎脔于中；事乃白。其私人逃于杭之护国院为僧，并获之就法焉。康熙己未事也。

情节与《杀子报》小异而大同，疑《杀子报》本事所由来，与此有关也。

衬字与垫音

剧中之唱，为便利起见，有衬字与垫音，如《断后》剧，包拯唱：“走上前来我就忙跪倒，接驾来迟望恕饶。”上句实亦七字，“我就”乃另加之衬字也。又如《卖马》剧，秦叔宝唱：“店主东，带过了，黄膘马。”或于“店”字下垫一“哪”，虚音也。二者，其例甚多。

不独戏曲有衬字与垫音，吟诵诗句，亦有类之者。清王应奎《柳南续笔》卷一云：“桐城方文，字尔止，尝登凤凰台，吟太白诗云：‘凤凰台上一个凤凰游，而今凤去耶台空耶江水流。’曼声长吟，且咏且拍，人皆以为朱翁子之徒，随而笑之。”其“一个”“而今”为衬字，“耶”“耶”为垫音，固与唱戏大相类似；“且咏且拍”，又有哼戏之神气。

老身

剧中老旦多自称“老身”，犹老生之自称“老夫”也，然“老身”本非限于妇人。

清人王应奎《柳南随笔》卷五云：“今人讼牒中，多自称身，身犹言我也。如张飞自言：‘身是张翼德，可共来决死！’又宋彭城王义真，自关中逃归，曰：‘身在此。’谢沦曰：‘身家太傅。’史传中若此类甚多，皆以身为我也。”其说良是。

“身”而加“老”，遂为“老身”。如《北史》穆崇传：“元顺醉入穆绍寝所，绍让曰：老身二十年侍中，与卿先君亟连职事，何宜相排突也！”宋钱世昭《钱氏私志》述蔡京语：“将谓老身可以幸免。”是“老身”亦犹“老夫”耳。惟妇人自称“老身”，史册亦有之。如《五代史》汉家人传：“太后李氏谓周太祖曰：‘老身未终。’”《宋史》章惇传：“皇太后曰：‘老身无子。’”盖本男女可通用之词，后渐为妇人之专称也。元曲脚本中，尚有男子自称“老身”者，如高则诚《琵琶记》中牛丞相之类是。

今以“老身”专属妇人，与“老夫”显别，亦自秩然，所谓“约定俗成谓之宜”也。

“淡话”

《文章会》（《打樱桃》）剧中，员外方语，书童故意迭以虚构之琐事来报，以间断之，员外则斥为“淡话”。最后书童复报门外来了一大驮子盐云云，员外仍以“淡话”斥之；书童乃曰：“这许多盐，还淡么？”所谓“哏”也。

俞樾《一笑》（《俞楼杂纂》第四十八）有云：

> 有一老生，每闻人言，辄摇首曰：“淡而无味！”一日，与客言，问客曰：“有新闻乎？”客曰：“昨暮盐船与粪船相触，盐船破，所赍之盐，尽倾入粪船中矣。”老生亦摇首曰：“淡而无味！”——同年王文勤公说。

甚堪一噱，可与《文章会》剧中之笑料合看。惟此所云“老生”，谓老秀才，非伶界之老生脚色耳。“王文勤公”为宝应王凯泰（榜名敦敏），与俞氏为道光庚戌同年进士，同入翰林，官至福建巡抚，有政声，以积劳卒官，予谥文勤；非后此亦谥文勤之王文韶也。

脚色

张岱《陶庵梦忆》卷七云：

> 壬申七月，村村祷雨，日日扮潮神海鬼，争唾之。

余里中扮水浒，……分头四出，寻黑矮汉，寻稍长大汉，寻头陀，寻胖大和尚，寻茁壮妇人，寻姣长妇人，寻青面，寻歪头，寻赤发，寻美髯，寻黑大汉，寻赤脸长须，大索城中，无则之郭，之村，之山僻，之邻府州县，用重价聘之，得三十六人。梁山泊好汉，个个呵活。……观者兜截遮拦，直欲看杀卫玠。

此明崇祯间绍兴之一时豪举也。

钱泳《履园丛话》卷二十一云：

乾隆庚辰一科进士，大半英年，京师好事者以其年貌各派《牡丹亭》全本脚色，真堪发笑。如状元毕秋帆为花神，榜眼诸重光为陈最良，探花王梦楼为冥判，侍郎童梧冈为柳梦梅，编修宋小严为杜丽娘，尚书曹竹墟为春香。同年中每呼宋为小姐，曹为春香，两公竟应声以为常也。更有奇者，派南康谢中丞启昆为石道姑，汉阳萧侍御芝为农夫；见二公者，无不失笑。

则为清代京朝一时之雅谑。二者不伦，而合阅益趣。

戏迷

昔人剧癖，其玩世不恭，有极可发噱者。王应奎《柳南续笔》卷二云：

王皏，河南兰阳人，举崇祯辛未进士，性好优。当家居时，邑令往谒，值皏方傅胡粉，衣妇人服，登场而歌。令入，同为优者皆散去，皏不易服，直前迎令，令愕然。皏为妇人拜，徐告令曰："奴家王皏是也！"其女嫁某家，既婚，婿设席候人，朱其面，像关壮缪，绿袍乘马而往。至门，婿出迎，殊不顾，下马胡旋，口唱大江东一曲而入，座宾骇匿，引满数叵罗而归。

又邹弢《三借庐笔谭》卷八云：

崇祯时，包耕农上舍，与兰阳王皏交莫逆，俱有优癖，一家濡染，妇女皆好之。一日，家中共演《西厢记》，子妇女分扮张生、红娘、莺莺等人，令季女率婢仆扮孙飞虎，己则僧衣短裈，作惠明状。正登场演乐，其友某翁……忽来辞行，妇女皆惊避去，包不及更衣，僧服相见。翁愕然曰："君胡为者？"道其故，相与捧腹。

二人洵属同志。包之事犹未甚奇，王则殊怪而趣，可入戏迷传也。

刘继庄与戏剧

清初学者刘继庄（献廷），博览精思，为一时胜流所引重，著作惟传《广阳杂记》一书，其中关于戏剧者，卷二有云：

> 余尝与韩图麟论今世之戏文、小说，图老以为败坏人心莫此为甚，最宜严禁者。余曰："先生莫作此说！戏文、小说，乃明王转移世界之大枢机，圣人复起，不能舍此而为治也。"图麟大骇。余为之痛言其故，反覆数千言。图麟拊掌掀髯，叹未曾有。

其重视戏剧及小说如此，盖负经世之志，而与人深论其重要性也。又云：

> ……郴阳旅邸，北风阴雨，觉冷甚。……某某者忽然不见，询之，则知往东塔街观剧矣。噫，优人如鬼，村歌如哭，衣服如乞儿之破絮，科诨如泼妇之骂街，犹有人焉，冲寒久立以观之，则声色之移人，固有不关美好者矣！

又卷三云：

> 亦舟以优觞款予，剧演《玉连环》，楚人强作吴歌，丑拙至不可忍，……余向极苦观剧，今值此酷暑如炎，村优如鬼，兼之恶酿如药，而主人之意则极诚且敬，必不能不终席，此生平之一劫也！

则言素不喜观剧，而尤以观劣剧为大苦事。（刘精音韵之学。）

优旦奇人

刘献廷《广阳杂记》卷二纪郑成功之将洪复云：

> 洪复，泉州同安人，初为优旦，赐姓拔以为将。丰姿娇艳如妇人，而勇冠三军，射能百步穿杨。赐姓尝曰："观汝才略，可为大将，惜汝之性情气质柔媚耳。"复曰："复蒙主恩，今至于此，必为鬼以报主；大将则何敢云？"赐姓曰："何为也？"复曰："为将者，阵前阵后，岂能必胜？复效力行间，惟一死以报主恩，复之愿也！"赐姓尝攻漳州营，为敌所劫，披靡而走；思文所赐七印，一囊贮之，遗失于营中。复独骑，随敌后，入营中，挟囊而走，敌始觉，追之，复发三矢，连毙三人，敌不敢追，遂以印反命。后果死江南之难。

郑成功曾受朱明国姓之赐，故称赐姓。死江南之难者，言成功攻南京而败之役，洪复被擒，不屈而死也。洪复以优旦而为义勇之名将，可谓奇人。名老生孙菊仙，相传亦尝历戎行，为武弁，未知其审也。

梁巨川与戏剧

梁巨川（济），民国七年冬投身积水潭而终，遗书自述宗旨，于世风国事三致意焉；其人盖诚笃君子也。生时常观剧，并编有《暗室青天》等剧本，所怀在以戏剧转移风俗，俾维国本。其年谱（其子焕鼐、焕鼎编）清光绪三十一年乙巳云："公取鲁漆室女忧鲁故事，著为剧本曰《女子爱国》，以引起国家思想为旨。全稿二万言，以是年属草，翌年丙午演于京师，为新剧首创。"

又民国七年戊午云："公取陕西易俗社剧本，为之增削点窜，成《好逑金鉴》《暗室青天》《庚娘传》剧本三种，于是年正月、五月、九月次第付伶人排演。"谱后附记云："公……喜观剧，然实不解其音律；虽尝自制剧本，率因他人所谱者而为之词，未尝一自哦咏；所当心留意者唯在其科白、作派、情节、意趣之间，而隐以怀抱相寄托焉。"

梁氏于戏剧致力者如是，所编剧以道德节义为主，亦可谓烈士苦心矣。其戊午六月廿七日观剧书感有云："吾与林尹诸公日日筹画以戏曲为社会教育，指望人民从听戏得些益处，而我历观戏园众人……欲求潜心观察事理情致，以及编剧人苦心指点之言，则百人中恐不获一。如此则欲编剧改良社会不几为虚费徒劳乎？"盖叹因剧施教之愿，未得满意之结果耳。

暗室青天

梁巨川氏所编剧，好作正面教训，往往有类道德讲演，其孤怀熟忧自可敬，若就戏言戏，则艺术上不无缺点，如《暗室青天》一剧，亦如是也。其戊午（民七）八月初三日观剧所书有云：

> 今日演《暗室青天》，戏散将出园时，忽遇旧日同寅刘君桂芬，立谈有顷。余问此戏何如，刘云："戏自佳，而嫌前半有支离牵强处。桑岱受伤甚重，仓皇之顷说不着如许道理，应由小姐再三不见，然后丫环口中逼出道理方合。"余亦心知刘君言是，然余满心讽劝社会，故假藉桑岱特示榜样与世间男子看，若由丫环口说，更难说到吾辈男子自己律身不苟之义，失此机会又无从发挥，故不惜藉此强聒于社会也。须知余之不避迂陋，编剧劝人，譬犹拯溺救焚，何暇学文人骚客从容风雅、刻意求工耶？阑入牵强，吾亦自知，惟无妙造自然之才，无可如何，余固无时不叹自己才短也。

盖梁氏亦非不自知之矣。"强聒"二字，精神所注也。

教演

伶人演剧，必洞明本剧之情节指趣，始能体贴入微，妙造自然。张岱《陶庵梦忆》卷八有云：

> 阮圆海家优，讲关目，讲情理，讲筋节，与他班孟浪不同，而其所打院本，又皆主人自制，笔笔勾勒，苦心尽出，与他班卤莽者又不同，故所搬演，本本出色，脚脚出色，出出出色，句句出色，字字出色。余

在其家看《十错认》《摩尼珠》《燕子笺》三剧，其串架斗笋、插科打诨、意色眼目，主人细细与之讲明，知其义味，知其指归，故咬嚼吞吐，寻味不尽。

阮大铖关于演剧之致力如是。

梁巨川戊午自杀，遗书言志，其关于以戏剧作社会教育，致名编剧家林墨青书有云：

阁下对坤伶不必避嫌疑。如再有新戏本，可召集鲜（灵）芝、宋凤（云）、汪金荣、（小）旋风，（于）紫霞等，在台上告以此戏宗旨义理所在，勉励诸位费心费力，再细听杨韵谱指授云云。……虽彼等未必果懂，然一月说一次，渐渐会通，或展转相告，亦可为一线曙光也。

可与张氏所述者参看。梁、阮为人大异，所尚之剧亦不同，而对戏剧教演所注重，固有相似处。

——民国三十年月